5

H 22

NOT DEAD YET

Phil Collins

NOT DEAD YET
L'AUTOBIOGRAPHIE

Traduit de l'anglais par Philippe Mothe

Ce que vous allez lire, c'est ma vie telle que je la vois.

Certains en ont peut-être des souvenirs différents, mais ceux-ci sont les miens.

J'ai toujours pensé que chacun conservait de sa propre existence des « instantanés ». Tout le monde ne se souvient pas de la même façon d'une scène vécue, et certains peuvent même l'avoir oubliée. Cet événement peut déterminer le cours d'une vie chez les uns et ne laisser aucune trace chez d'autres.

P.C.

Prologue

Meilleurs tubes et moments rudes

J e n'entends plus.

J'ai beau essayer de la déboucher, mon oreille droite ne veut rien savoir. Je la sonde un peu avec un Coton-Tige. Je sais que ce n'est pas conseillé – le tympan est sensible, surtout s'il a été soumis toute sa vie à des roulements de batterie.

Mais je suis prêt à tout. Mon oreille droite ne répond plus. Or c'est ma « bonne oreille », la gauche donnant des signes de faiblesse depuis dix ans déjà. Alors ça y est, la musique m'a achevé ? Je suis définitivement sourd ?

Imaginez la scène (âmes sensibles, prière de détourner le regard).

Je suis sous la douche. Nous sommes en mars 2016 et je suis chez moi à Miami. Le soir même a lieu un concert très particulier, mon retour à la scène après des années d'absence et, plus important encore, ma première véritable apparition publique avec l'un de mes fils, Nicholas, quatorze ans.

Le fiston sera à la batterie, le papa au chant. C'est en tout cas ce qui est prévu.

Petit retour en arrière : 2014 a vu l'ouverture de Little Dreams USA, la branche américaine de la fondation créée en 2000 en Suisse par mon ex-épouse Orianne et moi-même. Little

Dreams offre à des enfants des formations, du coaching et un encadrement dans les domaines de la musique, des arts plastiques et du sport.

Pour lancer la machine aux États-Unis et lever des fonds, un gala avait été programmé en décembre 2014. Mais, entre-temps, j'ai accumulé les problèmes de santé et, le jour J, je n'étais pas en état de chanter.

J'ai donc appelé Orianne, la mère de Nic et de son frère Mathew – qui venait alors d'avoir dix ans –, pour les prévenir que, souffrant d'une extinction de voix, je ne pourrais pas monter sur scène. Je ne leur ai pas dit que j'avais aussi une extinction de confiance : on ne peut pas non plus annoncer toutes les mauvaises nouvelles en un seul coup de fil à son ex-femme. Surtout, peut-être, quand il s'agit de la troisième.

Seize mois plus tard, je dois rattraper le temps perdu. 2016 est une nouvelle année et, pour moi, une nouvelle naissance : je suis prêt pour ce concert. Pas au point d'assurer tout un spectacle cependant, ce qui nous oblige à engager d'autres artistes.

Même avec ce renfort, je me rends compte que la soirée va surtout reposer sur… moi. C'est un scénario auquel m'ont habitué quarante ans de tournées ininterrompues et trois décennies d'albums successifs, ceux de Genesis et les miens : je fais partie d'un projet où je ne maîtrise pas tout. Pas question pourtant d'annuler une deuxième fois. Pas si je tiens à fêter mon soixante-sixième anniversaire.

Plusieurs musiciens, camarades de longue date, se joignent à moi pour répéter à Miami avec Nic. Il sait qu'on va jouer « In The Air Tonight », mais, devant ses progrès à la batterie, j'ajoute à la liste « Take Me Home », « Easy Lover » et « Against All Odds ».

Les répétitions se déroulent parfaitement : Nicholas a bien travaillé à la maison. En plus, il est meilleur que moi à son âge. Comme pour tous mes enfants, je déborde de fierté paternelle.

Ce qui me rassure aussi, c'est que cette fois ma voix me paraît solide et sonne bien. Daryl Stuermer, mon fidèle guitariste depuis des années, demande : « Je peux avoir un peu de voix dans mon retour ? » C'est bon signe : quand le chanteur est mauvais, personne n'a envie de l'entendre dans les retours.

Le lendemain matin, jour du gala, je suis donc sous la douche. C'est là que mon oreille déclare forfait. Et si je n'entends rien, je ne peux absolument pas chanter.

J'appelle la secrétaire de l'un des nombreux experts médicaux de Miami enregistrés dans mon téléphone. Une heure plus tard, je suis en consultation et un ORL m'introduit dans les oreilles un engin aspirant calibré pour l'exploitation minière. Soulagement immédiat. Je ne suis pas encore sourd.

Le soir même, sur la scène du Jackie Gleason Theater, nous jouons « Another Day In Paradise », « Against All Odds », « In The Air Tonight », « Easy Lover » et « Take Me Home ». Nic, accueilli sur scène par une grosse ovation après le morceau d'ouverture, s'en sort comme un chef.

Nous faisons un triomphe. Je ne m'attendais pas à un tel succès – ni à y prendre autant de plaisir.

Après le show, je suis seul dans la loge. Assis, je digère tout ça, je repense aux acclamations. *Ça me manquait*, me dis-je. Puis, *C'est vrai, Nic est vraiment bon. Vraiment, vraiment bon.*

Le sentiment du concert bien fait, jamais je n'aurais pensé l'éprouver encore. Quand j'ai cessé les tournées solo en 2005, quitté Genesis en 2007 et arrêté les enregistrements en 2010, j'étais convaincu que c'était terminé. À l'époque, je faisais ça – jouer, écrire, chanter, divertir – depuis un demi-siècle. La musique m'avait apporté plus que tout ce que j'aurais pu imaginer, mais elle m'avait aussi pris plus que tout ce que j'aurais pu craindre. J'étais vidé.

Et pourtant, là, à Miami en mars 2016, il se passe l'inverse de ce qui s'est produit pendant des années : au lieu de m'éloigner de mes enfants, de Simon, Nic et Matt, et de leurs sœurs Joely et Lily, la musique me ramène à eux.

S'il y a bien quelque chose qui vous dépoussière les neurones, c'est de jouer avec vos enfants. Un cachet d'un milliard de dollars pour reformer Genesis ne me ferait pas reprendre la route. La perspective de jouer avec mon fils, peut-être.

Mais avant de penser à demain, il faut se souvenir d'hier. Comment en suis-je arrivé là, et *pourquoi* ?

Ce livre raconte ma vérité. Sur ce qui s'est passé, sur ce qui ne s'est pas passé. Je ne règle pas de comptes, je dissipe certains malentendus.

En me retournant sur mon passé, j'ai eu des surprises, bien sûr. D'abord, qu'est-ce que j'ai pu travailler ! Si vous vous souvenez des années 1970, vous n'avez sûrement pas bu autant de tournées que Tony Banks, Peter Gabriel, Steve Hackett, Mike Rutherford et moi-même en avons fait. Et si vous vous souvenez des années 1980, veuillez excuser ma prestation au Live Aid.

Nous sommes en 2016 et nous avons perdu beaucoup des nôtres. J'ai donc été amené à réfléchir à ma condition de mortel, à mes failles. Mais grâce à mes enfants, j'ai aussi dû penser à mon avenir.

Pas encore sourd. Pas encore mort.

Pour autant, ces sentiments ne sont pas nouveaux. La mort, je l'ai rencontrée quand elle a frappé mon père, au moment même où la décision de son hippie de fils de renoncer à une carrière dans les assurances pour une carrière dans la musique commençait à porter ses fruits. Elle m'a encore pris par surprise quand, en l'espace de deux ans, Keith Moon et John Bonham nous ont quittés, tous les deux à trente-deux ans. Je les vénérais. À l'époque, je me disais : *Ces types-là ne mourront jamais. Ils sont indestructibles. Ils sont batteurs.*

Je m'appelle Phil Collins et je suis batteur, et je sais que je ne suis pas indestructible. Voici mon histoire.

1

Toutes voiles dehors

*Ou : mes tout débuts, mon enfance
et ma relation en demi-teinte avec mon père*

On croit que les mamans et les papas, ça sait tout. Alors qu'en fait ils inventent au fur et à mesure. Ils jonglent au jour le jour, ils bricolent, ils font bonne figure – ou ils essaient. C'est quelque chose que j'ai soupçonné tout au long de mon enfance, mais je n'en ai eu la confirmation qu'à l'âge adulte, et encore, avec l'aide de l'au-delà.

En 1977, par un soir de grisaille automnale, je vais consulter un médium. Elle habite à Victoria, au centre de Londres, dans les quartiers insalubres situés à l'arrière du palais de Buckingham, dans un appartement perché presque au sommet d'une tour. À défaut de caravane de bohémienne, je me dis qu'au moins elle est plus près du ciel.

J'ai peu d'intérêt pour les esprits – ça me viendra beaucoup, beaucoup plus tard, et ce sera moins une affinité qu'une addiction –, ce qui n'est pas le cas de ma femme, Andy. Ma mère aussi est une adepte des tables tournantes. Chez nous, dans la grande banlieue ouest de Londres, maman, ma grand-mère et ma tante, flanquées de mes soi-disant oncles Reg et Len, se sont amusés bien des soirs, à la charnière des années 1950 et 1960, à interpeller les chers disparus depuis notre monde. Spectacle bien plus réjouissant que les piètres images tremblotantes et monochromes proposées par notre téléviseur dernier cri.

Pourquoi Andy et moi rendons-nous cette visite d'altitude à Madame Arcati ? À cause d'un chien têtu. Ben, notre magnifique boxer, a pris l'habitude de tirer de sous notre lit une pile de couvertures chauffantes. Nous les conservons pour nos enfants, Joely, cinq ans, et Simon, un an, afin que, quand ils ne feront plus pipi au lit, elles leur apportent un peu de chaleur. Il ne m'est pas venu à l'esprit que ces couvertures pliées promettent autre chose qu'un lit bien douillet : tordus, les filaments peuvent se briser et mettre le feu à la couverture. C'est comme si Ben le savait.

Andy vient à penser que dans le rituel nocturne de Ben intervient un facteur surnaturel. Cet animal n'est probablement pas extralucide, mais de toute évidence il a perçu quelque chose qui nous échappe, à nous autres humains.

À l'époque, je suis en pleine tournée avec Genesis – nous avons sorti notre album *Wind & Wuthering* et je ne remplace Peter Gabriel au chant que depuis peu. Par conséquent, je suis souvent un mari et un père absent qui, sur le plan domestique et familial, ne fait pas le poids. De sorte que je ne formule aucune objection à cette démarche peu orthodoxe.

Nous voilà donc en visite chez ce médium. Effervescence du quartier Victoria, grimpette par l'ascenseur de la tour, coup de sonnette et brin de causette avec le mari rivé devant *Coronation Street*. Difficile de faire moins spirituel. Quand enfin, s'arrachant à sa télé, l'époux m'adresse un signe de tête : « Elle va vous recevoir... »

Il s'agit d'une dame ordinaire postée derrière une petite table. Nul signe chez elle de talents hors du commun. Non, elle semble parfaitement normale, toute en sobriété. Ce qui me désarçonne complètement et me déçoit un peu. À mon scepticisme s'ajoutent une dose d'incompréhension et un soupçon de mauvaise humeur.

La lecture du Yi Jing ayant révélé à Andy que les esprits qui perturbent notre chien se situent du côté de ma famille, c'est à moi qu'échoit l'honneur de pénétrer dans l'antre du surnaturel. Du bout des lèvres, je narre à la voyante les pratiques nocturnes de Ben. Ayant opiné gravement du chef, fermé les yeux et laissé s'écouler un laps de temps significatif, celle-ci finit par lâcher :

— C'est votre père.

— Pardon ?

— Oui, c'est votre père et il veut vous léguer plusieurs choses : sa montre, son portefeuille et la batte de cricket de la famille. Souhaitez-vous que je demande à son esprit de parler à travers moi ? Vous pourriez entendre sa voix. Mais il arrive que les esprits ne veuillent plus repartir, ce qui peut être un peu gênant.

Je bredouille un « non ». La communication avec feu mon père n'était pas des meilleures de son vivant. Lui parler aujourd'hui, presque cinq ans après son décès, à Noël 1972, par le truchement d'une dame d'âge mûr, dans un intérieur d'une platitude confondante et au sommet d'une tour du cœur de Londres, serait étrange.

— Bon, il vous demande d'offrir des fleurs à votre maman et de lui dire qu'il s'en veut encore.

Évidemment, un jeune homme de vingt-six ans comme moi, qui aime que les choses soient organisées et pragmatique – je suis batteur, ne l'oublions pas –, devrait ne voir là qu'une arnaque de bonimenteuse. Mais je reconnais que l'habitude prise par ce chien d'extraire des couvertures de sous notre lit révèle un comportement peu habituel pour un simple mortel, fût-il canin. De surcroît, Madame Arcati a fait état, au sujet de mon père, de plusieurs détails qu'elle ne pouvait pas connaître, notamment cette histoire de batte de cricket. Du plus loin que je me souvienne, cette batte a toujours fait partie du maigre arsenal sportif du clan Collins. En dehors de la famille, nul ne peut en avoir connaissance. Sans être convaincu, je suis intrigué. Andy et moi quittons l'antichambre de la vie céleste pour retrouver ce bas monde. De retour sur la terre ferme, je lui fais mon rapport. Et elle, avec un regard tout aussi compréhensible ici-bas que dans l'au-delà, de répliquer : « Je te l'avais bien dit. »

Le lendemain, j'appelle ma mère et lui relate les événements de la veille. Transportée d'allégresse, elle n'est surprise ni par le message ni par le médium. « Je parie qu'il veut m'offrir des fleurs ! », s'exclame-t-elle, mi-hilare, mi-offusquée. C'est alors qu'elle me raconte tout. Mon père, Greville Philip Austin Collins, n'était pas fidèle à son épouse, June Winifred Collins (née Strange). Engagé à l'âge de dix-neuf ans par la compagnie London Assurance dans la City de Londres, il y est resté toute sa vie, comme son père avant lui. Et « Grev » s'est abrité derrière son train-train de banlieusard à chapeau melon pour mener une double vie avec une femme rencontrée au travail.

À première vue, papa n'avait rien du tombeur ni de l'homme à femmes. Il était un peu bedonnant et sa moustache d'officier complétait une chevelure clairsemée (si je suis si bien fait de ma personne, c'est de toute évidence à ma mère que je le dois).

Or il semblerait que sous ces dehors d'employé d'assurances bien policé se cachait un être plus proche du don Juan. Maman me rapporte un épisode précis. Alma Cole était une dame adorable qui travaillait avec elle dans le magasin de jouets qu'elle tenait pour le compte d'un ami de la famille. Originaire du nord de l'Angleterre, Alma prenait à tout propos des airs de conspiratrice.

Elle et maman étaient proches. Un jour, c'est une Alma un tantinet vexée qui lui lance en fronçant le nez : « Je t'ai vue en voiture avec Grev samedi, je t'ai fait signe et tu ne m'as pas répondu. » « Je n'ai pas pris la voiture avec lui samedi ! » La passagère ne pouvait donc être que la maîtresse de papa, qu'il emmenait faire un tour en amoureux dans notre Austin A35 noire…

Même si, presque cinq ans après le décès de mon père, je trouve formidable que ma mère se livre ainsi à moi, ces révélations m'indignent autant qu'elles m'attristent. À présent, je sais que le couple formé par mes parents s'est moins disloqué qu'effiloché, en partie à cause de mon père qui s'est, disons, égaré. L'annonce de cette infidélité me prend totalement par surprise.

Comment aurait-il pu en être autrement ? J'étais un petit garçon à l'époque, et pour moi, mes parents semblaient nager dans un bonheur sans nuages. À la maison, l'existence paraissait normale et paisible. Facile et simple. Dans mon esprit, mon père et ma mère avaient été heureux et amoureux tout au long de leur vie de couple.

Je suis, et de loin, le petit dernier de la famille : j'ai presque sept ans de moins que ma sœur Carole et neuf de moins que mon frère Clive. Certains aspects de la vie domestique des adultes ont donc pu me passer au-dessus de la tête. À présent, en examinant les faits qui me furent dévoilés en cette soirée de 1977, il me semble pouvoir deviner un malaise sourd dans cette famille auquel j'étais à l'époque totalement aveugle. Cela dit, cela pourrait expliquer pourquoi j'ai mouillé mon lit jusqu'à un âge tellement avancé que c'en était gênant.

Plus tard, quand je fais part de cette nouvelle stupéfiante à Clive, il va droit au but : toutes ces longues promenades dans lesquelles m'entraînaient soudain mes aînés – ces balades nonchalantes, mornes, avec mon frère et ma sœur, le long des cités préfabriquées construites après-guerre sur Hounslow Heath ? Ce n'était pas le quotidien banal mais joyeux d'une enfance banlieusarde classique dans l'Angleterre de la fin des années 1950 et du début de la décennie 1960. En fait, j'étais le complice involontaire d'une entreprise visant à masquer les failles d'un couple.

Les coups de canif paternels dans le contrat de mariage me resteront toujours en travers de la gorge. L'indifférence de mon père envers les sentiments de ma mère me dépasse. Et avant que quelqu'un ne me dise : « Venant de toi, Collins, ça ne manque pas de sel ! » je m'empresse de préciser que j'en ai bien conscience.

Je ne suis pas fier de m'être marié trois fois. Ni d'avoir divorcé trois fois. Avoir versé quarante-deux millions de livres de prestations compensatoires à mes ex-épouses me dérange infiniment moins. Et je me moque que ces montants aient été amplement divulgués et qu'ils soient connus. À notre époque, la vie privée n'existe plus. Internet y veille. Par ailleurs, un triple divorce pourrait sembler traduire une désinvolture vis-à-vis de l'idée générale du mariage, or rien n'est plus faux : je suis un romantique qui espère, qui croit que les liens du mariage sont de ceux qu'il faut chérir et entretenir.

Malgré tout, ce trio de divorces témoigne certainement d'une incapacité à partager le bonheur de quelqu'un, à comprendre mes conjointes. Il semble trahir une inaptitude à bâtir et à faire vivre une famille. Il est le signe d'un échec, c'est tout. Décennie après décennie, j'ai fait de mon mieux pour que ma vie, tant personnelle que professionnelle, ne souffre d'aucune anicroche ; or, trop souvent, force est de reconnaître que ce « mieux » n'a pas suffi.

Pourtant, la « norme », je sais ce que c'est – elle est dans mon ADN ; j'ai grandi avec, du moins avec ce qui y ressemblait, en banlieue londonienne ; et c'est elle qui a guidé mes pas quand j'ai voulu vivre de la musique.

Je me suis efforcé ne de rien cacher à mes enfants de mon histoire personnelle. Ils en sont partie prenante. Elle rejaillit sur eux. Chaque jour de leur vie, ils subissent les conséquences de mes actions, inactions et réactions. J'essaie d'être aussi droit et franc que possible. Je m'y appliquerai tout au long de ce récit, même lors d'épisodes peu glorieux. Le batteur que je suis a la main leste. J'ai dû m'habituer à ce que d'autres l'aient envers moi.

Mais revenons à ma mère : son stoïcisme, sa force et son humour face aux écarts de mon père en disent long sur une génération marquée par la guerre et qui a tenu coûte que coûte à demeurer fidèle aux engagements du mariage. Voilà une leçon que nous pourrions tous méditer, moi le premier.

Cela dit, quand je me penche sur mon enfance du haut de mon grand âge, je me dis qu'il n'est pas impossible qu'un trouble affectif, un tourment insidieux se soit faufilé à mon insu dans mon âme juvénile.

* * *

Je suis né à la maternité de Putney, dans le sud-ouest de Londres, le 30 janvier 1951, troisième enfant – tardif et, de l'avis général, inattendu – de June et Grev Collins. Pour me mettre au monde, maman s'était, semble-t-il, d'abord rendue à l'hôpital de West Middlesex, mais comme « ils n'avaient pas été très gentils » avec elle, elle a croisé les jambes et mis le cap sur Putney.

J'étais le premier « Londonien » de la fratrie puisque Carole comme Clive étaient nés à Weston-super-Mare, quand toute la famille avait été transférée là-bas par la London Assurance avant le Blitz. Pour ma sœur Carole, mon arrivée n'était pas une bonne nouvelle : elle voulait une fille. Clive, lui, était aux anges : enfin un petit frère avec qui jouer au foot, se bagarrer et, quand il en aurait marre, qu'il pourrait immobiliser et torturer avec ses chaussettes sales.

Comme ma mère et mon père avaient respectivement trente-sept et quarante-cinq ans, je fis d'eux, pour l'époque, de vieux parents. Ce qui ne gêna aucunement maman. Elle demeura une femme généreuse et aimante qui n'a jamais dit du mal de personne jusqu'à sa mort en 2011, le jour de son quatre-vingt-dix-huitième anniversaire (bon, c'est vrai, elle a un jour traité de « crétin » un policier qui l'avait réprimandée pour avoir roulé dans un couloir de bus…).

Papa, né en 1907, était originaire d'Isleworth, quartier alors prisé des bords de la Tamise, aux confins ouest de Londres. La maison où il avait grandi était vaste, sombre, très imposante, extrêmement inquiétante, et sentait le renfermé. Idem pour sa famille. Je ne me souviens pas de mon grand-père paternel, fidèle serviteur de la London Assurance comme son fils le serait plus tard. En revanche, je garde des souvenirs très nets de Grandma : une femme chaleureuse, câline et très patiente avec moi, mais qui semblait figée à l'époque victorienne et, comme pour le prouver, portait en permanence de longues robes noires. Peut-être pleurait-elle le prince Albert elle aussi.

Nous étions très proches, tous les deux. J'ai passé beaucoup de temps dans son réduit de domestique perpétuellement humide à la regarder peindre des aquarelles de bateaux et de la Tamise, une passion dont j'ai hérité.

Tante Joey, la sœur de papa, était une femme imposante, dotée d'un porte-cigarette et d'une voix enrouée, un peu comme la méchante dans *Les Aventures de Bernard et Bianca* de Disney : « Entre, ma chérie, entre… » Son mari, oncle Johnny, était lui aussi un cas. Affublé d'un monocle, il était toujours vêtu de costumes en gros tweed. Encore un Collins des champs que le xxᵉ siècle aura oublié.

L'histoire familiale veut que plusieurs cousins de papa aient été internés par les Japonais dans le sinistre camp de Changi à Singapour. On en faisait grand cas : c'étaient des héros de guerre, des hommes qui avaient survécu à l'impitoyable campagne d'Extrême-Orient. Un autre cousin fut, semble-t-il, le premier à importer des laveries automatiques en Angleterre. Aux yeux des proches de papa, chacun d'eux, sans exception, était « quelqu'un ». Autrement dit, un monsieur de la haute. H.G. Wells était, paraît-il, un habitué de la maison Collins.

De toute évidence, la famille de mon père a façonné sa façon d'être, sans parler de sa vie professionnelle – même si, après sa mort, j'ai découvert qu'il avait tenté d'échapper à son embrigadement dans les assurances en trouvant refuge dans la marine marchande. Mais cette rébellion maritime tourna court et il fut prié d'oublier cette tocade, de se ressaisir, et de subir le joug d'agent d'assurances imposé par son paternel. L'époque était au conformisme. Sachant cela, on peut penser que papa a été jaloux de la liberté que les années 1960 ont offerte à Clive, Carole et moi-même dans nos domaines de prédilection : le dessin d'humour, le patin à glace et la musique. De vrais métiers, ça ? Pas pour mon père.

Rien n'indique que Grev Collins ait pris le tournant du xxᵉ siècle. Quand le gaz extrait de la mer du Nord est arrivé et qu'on a converti toutes les chaudières du Royaume-Uni, papa a tenté de soudoyer la compagnie de gaz pour que nous en soyons exemptés, convaincu qu'il existait quelque part un réservoir spécial dédié à la famille Collins.

Pour une raison que j'ignore, papa adorait faire la vaisselle et se réservait celle du dimanche midi. Il préférait opérer seul car il échappait ainsi aux obligations sociales imposées par le fait d'être à table. Tout se déroulait normalement jusqu'à ce qu'un fracas retentisse dans la cuisine. Les conversations cessaient alors net et maman allait à la porte-fenêtre pour en tirer les rideaux. Quelques instants plus tard, on entendait papa jurer comme un charretier avant que ne nous parvienne un bruit de faïence brisée qu'un balai poussait ensuite. On entendait la porte du fond s'ouvrir à toute volée et la vaisselle se répandre bruyamment dans le jardin, après quoi papa la dispersait à coups de pieds devant la fenêtre en redoublant de jurons.

« Votre père fait un sort aux assiettes », nous expliquait maman d'un air las tandis que nous, les enfants, fixions en silence des détails de la nappe du plus haut intérêt. Le traditionnel déjeuner dominical d'une famille britannique, en somme.

Papa n'ignorait rien du progrès domestique, mais il ne s'y intéressait pas plus que cela. Selon sa doctrine, si quelque chose fonctionnait, à quoi bon le changer ? C'était surtout vrai pour l'électricité. Au début des années 1950, les prises étaient en bakélite marron, avec des fils gainés de tissu. Elles étaient d'une fiabilité relative et, dans la pièce du fond – celle dévolue à la radio – la prise principale fixée à la plinthe en alimentait souvent cinq ou six autres. Les électriciens appelaient ça un « arbre de Noël ». Le nôtre grésillait régulièrement, ce qui, en matière d'électricité, n'a rien de rassurant. En sa qualité d'aîné, Clive était toujours désigné pour enrichir d'un nouvel élément la prise-mère déjà surchargée. Carole et moi l'observions avec une fascination malsaine car il recevait invariablement une jolie petite décharge qui remontait le long de son bras comme une pichenette un peu rude.

« Ça veut dire qu'il y a du courant. Où est le problème ? », concluait mon père avant de s'installer avec sa pipe pour écouter la radio ou regarder la télé, sans le moindre égard pour ce pauvre Clive et son bras encore fumant.

Avant mon arrivée, la famille n'avait pas de voiture car papa n'a décroché son permis qu'en 1952, un an après ma naissance. Il n'en était qu'à sa septième tentative. Si le véhicule faisait des siennes, papa l'injuriait, persuadé que les caprices du moteur faisaient partie d'un complot dirigé contre lui. La scène mythique de *L'Hôtel en folie* où, au comble de la fureur, Basil Fawlty – joué par John Cleese – fouette avec une branche son Austin 1100 Countryman récalcitrante constitue un aperçu fidèle de notre vie familiale.

C'est à cette époque que, muni de sa première voiture, papa décida un jour de nous emmener, Carole et moi, faire un tour à Richmond Park. Il voulait aussi en profiter pour procéder à quelques vérifications de sécurité sur son nouvel engin. J'étais assis à l'arrière et tout semblait normal. Soudain, sans prévenir, papa testa les freins, me propulsant tel un projectile par-dessus les sièges avant. Par bonheur, le tableau de bord et mon visage amortirent ma chute... J'en garde des cicatrices de part et d'autre de la bouche.

Papa était à ce point rétrograde que, quand le système décimal fut adopté en 1971, il déclara que l'on venait de signer son arrêt de mort. Ce nouveau mode de calcul constituait pour lui une menace de plus. Avec le recul, rien ne dit que la fin du shilling n'a pas effectivement contribué à le faire mourir d'inquiétude.

Maman était elle aussi une Londonienne endurcie. Elle avait grandi sur North End Road à Fulham et, comme ses deux sœurs, était couturière. Leur frère Charles avait été tué à la guerre, abattu dans son Spitfire. Une de ses sœurs, Gladys, vivait en Australie et, chaque Noël, nous nous envoyions par la poste des cassettes audio. Elle aussi est décédée avant que je ne puisse la rencontrer. Tante Florrie, l'autre sœur de maman, était adorable et, enfant, je lui rendais visite chaque semaine dans son appartement de Dolphin Square à Pimlico. Ma grand-mère maternelle, que j'appelais Nana, était un amour ; elle fit partie des femmes qui exercèrent une forte influence formatrice sur le petit garçon que j'étais.

Au début des années 1930, alors que maman était encore adolescente, elle a dansé avec Randolph Sutton, vedette de music-hall rendue célèbre par la chanson « On Mother Kelly's Doorstep », avant de se faire embaucher chez un marchand de vins. La famille de papa ne manquait d'ailleurs jamais une occasion de rappeler qu'il avait fait une mésalliance en épousant une vendeuse. Pourtant, dès leur rencontre lors d'une sortie en bateau sur la Tamise à St Margarets, ç'avait été le coup de foudre. Ils s'étaient mariés six mois plus tard, le 19 août 1934. Maman avait vingt ans et papa vingt-huit.

Quand je la rejoins un peu plus de seize ans plus tard, la famille Collins habite Whitton, dans l'arrondissement de Richmond-upon-Thames. Puis nous emménageons dans une grande maison édouardienne de deux étages au 34 St Leonards Road à East Sheen, toujours dans le sud-ouest de Londres.

Comme maman travaillait à plein temps au magasin de jouets, Nana me gardait pendant que Clive et Carole étaient à l'école. Ma grand-mère m'adorait et nous étions merveilleusement proches. Lors de nos déambulations en landau, elle passait sur Upper Richmond Road où, rituellement, elle m'achetait un petit pain chez le boulanger. Le fait que je garde des souvenirs précis de ce goûter quotidien en dit long sur ma proximité avec elle.

Mon père n'était pas un homme de progrès ni de changement, en surface du moins, à tel point que quand ma mère lui demanda si nous ne pourrions pas quitter St Leonards Road pour une maison un tout petit peu plus grande, un tout petit peu mieux adaptée, un tout petit peu moins humide, il lui fit la réponse suivante : « Tu peux déménager si ça te chante. Mais tu devras acheter une maison au prix où nous vendrons celle-ci. Le matin, je partirai au travail comme d'habitude, et rentrerai le soir même dans la nouvelle maison où tout sera déjà en place. » Et il advint que maman, la sainte femme, s'acquitta de cette mission.

Voici donc comment, à l'âge de quatre ans, je me retrouve au 453 Hanworth Road à Hounslow, dans cette maison que ma mère, toujours pleine de ressources, a dénichée elle-même et où elle nous a installés en l'espace d'une journée.

Quand on est petit, la maison où l'on vit paraît toujours immense. On peut d'ailleurs avoir un choc en y retournant des années plus tard – comment tenions-nous tous là-dedans ? Mes parents ont bien sûr la chambre principale ; celle de Carole, plus petite, est juste à côté. Clive et moi avons la nôtre à l'arrière de la maison, avec des lits superposés. On y est tellement à l'étroit qu'il faut presque se relayer pour dormir. À mon adolescence, il y a tout juste la place pour cacher sous mon lit la collection de magazines de charme dont je suis entré en possession je ne sais comment. J'ai partagé cette pièce avec mon frère pendant toute mon enfance, jusqu'en 1964 quand, à vingt-deux ans, il a quitté la maison.

Né au début des années 1950, j'ai grandi dans un Londres encore convalescent après le pilonnage hitlérien. Je n'ai pourtant absolument aucun souvenir de lieux bombardés ou dévastés dans notre quartier.

Les seules fois où je me souviens avoir vu un indice susceptible d'évoquer les séquelles d'un bombardement, c'était quand nous nous aventurions dans la City pour assister aux spectacles donnés par la société de papa. Le club théâtre de la London Assurance montait des pièces et la famille se faisait un devoir de faire le long voyage depuis Hounslow, via Cripplegate, jusqu'au sanctuaire de la finance londonienne. Mes souvenirs de ces périples sont émaillés d'images de quartiers rasés près de l'antique mur de Londres, comme dans certaines scènes de *À cor et à cri*, la comédie des productions Ealing de 1947, où des gamins des rues jouent parmi les décombres.

Le Londres de mon enfance ressemblait d'ailleurs trait pour trait à celui des productions Ealing ou de mon comédien préféré, Tony Hancock, domicilié au 23 Railway Cuttings à East Cheam, banlieue fictive de la capitale. Pas de circulation pour ainsi dire, même dans le centre-ville, et, en tout cas, aucun embouteillage ni problème de stationnement (j'ai des films amateurs tournés par Reg et Len où l'on peut compter les voitures qui passent sur Great West Road). Des hordes de messieurs en chapeaux melons qui traversent Waterloo Bridge d'un pas assuré ; une foule grouillante de supporteurs de football, tous coiffés d'une casquette ; des vacances à la mer – dans notre cas, à Bognor Regis dans l'Essex ou à Selsey Bill dans le Sussex de l'Ouest, là où, pour se mettre dans l'ambiance de la plage, les hommes ouvraient à la rigueur le col de leur chemise, et desserraient leur cravate. À la maison, le rituel familial du samedi consistait à s'asseoir devant la télé à 16 h 45, thé et tartines à la graisse de rôti en main, et à écouter s'égrener les scores des matchs de football. Ou à découvrir le vaste monde grâce à *Davy Crockett, roi des trappeurs,* film de Disney de 1955, moment fondateur qui éveilla chez moi un intérêt jamais démenti pour Fort Alamo.

On peut parler d'idylle, d'une rencontre entre une époque et un lieu. Mon époque à moi, mon lieu à moi. Mon pré carré bien tracé.

Hounslow se trouve à l'extrême limite du Middlesex, là où la capitale rejoint la couronne des « Home Counties ». C'est le point le plus occidental, le terminus de la ligne de métro Piccadilly. À cent lieues de l'épicentre. À quarante-cinq minutes en train du West End. C'est Londres tout en étant la banlieue. Ni vraiment l'une, ni vraiment l'autre.

Qu'est-ce que ça implique, de grandir en bout de ligne ? Eh bien, ça implique de marcher tout le temps, puis de prendre un bus, puis de marcher encore un peu, puis de prendre un train. Tout est un effort. Alors on trouve son plaisir où l'on peut. Et, hélas, celui des autres n'est pas forcément le mien.

En primaire, à la Nelson Infants School, je deviens le souffre-douleur de Kenny Broder, élève à St Edmunds, école malen-contreusement située en face de la mienne. Comme moi, il n'a que dix ans, mais une tête de boxeur, avec des pommettes hautes et un nez qui a déjà vécu. J'appréhende de voir Broder déboucher du portail de son école au moment où je quitte la mienne. Tout le long du trajet de retour, il ne va pas me quitter des yeux, me menaçant en silence. J'ai l'impression qu'il s'en prend toujours à moi – et toujours sans raison. Ai-je une cible collée sur le front, un écriteau « Donner un coup de pied ici » à l'arrière de mon short ?

Même ma première expérience avec une représentante du sexe opposé n'échappe pas au prisme de la violence scolaire. J'emmène Linda, ma première petite amie, à une fête foraine sur Hounslow Heath, les poches remplies de petites pièces durement gagnées, sésames pour le toboggan des amoureux et-ou pour les autos tamponneuses, selon la longueur de la file d'attente. Nous sommes à peine arrivés qu'un frisson me glace la nuque : *C'est pas vrai,* me dis-je, *il y a Broder et sa bande...*

Pensant que je serais plus en sécurité en hauteur, j'embarque avec Linda sur le manège de chevaux de bois. Une fois qu'il est en marche, la bande me fixe d'un œil noir à chaque passage et, à chaque passage, semble grossir davantage. À tous les coups (c'est le cas de le dire), je vais prendre une raclée. Et en effet, dès que je descends, Broder s'approche de moi en roulant les mécaniques et me flanque une beigne. En vrai cow-boy, je tâche de ne pas pleurer. Je rentre de la fête foraine avec un œil au beurre noir. Maman me demande :

– Que t'est-il arrivé ?

– On m'a frappé.

– Pourquoi, qu'avais-tu fait ?

Comme si c'était ma faute.

Pourtant, à douze ans, dans le parc situé près du magasin de maman, je décide pour la première fois de ne plus me laisser faire. Nous nous réunissons souvent là, près d'un énorme abreuvoir à chevaux d'antan et d'une voie de dégagement où les trolleybus 657 font demi-tour (nous sommes, ne l'oublions pas, au terminus de la ligne).

Ce parc est donc notre territoire. Je n'appartiens pas à une vraie bande, mais à un simple groupe de jeunes bien décidés à veiller sur leur carré de pelouse en jouant les durs à cuire. D'autant que des gars du quartier plus grands et plus costauds sont tout disposés à nous prêter main-forte.

Un jour, le parc est investi par un groupe concurrent. Les échanges volent bas : « Tu veux ma photo, connard ? » « C'est moi que tu traites de connard ? » On croirait entendre les Sharks et les Jets, les stridences du jazz en moins. Les noms d'oiseaux fusent et, très vite, avec un autre gars, on se tape dessus en se roulant par terre. Au bout d'un moment, on s'arrête. Ça ne nous mène à rien. Match nul (et probables saignements de nez en prime).

Lui comme moi avons l'impression de nous en tirer avec les honneurs. Mais arrivent les grands qui nous exhortent à ne pas s'arrêter là. Ils parviennent à me faire dire d'où viennent les envahisseurs. Le Gros Dave – bon, en général, on ne s'adresse pas à lui comme ça, surtout moi – décide d'aller « se le faire ». Il ne m'entend pas lui crier, « Arrête, on s'est mis d'accord sur un nul ! » Je m'en veux car, de loin, je vois le Gros Dave sauter à pieds joints sur le vélo de mon adversaire, garé en face, juste devant le marchand de bonbons. Oh ! et puis après tout, comme ça, ils ne viendront plus nous chercher avant un moment.

Ici, dans les banlieues déshéritées, on s'amuse où et comme on peut. Côté ombre, ça donne de classiques chamailleries de cour d'école, une violence nourrie d'ennui. Côté plus ensoleillé, ma mère tenant un commerce de jouets, j'ai la primeur des nouveaux modèles dès qu'ils sont en rayon. Pas des babioles gratuites, mais du consistant. Comme j'adore construire des maquettes d'avions, quand une nouvelle boîte Airfix arrive, je tourne autour en frétillant, tel un bombardier Lancaster au-dessus de la Ruhr.

Les abords du pub local, le Duke of Wellington, deviennent bientôt mon terrain de jeu et je me lie d'amitié avec le fils du patron. Charles Salmon a quelques années de moins que moi, mais nous sympathisons vite. L'adolescence est pour nous deux l'occasion de prendre de mauvaises habitudes en soutirant des boissons alcoolisées au bar et en piquant des cigarettes par poignées quand Teddy, la grande sœur de Charles, officie derrière le comptoir. Nous nous réfugions dans une cabane de jardin pour nous enfumer jusqu'à la nausée. Tout y passe : cigares, cigarillos, cigarettes françaises, tout. À quinze ans, je fume la pipe comme mon père.

Je sympathise également avec Arthur Wild et son petit frère Jack, eux aussi du quartier. Plus tard, la vie de Jack et la mienne seront étroitement mêlées : tout jeunes comédiens, nous partagerons la scène d'un théâtre du West End ; lui en Charley Bates, l'acolyte d'Artful Dodger[1], interprété par moi-même, dans la première mise en scène de la comédie musicale *Oliver!*. Mais Jack fera mieux que moi en jouant, en 1968, Dodger dans le film de Carol Reed qui a remporté des Oscars.

Ainsi va ma vie en bout de ligne. J'ignore tout ce qui se passe, ne serait-ce qu'en haut de la rue. Là où Hounslow s'arrête, c'est... Londres ? Ça me paraît un autre monde. La City elle-même, où papa travaille, est totalement absente de mon imaginaire.

Comme pour tout jeune garçon, le ballon rond occupe une grande place dans ma vie. Au début des années 1960, je suis un inconditionnel de Tottenham Hotspur ; je vénère Jimmy Greaves, une machine à marquer des buts. Aujourd'hui encore, je peux citer les noms des joueurs, c'est dire mon attachement à ce club. Mais les Spurs jouent dans le nord de Londres et, pour moi, le nord de Londres, c'est un peu la planète Mars. Jamais je n'oserais m'aventurer si loin de mes bases.

Le grand club le plus proche de Hounslow est le Brentford FC et j'assiste régulièrement aux matchs. Aux entraînements aussi, et je me fais un petit nom autour du terrain. Parfois, je vais voir jouer le Hounslow FC, mais c'est une équipe très modeste. Si modeste qu'un jour leurs adversaires ne se sont même pas dérangés.

Mon horizon s'élargit légèrement grâce à la Tamise. Mon père ne revendique peut-être guère de passions, mais le peu d'enthousiasme qui l'anime est concentré sur les plaisirs de l'eau.

---

1. The Artful Dodger : ce personnage porte plusieurs noms en français : « Rusé matois » dans la traduction de 1893, « Le Renard » dans la Pléiade et « Parfait Coquin » dans le film de Roman Polanski. *(Toutes les notes sont du traducteur.)*

Grev et June Collins, mordus de navigation l'un comme l'autre, s'investissent dans le nouveau Converted Cruiser Club. Ils font partie d'un large cercle d'amateurs d'activités nautiques auquel appartiennent Reg et Len Tungay, les « oncles » dont j'ai déjà parlé. Ces deux frères possèdent leur propre bateau, le *Sadie*, rescapé de la guerre, un ex-membre de la flottille de Dunkerque, un bâtiment assez grand pour que l'on puisse y dormir, ce que je ferai en de nombreuses et joyeuses occasions.

Nous passons la plupart de nos week-ends et nombre de jeudis (jour de réunion attitré des membres du club) en compagnie d'autres plaisanciers, à nous retrouver dans un *club-house* temporaire, à accoster ici ou là, à ramer pour le plaisir ou, selon l'expression, à « faire des ronds dans l'eau ». Ou, le plus souvent, à en parler. Je ne tarde pas à partager le goût paternel pour la vie aquatique.

Il existe une manifestation annuelle, organisée sur l'île de Platt's Ait à Hampton, où les membres du club se rassemblent le temps d'un week-end avec leurs chères embarcations pour se livrer à des courses d'aviron, à des tirs à la corde et autres concours de nœuds marins. Je manie les cordages et pilote un dériveur dès mon plus jeune âge et je n'ai jamais eu peur de l'eau. Chez le tout jeune homme que je suis, ces rudes activités développent une grande aisance sociale. Dans le monde actuel, elles seraient peut-être synonymes d'ennui, mais pas dans mon enfance. Je suis même honoré de fréquenter l'école Nelson Infants.

Parenthèse au sujet de l'eau et de son influence sur notre famille : mon père n'a jamais appris à nager. Le sien lui avait transmis la peur d'avoir de l'eau au-dessus de la taille. Un peu plus haut et c'était la noyade. Il l'avait cru. Et dire qu'il avait cherché à fuir en s'enrôlant dans la marine marchande…

Dans mes jeunes années, la Tamise occupe une grande place à des titres divers. Le week-end, dès mon plus jeune âge, j'embarque souvent dans un canot et je rame à mon rythme d'un pont à l'autre. Comme, à l'époque, le Converted Cruiser Club ne possède pas de *club-house*, nous utilisons pour les réunions et les fêtes le hangar à bateaux de Dick Waites à St Margarets, où papa amarre son petit canot à moteur, le *Teuke*. L'endroit sera ensuite racheté par Pete Townshend qui en fera son studio d'enregistrement, le Meher Baba Oceanic. Je possède une vieille photo de moi prise là-bas, dans les bras de ma mère. J'ai offert un tirage à Pete qui, comme toujours grand seigneur, m'a écrit une lettre charmante et poignante pour me remercier. La photo est restée accrochée au mur du studio pendant des années.

À la fin des années 1950, le club loue, pour un penny par an, un terrain sur l'île d'Eel Pie. Durant de longues années, je participe d'abord à la construction de ce *club-house* définitif, puis aux pièces et aux spectacles de Noël montés par les membres. Je peux donc en toute légitimité me targuer d'avoir joué dans cette salle illustre, installée au beau milieu de la Tamise (elle fut le foyer de l'explosion du blues britannique des années 1960), bien avant les Rolling Stones, Rod Stewart et les Who.

À part ça, je continue à faire des ronds dans l'eau. Pourtant, ces soirées régulières au club nautique vont me donner un jour l'occasion de jouer pour la première fois de la batterie en public. Il existe un petit film où l'on me voit, à dix ans, me produire avec les Derek Altman All-Stars sous la conduite d'un chef accordéoniste. Carole et Clive sont aussi de la partie dans des sketchs comiques. Maman n'est pas en reste puisqu'elle chante, non sans émotion, « Who's Sorry Now? ».

D'ailleurs, toute la famille est impliquée dans cette troupe des bords de l'eau. Régulièrement, papa pousse sa sempiternelle rengaine paysanne avec force bruits incongrus pour imiter les animaux. Encore maintenant, je m'en sers pour amuser les plus jeunes de mes enfants : « Il était un vieux fermier qui avait une vieille truie… » (ajouter ici divers bruits de bouche et de pet).

Ces occasions sont les rares fois où papa tombe le chapeau melon, le costume et la cravate pour se muer en une sympathique fripouille. Malheureusement, j'ai trop peu de souvenirs précis de mon père, heureux ou pas. Les images qu'il me reste, j'en ai fait une chanson, « All Of My Life » sur l'album *…But Seriously* paru en 1989 : papa qui rentre du travail, se change, s'installe pour dîner et passe ensuite la soirée devant la télé avec sa pipe pour seule compagnie. Maman est sortie, et moi, j'écoute des disques au premier étage.

En me remémorant ces scènes, je suis accablé de tristesse. J'aurais pu interroger mon père sur tant de sujets ; si seulement j'avais su qu'à son décès je n'aurais que vingt et un ans… Nos rapports ont manqué d'intimité et de dialogue. Peut-être ai-je effacé mes souvenirs. Ou peut-être n'ont-ils jamais existé.

Ce dont je me souviens en revanche, et avec acuité, c'est du pipi au lit, et de devoir dormir avec une alèse en caoutchouc sous le drap de coton. Quand il m'arrive d'avoir « un accident », l'alèse empêche le liquide de se répandre et m'oblige à dormir dans une petite flaque de pipi retenu prisonnier. Dans cette situation, que faire ? Rejoindre sa maman et son papa et mouiller le lit parental. Mon père doit vraiment me bénir. Comme nous n'avons pas de douche dans notre petite maison mitoyenne et qu'en temps normal personne ne prend de bain le matin, je crains que, pendant quelques bonnes années, papa ne soit allé tous les jours au travail avec, flottant autour de lui, une légère odeur d'urine…

Conséquence peut-être inévitable, malgré son amour pour la Tamise, papa ne peut s'empêcher de commettre de temps à autre des actes irréfléchis. J'en ai la preuve cinématographique : un film amateur tourné par Reg Tungay qui nous montre tous les deux au bord de l'eau sur l'île d'Eel Pie. J'ai environ six ans et je me trouve en surplomb de la Tamise de près de cinq mètres.

J'ai toujours su que ce fleuve était très dangereux. Ses courants possèdent une force phénoménale et il est sujet à de nombreux mouvements de flux et de reflux. Il n'est pas rare qu'au pont de demi-marée de St Margarets des corps soient rejetés par les portes des écluses. Comme le sait tout bon membre du Converted Cruiser Club, sur la Tamise on ne doit prendre aucun risque.

Or, sur ces vieilles images, on voit mon père tourner brusquement les talons et s'en aller. De toute évidence, il ne me dit pas un mot, ne m'adresse aucune mise en garde, n'exprime

33

aucune inquiétude. Il me laisse en plan, pétrifié sur le bord. Il ne ferait pas bon tomber sur cette rive pierreuse, fouettée par les eaux. Si je chutais, je me blesserais grièvement et pourrais peut-être même être emporté. Mais papa m'abandonne là sans état d'âme, sans même un regard derrière lui.

Je ne dis pas qu'il n'en avait rien à faire, mais je crois qu'à certains moments il ne réfléchissait pas. Comme si, lorsqu'il m'avait planté là au bord de la Tamise, son esprit, ses émotions étaient ailleurs. Il inventait sa vie au fur et à mesure.

Inventer, c'est ce que j'ai fait à mon tour, devenu adulte. Parfois sur un mode positif, créatif : dans mon métier de compositeur et d'interprète, l'invention fait partie intégrante du job. Mais parfois aussi, je l'admets, d'une façon négative : durant près de quatre décennies de tournées incessantes autour du globe, avec Genesis et en solo, je n'ai fait qu'alimenter une fiction en pensant que j'étais capable de concilier une vie familiale stable et une carrière musicale.

Non, nous, les mamans et les papas, on ne sait pas tout. Loin de là.

2

Allons, enfants de la batterie !

*Ou : la découverte de l'instrument
et de la scène par un ado ébloui des années 1960*

C'est la faute du Père Noël.

Oui, je me tourne vers le gros barbu en habit rouge pour tenter d'expliquer les fondements d'une passion éternelle, d'une habitude instinctive qui me fera taper sur tout et n'importe quoi à des degrés de délectation variables jusqu'à ce moment fatidique, un demi-siècle plus tard, où le corps d'abord, puis l'esprit, finiront par flancher.

Comme si le petit tyran domestique que j'étais alors ne faisait pas déjà assez de raffut, on m'offre à l'âge de trois ans un tambour en plastique pour Noël. La famille Collins séjourne, comme souvent à cette période de l'année, chez Reg et Len Tungay. Armé de cet instrument flambant neuf, je me donne tout entier à lui, et c'est aussitôt évident pour chacun. Ou qu'il se donne tout entier à moi. Même à cet âge précoce, je suis saisi par l'éclatante beauté de ce nouveau jouet. Je peux désormais « m'exprimer » en frappant dessus de tout mon cœur.

Les frères Tungay, hôtes réguliers du 453 Hanworth Road, surtout le dimanche midi – l'occasion hebdomadaire pour ma mère de faire bouillir consciencieusement tous les légumes verts jusqu'à ce qu'ils deviennent gris –, perçoivent mon enthousiasme pour les pratiques percussives et rythmiques (ils prêtent peut-être moins attention à l'avis de mon père sur le sujet).

L'année de mes cinq ans, Reg et Len m'offrent donc un dispositif de leur fabrication : deux morceaux de bois vissés en croix ; à chacune de leurs extrémités, un trou traversé par un bâton ; les quatre bâtons sont coiffés de deux boîtes à biscuits en fer blanc, d'un triangle et d'un tambourin de pacotille en plastique. Le tout se replie astucieusement dans une valise marron.

Appeler ça une « batterie » serait excessif : on est plus proche de Géo Trouvetou que de Buddy Rich. Mais, moi, je suis aux anges et, durant quelques tonitruantes années, cette machine à vacarme va être mon outil musical et ma meilleure amie.

Je m'exerce partout, tout le temps, mais en général dans le séjour où tout le monde regarde la télé. Installé dans un coin, j'accompagne l'émission de variétés *Sunday Night at the London Palladium*, incontournable rendez-vous télévisuel de la fin des années 1950. Maman, papa, Reg, Len, Clive et Carole subissent patiemment mon tintamarre de débutant en tentant de suivre les derniers numéros des humoristes Norman Vaughan et Bruce Forsyth et le passage éclair du nouveau talent pré-rock'n'roll de la semaine.

Je martèle mes fûts au son des Harmonics et de leur armée d'harmonicas ; je ponctue du rituel « boum-tchi ! » les blagues des comiques ; je m'invite dans le grand orchestre de Jack Parnell sur les génériques de début et de fin. Je n'interviens pas que pendant les numéros : je joue avec tout et tout le monde. Je suis – déjà – un batteur polyvalent.

Au sortir de l'enfance, ma passion ne fait que croître. Petit à petit, je me constitue une batterie presque passable : une caisse claire, puis une cymbale, puis une grosse caisse rachetée au voisin d'en face. Ce qui me permet de tenir jusqu'à mes douze ans. À présent, à l'orée de l'adolescence, maman m'annonce qu'elle veut bien s'associer pour moitié avec moi en vue de l'achat d'un instrument digne de ce nom.

Nous sommes en 1963 et les sixties battent leur plein. Les Beatles sont lancés et l'avenir nous appartient. Leur premier single, « Love Me Do », est sorti au mois d'octobre précédent et déjà la Beatlemania s'est emparée de moi. Je consens à l'ultime sacrifice : pour lever la part de fonds nécessaire au marché conclu avec maman, je vais vendre le train électrique de mon frère. Il ne me vient pas à l'idée que je devrais peut-être lui demander la permission.

Avec cinquante livres en poche, maman et moi nous rendons au magasin de musique Albert à Twickenham pour acquérir une Stratford quatre fûts nacrée blanche. C'est derrière cette batterie que je suis assis sur la photo prise l'année de mes treize ans, et qui illustre la pochette de mon album *Going Back* sorti en 2010.

Je sens que mon jeu progresse, surtout parce que je joue à la moindre occasion. Avant même ma treizième année, je suis sûr d'y avoir consacré dix mille heures, comme mes voisins du 451 et du 455 Hanworth Road pourraient le confirmer. Quand je suis à la maison, je joue de la batterie à l'exclusion de presque toute autre activité, ce que pourraient sans doute aussi attester les enseignants chargés de noter mes devoirs, d'abord en primaire à Nelson Infants, puis au collège de Chiswick.

Pour autant, je ne suis pas qu'un automate des tambours puisque je réussis mon examen d'entrée dans le secondaire, ce qui me permet d'éviter la filière classique et d'accéder à un établissement plus coté.

Je reconnais néanmoins que, si je passe beaucoup de temps dans ma chambre, j'en consacre peu aux études. La Stratford derrière laquelle je m'assois prend toute la place ; sans fin, je joue, je joue, je joue, face au miroir. En partie par vanité, bien sûr, mais aussi pour apprendre. Je dévore des yeux Ringo Starr et, si je ne sonne pas comme lui, je peux au moins essayer de lui ressembler quand il joue. Mais, quand au début de 1964 les Rolling Stones deviennent numéro trois avec leur troisième single « Not Fade Away », je me mets à copier Charlie Watts, jeune inconstant que je suis…

Mon goût immodéré pour la batterie ne m'empêche pas de me consacrer à un autre centre d'intérêt : le théâtre. Cette passion remonte aux spectacles du club de plaisance donnés à la salle des scouts d'Isleworth, quand j'épatais tout le monde en jouant Humpty Dumpty et Buttons. Lors d'une de ces extraordinaires représentations, papa sort prendre l'air, costumé en sir Francis Drake. Tout près de là se trouve un vieux cimetière dont plusieurs tombes ont été éventrées par les bombes d'Adolf. La pipe au bec, enveloppé de la brume nocturne montée du fleuve, papa ressemble à un spectre sorti d'une sépulture. Cette apparition surgit dans le phare d'un automobiliste qui, freinant en catastrophe et faisant volte-face, fonce la signaler au poste de police le plus proche. Qui la signale à son tour au journal local. Et le *Richmond and Twickenham Times* de titrer cette semaine-là : « Le fantôme de sir Francis Drake aperçu à Isleworth ! ».

C'est à cette époque que j'effectue une incursion, regrettable mais heureusement brève, dans le mannequinat. En compagnie d'une demi-douzaine d'autres adolescents, le regard méditatif braqué au loin, je pose pour des publicités et des marques de vêtements. Outre une frange blonde crantée et un sourire angélique, j'arbore un magnifique pyjama et porte à ravir le pull-over en laine.

Encore étourdie par mon Humpty Dumpty shakespearien et impressionnée par mon aisance de mannequin protozoolanderien, mon ambitieuse mère m'oblige à suivre le samedi matin des cours de diction à Richmond, dans un sous-sol spartiate de Jocelyn Road, sous la houlette d'une dame nommée Hilda Rowland. Il y a du lino au sol, des miroirs de studio de danse au mur et une discrète odeur d'hormones féminines dans l'air. Mme Rowland a une amie intime du nom de Barbara Speake qui, en 1945, a créé à Acton une école de danse à son nom et avec qui ma mère sympathise. Désœuvrée depuis qu'elle a quitté la direction de son magasin de jouets, maman collabore avec elle en lançant, depuis la maison, l'agence théâtrale de l'école. June Collins fournit des enfants formés au chant et à la danse au West End londonien et au secteur florissant de la télévision et du cinéma.

La publicité télévisée en est à ses balbutiements et la demande d'enfants est forte. Le rôle le plus envié est celui de la mascotte Milkybar. En charge de cette audition comme de nombreuses autres, maman a la tâche quotidienne de choisir, parmi les enfants qu'elle représente, celui qui conviendra le mieux. Elle s'investit corps et âme dans cette mission, ce qui lui permet, en 1964, d'avoir vent d'une audition pour *Oliver!* Promise à une décennie de succès ininterrompu, l'adaptation musicale à succès du *Oliver Twist* de Charles Dickens par Lionel Hart en est à sa quatrième année. Je me présente pour le rôle d'Artful Dodger, celui-là même que Davy Jones, le futur chanteur des Monkees, a déjà tenu et reprendra dans la version de Broadway.

Au terme de multiples auditions et de convocations en cascade, à la grande surprise et au ravissement de l'enfant de treize ans que je suis alors, je suis choisi pour le rôle. Je bombe le torse. Pour ma part, j'estime que Dodger, avec sa débrouillardise et sa gouaille, est le meilleur rôle d'enfant du spectacle. Oliver, avec ses minauderies de sainte-nitouche ? Jamais de la vie.

Je prends rendez-vous avec le principal de Chiswick pour lui annoncer la bonne nouvelle. M. Hands est la terreur de tout le collège. Avec son allure d'austère pédagogue à l'ancienne, les pans de sa robe battant l'air comme les ailes d'une chauve-souris, la toque carrée sur le crâne, les joues colorées, il est paré pour nous asséner les consignes du jour.

Quand on pénètre dans son bureau, de deux choses l'une : soit c'est pour y recevoir des coups de canne, soit c'est pour lui faire part de quelque chose qui a intérêt à être important. À sa décharge, M. Hands semble satisfait de me voir décrocher un grand rôle dans une production théâtrale londonienne majeure et saluée par la critique. Mais il est aussi de son triste devoir de m'informer que, si j'accepte ce rôle, il n'aura d'autre choix que de m'exclure de l'établissement.

À l'époque, la législation applicable aux mineurs de moins de quinze ans travaillant dans le monde du spectacle est stricte : ils ne peuvent se produire quelque part plus de neuf mois. Trois contrats trimestriels sont donc nécessaires, sachant que l'enfant doit bénéficier d'une coupure de trois semaines par contrat. M. Hands ne peut tolérer de telles libertés avec l'emploi du temps scolaire. J'apprendrai cependant plus tard par Reg et Len qu'il a suivi ma carrière avec un vif intérêt et qu'il n'en était pas peu fier. Ce qui me laissera pantois, car il a toujours manifesté un souverain désintérêt pour le divertissement. Quant à savoir si M. Hands était plutôt pro-Genesis ou pro-Phil Collins, la question reste sans réponse.

Quand je fais part à mes parents de l'ultimatum « spectacle ou école », leur réaction est immédiate et simple : école du spectacle. Ils vont me retirer de Chiswick et m'inscrire à l'école de comédie récemment ouverte par Barbara Speake. La réussite de maman à la tête de la Barbara Speake Theatrical Agency a été telle que les deux associées ont transformé l'école de danse en un véritable établissement d'enseignement des arts de la scène.

Par bien des côtés, cette formule se révélera pour moi doublement gagnante. D'une part, je peux faire du théâtre autant que je le souhaite. D'autre part, à la Barbara Speake Stage School les filles sont nettement majoritaires. La toute nouvelle promotion comprend, outre un dénommé Philip Gadd et moi-même, une douzaine de demoiselles.

Le gain est même triple. La priorité étant d'améliorer ses qualités scéniques, de participer à des auditions et de décrocher des rôles, ma scolarité classique s'arrête là. Pour un adolescent normalement constitué comme moi, c'est le paradis. Ce n'est que plus tard que je regretterai de ne pas avoir suivi davantage les cours traditionnels et un peu moins ceux de ballet. Cela dit, j'aurais aimé apprendre les claquettes. C'est un art que tous les grands batteurs de la première époque, dont le légendaire Buddy Rich, maîtrisaient. De même, de grands danseurs comme Fred Astaire étaient aussi de bons batteurs. Les deux disciplines possèdent une forte parenté rythmique et je regrette de ne pas m'y être plus intéressé. Un peu de claquettes pendant le concert du Live Aid, ça n'aurait pas déplu, non ?

J'entre à l'école du spectacle à treize ans. Mon adolescence démarre en fanfare, dans tous les sens du terme. Je suis batteur, ce qui fait l'admiration de mes camarades. Je joue dans une grosse production du West End, ce dont ils rêvent tous. Et je suis l'un des deux seuls garçons d'une classe grouillant littéralement de filles – du genre artiste et extraverti.

Sans aller jusqu'à dire que j'ai fait des ravages au sein de la gent féminine de l'école durant les quatre années que j'y ai passées, il ne doit pas y avoir plus d'une ou deux filles qui ont échappé à mon attention. Jamais je n'ai eu une cote pareille. Jamais je ne la retrouverai.

L'histoire voudrait que j'aie vécu ma première expérience sexuelle à l'âge de quatorze ans. Je dis « voudrait » car celle-ci fut si rapide que, d'après les « critères » classiques d'un rapport, elle pourrait ne pas compter. Mais pour un ado en rut habitant un coin de banlieue où tout le monde se connaît, les options sont limitées. On a à peine envisagé de conclure qu'on est déjà dans le feu de l'action. Et il se trouve qu'avec Cheryl – quatorze ans comme moi et, comme moi, aspirante mod –, c'est dans un jardin ouvrier qu'on s'est jetés l'un sur l'autre. Je n'aurais pas voulu faire ça en plein air, dans la boue, parmi les carrés de patates et de carottes, mais je n'ai guère eu le choix.

Je m'étais déjà beaucoup entraîné, bien entendu, en tant que soliste. Aujourd'hui, je suis gêné rien qu'en y pensant car cela devait sauter aux yeux du reste de la famille. Sans entrer outre mesure dans les détails, je dirais que je me retirais souvent dans les cabinets du 453 Hanworth Road avec ma grande collection de magazines de charme. Je suis quasiment sûr que toute la maisonnée se doutait de ce qui s'y passait. Le froissement du papier, si ce n'est les autres bruits, avaient dû leur mettre la puce à l'oreille.

Mais revenons à nos moutons : à l'école Barbara Speake, je rencontre deux demoiselles dont chacune va jouer un rôle important et durable dans ma vie personnelle et professionnelle. Pendant toute mon adolescence, je sors avec Lavinia Lang et Andrea Bertorelli à tour de rôle, et ces allers et retours auront des incidences pendant des décennies.

L'année de mes treize ans est marquante. Début 1964, je reçois l'ordre de mon agent artistique – maman – de me rendre au Scala Theatre dans Charlotte Street au centre de Londres. Cet après-midi-là, tandis que je progresse sur la Piccadilly Line, j'ignore tout de ce qui m'attend. C'est sans doute voulu car, parmi la foule juvénile réunie à l'intérieur du théâtre, nul ne semble savoir de quoi il retourne. Si vous voulez obtenir une réaction spontanée d'un jeune public, mettez-le devant une scène vide – hormis quelques instruments de musique – sans lui dire ce qui va arriver.

Toutefois, l'initié que je suis sait repérer les indices : la Ludwig de Ringo Starr, je la reconnaîtrais entre mille. Mais jamais je ne me serais douté que les Beatles étaient en tournage.

Soudain, ça bouge en coulisses. Et, comme par magie, le plateau est investi par Ringo, John Lennon, Paul McCartney et George Harrison, vêtus de leurs fabuleux costumes en mohair gris à col noir. Le Scala Theatre entre en éruption. On tourne ce jour-là une scène de concert qui clora *A Hard Day's Night*, première aventure cinématographique des Fab Four. Quand on nous filme, nous le public, ce sont des figurants qui sont sur scène. Mais quand John, Paul, George et Ringo jouent, ils ne sont qu'à une dizaine de mètres de moi. En tant que membre permanent du fan-club des Beatles, je suis éberlué d'avoir autant de chance : non seulement je suis aux premières loges d'un concert plus ou moins privé, mais je vais être immortalisé sur la pellicule aux côtés de mes premières idoles musicales.

Sauf que… Dans le film qui sort sur les écrans cet été-là, le jeune Phil Collins brille par son absence. Mon numéro d'acteur a fini sur le sol de la salle de montage. Je ne criais pas assez fort, c'est ça ?

Avance rapide jusqu'au début des années 1990. Walter Shenson, le producteur de cinéma, vient me voir à The Farm, le studio d'enregistrement de Genesis dans le Surrey. C'est le trentième anniversaire de *A Hard Day's Night* et il me demande d'enregistrer la voix off d'un documentaire sur les coulisses du tournage, à paraître en DVD. Il m'envoie les chutes de « mes » scènes.

Je fais plusieurs arrêts sur image, bien décidé à retrouver celui que j'y étais à treize ans. Car je sais que j'y étais : j'ai touché mon cachet de quinze livres et encaissé le chèque ; ce n'était pas un rêve de fan perturbé. Au bout d'une intense séance de visionnage et de décorticage, je finis par dénicher quelqu'un en qui je suis certain de me reconnaître. Je me souviens que je portais une cravate (rouge à losanges ; heureusement que le film était en noir et blanc…) et une chemise rose à col anglais. La même, au passage, que sur la pochette de *Going Back*. Je suis assez sûr de moi pour qu'ils décident de m'entourer en rouge sur le DVD final. C'est donc moi ce jeune homme assis, fasciné, au milieu de tous ses congénères hurlant debout, tout excités – au point, c'est très probable, de se faire dessus.

Voilà sans doute pourquoi je ne suis pas dans le film : parce que ma Beatlemania n'est pas assez démonstrative. On imagine bien Richard Lester, le réalisateur, lancer à la monteuse : « Vire-moi ce plan, avec cet idiot qui reste assis ! » Alors que je ne cherchais absolument pas à jouer les blasés. J'étais juste sidéré d'entendre, de voir, d'être en présence des Beatles. *J'avais envie de les contempler.* Pas de m'égosiller sur leurs morceaux.

Je parle de « Tell Me Why », de « She Loves You », de « All My Loving », de ces chansons qui enflammaient mes synapses musicales en pleine formation. C'était, je le savais, l'avenir, mon avenir et j'avais envie de m'en délecter. D'oublier ce foutu théâtre. Certes, c'était la raison pour laquelle j'étais là, mais, vu la tournure des événements, je m'en désintéressais totalement.

Des années plus tard, j'ai raconté cette histoire successivement à Paul, George et Ringo (je n'ai jamais rencontré John). Quand j'ai remis à Paul un American Music Award à Londres au Talk Of The Town, il m'a demandé : « C'est vrai que tu étais dans *A Hard Day's Night* ? » Oui, j'y étais. Peut-être pas dans la version finale, mais j'y étais. J'étais loin de me douter que finir sur le sol d'une salle de montage allait devenir une sorte d'habitude. Heureusement, au théâtre, on ne peut pas se faire éjecter comme ça. Enfin si, on peut, et mon tour viendra, mais ce n'est pas pour tout de suite.

L'horaire de la représentation de *Oliver!* m'oblige à partir chaque jour pour le West End dès la sortie de l'école de théâtre. J'arrive généralement à Soho vers 16 heures et il me reste du temps à tuer. Souvent, je me glisse dans un de ces nombreux petits cinémas du centre de Londres qui projettent des dessins animés par séances d'une heure. Je me dis qu'ils s'adressent aux banlieusards qui ont quelques minutes à perdre avant le prochain train. J'ignore qu'ils ont un autre usage. Dans une Grande-Bretagne où l'homosexualité est encore illégale, ce sont pour les hommes de discrets lieux de drague. Un jour, un type se faufile jusqu'à moi pendant un Loony Tunes et pose une main hésitante sur mon genou de collégien. Je grogne un « Dégage ! » et il déguerpit plus vite que Bip Bip devant Vil Coyote.

Au bout de quelques mois, je suis parfaitement habitué à ce versant trouble du West End, et ces avances prennent les allures d'un rituel presque lassant. Mes après-midis et mes soirées obéissent à une sympathique routine : train au départ de Hounslow, cinéma, virée dans les cafés et chez les disquaires de Soho, puis un hamburger sur le pouce au Wimpy. Ensuite, direction l'entrée des artistes du New Theatre sur St Martins Lane, non loin de Trafalgar Square.

Je démarre dans *Oliver!* pied au plancher car je n'ai pas le choix : c'est une grosse production qui se joue en continu et affiche généralement complet. Pas de place pour le trac, même pour un gamin de treize ans.

De plus, c'est un gros rôle. L'entrée d'Artful Dodger fait décoller le spectacle. Cette histoire d'hospice victorien et de misère noire est plutôt déprimante jusqu'à ce que ce petit pinson chapardeur arrive en chantant « Consider Yourself ». Le East End dickensien, né de l'imagination picaresque et débordante de Lionel Bart, se déploie alors dans toute sa majesté. Sans oublier que Dodger chante, avec sa bande, des airs merveilleux, désormais éternels, comme « I'd Do Anything » et « Be Back

Soon ». Ce sont mes premiers pas de soliste et je me régale à entonner ces airs huit fois par semaine, soir après soir (et en matinée les mercredis et samedis).

Je n'oublie pas les avantages annexes. Tandis que j'arpente les planches du New Theatre, Lavinia, ma chérie, joue dans *The Prime of Miss Jean Brodie* au Wyndham's Theatre à quelques mètres de là, dont l'entrée des artistes donne sur la nôtre. Nos entractes ne coïncident pas toujours, mais avant le lever de rideau, j'ai en général le temps de m'esquiver pour aller retrouver l'amour de mes années adolescentes, le temps d'un baiser furtif et d'un petit câlin.

Je fête mes quatorze ans pendant *Oliver!* mais le changement est en marche. Un soir, au milieu de « Consider Yourself », tandis que je chante la mélodie avec tout l'enthousiasme et l'aplomb requis, un coassement rauque monte soudain du fond de ma gorge d'habitude infaillible et ma voix lâche d'un seul coup. Je termine le morceau vaille que vaille, mais, à l'entracte, je me précipite vers le régisseur. Je ne comprends pas ce qui m'arrive. Je n'ai pas pris froid, je n'ai jamais eu ce genre de problème jusque-là, pas un seul soir, et ça ne peut pas venir de la cigarette (grâce à celles piquées au pub du père de Charles Salmon, j'ai derrière moi des années de consommation tabagique).

Le régisseur, en homme expérimenté du West End qui a chaperonné plus d'un enfant acteur, me met au parfum : ma voix mue.

La sensation réconfortante de devenir un homme, ce sera pour une autre fois. Là, à cet instant, dans les coulisses, recroquevillé derrière le rideau de fer, je suis effondré. Je sais ce que cela signifie.

J'expédie tant bien que mal la deuxième partie, mais c'en est fini de ma voix. Toute la salle s'en rend compte : je perçois une agitation dans les travées. C'est une impression effroyable. Je déteste laisser un public en rade, c'est une inquiétude pathologique que je porterai en moi toute ma vie. Je peux compter sur les doigts d'une main les concerts annulés avec Genesis ou sur mes tournées solo. Tout au long de ma carrière, je ferai tout pour que le spectacle continue – quitte à tolérer les médecins louches, les injections douteuses, la catastrophe d'une surdité et les lésions durables exigeant des interventions lourdes, invasives, avec explorations tissulaires et vis osseuses.

Cet instant vient pourtant de sonner le glas de mon rôle d'Artful Dodger, le meilleur que Londres puisse offrir à un enfant. Avec un pragmatisme froid, je suis aussitôt écarté de la troupe, chassé du West End et renvoyé à la case départ.

Pour un ado en ébullition hormonale, avide de tout ce que le Londres de plus en plus effervescent du milieu des années 1960 peut lui proposer, *Oliver!* aura été une vraie expérience, sur scène comme en coulisses. Durant mon merveilleux contrat de sept mois dans l'univers théâtral, j'ai pu faire connaissance avec les musiciens du New Theatre. Leur leader est batteur et le hasard veut qu'on rentre par le même train. On bavarde. Enfin moi, surtout. Je le bombarde de questions sur la vie de musicien et lui, patient, me répond. Je comprends vite que ce métier, qu'on l'exerce au sein de formations de scène, dans une fosse d'orchestre ou en club, est génial. Voilà ce que je veux faire.

À ce stade, je suis autodidacte. Mais je me rends compte que je vais devoir affiner mes compétences si je veux avoir quelque espoir de devenir professionnel.

Je commence par prendre des leçons de piano auprès de ma grand-tante Daisy à Chiswick, dans sa demeure edwardienne de Netheravon Road qui sent le renfermé. C'est une femme charmante, patiente, bienveillante et, à notre grande surprise à tous les deux, je manifeste des facilités : dès que j'ai entendu un air, je peux me passer de la partition. J'ai ce qu'on appelle « de la feuille », ce qui est pratique pour apprendre des chansons, moins pour apprendre à lire la musique. Ce qui contrarie tante Daisy, mais elle ne m'en tient pas rigueur. À sa mort, j'hériterai de son Collard & Collard à cordes parallèles de 1820. Il me servira pour enregistrer *Face Value*, mon premier album solo.

Je n'ai jamais vraiment su lire une partition et, aujourd'hui encore, j'en suis incapable. Si j'avais appris, les choses auraient peut-être été très différentes. En 1966, quand je forme le Phil Collins Big Band, je dois inventer, afin de communiquer avec les jazzmen talentueux et chevronnés du groupe, ma propre phonétique pour écrire les arrangements. J'aurais tout à fait compris qu'ils se demandent comment ce clown inculte pouvait espérer travailler avec des gens comme Tony Bennett et Quincy Jones.

Mais, en même temps, ne pas savoir lire la musique est pour moi extrêmement libérateur. Cette lacune m'ouvre à un vocabulaire musical plus vaste. Il existe des musiciens savants et techniquement accomplis qui ont un jeu raide, scolaire et clinique. Un musicien issu d'une formation plus traditionnelle que moi n'aurait peut-être pas composé un morceau comme « In The Air Tonight ». Quand on ne connaît pas les règles, on ne sait pas qu'on les enfreint.

Neuf ans après avoir reçu ma première batterie des mains d'oncle Reg et d'oncle Len, je me décide enfin à prendre des cours. Quand je débute à l'école de Barbara Speake, le trajet entre la station Acton Town et Churchfield Road me fait passer devant un magasin de batteries tenu par Maurice Plaquet. Cet endroit est la Mecque des batteurs de toute la place de Londres, et Maurice lui-même est un musicien de studio recherché, un nom assez connu dans ce monde de la batterie dont j'aspire tant à faire partie. C'est une pointure, mais trop grande pour me donner des leçons. Je me rabats donc sur un de ses lieutenants, Lloyd Ryan, qui enseigne dans le sous-sol de la boutique de Maurice.

Lloyd est un jeune type haut en couleur. Il tente de m'apprendre à lire la musique, mais, là encore, mes oreilles font barrage. Cinq ans plus tard, en 1971, je retourne le voir pour quelques cours de perfectionnement après avoir rejoint Genesis. On donne déjà des concerts, mais j'ai envie de refaire une tentative pour lire la musique. Un midi, Lloyd assiste à l'un de nos désormais célèbres concerts (pour les inconditionnels, du moins) au Lyceum Theatre, à deux pas du Strand. Sur scène, j'ai une potence Dexion qui supporte tout un assortiment de percussions, cloches, sifflets... Une panoplie sonore complexe mais sans grand intérêt. Au cours suivant, je remarque chez Lloyd exactement la même... C'est le monde à l'envers. Il ne me reverra plus.

À la fin des années 1960, parallèlement à un nouveau et bref engagement théâtral (toujours dans *Oliver!* mais pour un rôle plus adulte cette fois-ci, celui du lâche et brutal Noah Claypole), je prends quelques cours avec un homme charmant du nom de Frank King. Il enseigne chez Chas E. Foote, la boutique historique des batteurs située juste en face de l'entrée des artistes du Piccadilly Theatre où je joue à ce moment-là. Mon éducation musicale classique s'arrêtera là. Durant toute ma vie, j'aurai pris une trentaine de cours de batterie.

Pour l'ado que je suis, il vaut bien mieux se former sur le tas, à la volée, dans l'instant, en tirant parti de cet environnement créatif que je considère de plus en plus comme mon terrain de jeu. Pour un aspirant batteur désireux d'apprendre le métier, il n'est pas de meilleur endroit et de meilleure époque que le Londres du milieu des années 1960. La musique y est omnipotente et omniprésente. Un peu de ténacité, beaucoup de chance, un enthousiasme débordant, et me voici au cœur de la première grande explosion culturelle populaire de l'histoire de la Grande-Bretagne.

L'argent que je gagne comme comédien occasionnel – quinze livres par semaine pour ma seconde participation à *Oliver!* – passe intégralement dans ma dévorante passion. Je collectionne les disques avec autant d'avidité que j'achète les billets de concerts. Après un premier pas dans le 45-tours avec l'achat de « It Only Took a Minute » de Joe Brown, je commence à collectionner tout ce qui porte l'imprimatur de Northern Songs, la maison de disques fondée par Brian Epstein et les Beatles : « Do You Want To Know a Secret ? » de Billy J. Kramer, « Hippy Hippy Shake » des Swinging Blue Jeans et quantité d'autres. Les oreilles envahies par ce formidable déluge musical soudain jailli des radios, des clubs, des pubs et des chambres à coucher aux quatre coins du pays, je suis religieusement *Pick of the Pops*, le hit-parade du dimanche après-midi présenté par Alan Freeman, et *Saturday Club* de Brian Matthew, tous deux diffusés sur le Light Programme de la BBC.

À l'évolution de la musique répond celle de la mode. Nous sommes en 1966, et je me fournis chez I Was Lord Kitchener's Valet sur Foubert's Place, dans Carnaby Street, la boutique en vogue du moment. Je recherche les fringues militaires que portent les figures majeures du milieu, en particulier deux musiciens d'un nouveau groupe dont je me suis entiché : Eric Clapton et Ginger Baker qui sont, respectivement, le guitariste solo on ne peut plus classe et le batteur on ne peut plus frappadingue de Cream, un trio que l'histoire reconnaîtra comme le premier des super-groupes de rock.

Ma découverte de Cream se fait, ironie du sort, dans ce bon vieil Hounslow. Un soir de 1966, tandis que j'attends le dernier bus à l'arrêt du même nom, me parvient, à travers les murs du pub local, The Attic, le son torride d'un groupe de blues. J'ai quinze ans et j'entends Cream jouer des morceaux de leur premier album, *Fresh Cream*, qui sortira à la fin de cette année-là. Jamais je n'aurais imaginé devenir par la suite l'ami intime, l'accompagnateur, le producteur et le camarade de soirée de leur déjà incendiaire guitariste.

Oui, bien sûr, 1966, c'est l'année où l'Angleterre gagne la Coupe du monde. Mais, pour moi, elle est marquante pour une autre raison : je monte mon premier groupe avec des copains de l'école Barbara Speake, The Real Thing. Moi à la batterie, Philip Gadd à la guitare, son frère Martin à la basse et Peter Newton au chant. Aux chœurs, on trouve les deux femmes clés de ma vie, Lavinia et Andy.

Élèves d'une école de théâtre, donc habitués à ne pas forcer en cours et à écouter les derniers disques des Beatles et des Byrds en-dehors, nous nous jetons pourtant à corps perdu dans ce projet. Non sans certaines limites, malgré tout : quasiment aucun déplacement ni concert au-delà d'Acton. Même East Acton est hors secteur. Pour nous, apprentis saltimbanques, c'est une contrée à éviter car elle abrite la Faraday School, une école pleine à craquer de petits durs qui se font un plaisir de casser la figure à tout garçon susceptible de porter des collants. Pauvre Peter, qui est noir et habite près de la station East Acton, la zone dangereuse. Sa couleur de peau l'expose à des passages à tabac encore plus réguliers et encore plus méticuleux.

Téméraire (la plupart du temps), The Real Thing absorbe musique soul et productions Motown et reprend tous les titres qui lui tombent sous la main. Nous pillons surtout le répertoire de The Action, un groupe de mods tirés à quatre épingles originaire de Kentish Town dans le nord-ouest de Londres, dont le premier 45-tours chaloupé de 1965, « Land of a Thousand Dances » a été produit par George Martin. Peter et moi nous considérons comme leurs plus fidèles fans, ce que je suis toujours en 1969 quand ils se rebaptisent Mighty Baby. En 2000, Rob Bailey, le gourou des mods, me donne le numéro de téléphone de Roger Powell de The Action, sans doute le batteur qui m'a le plus influencé. Je l'appelle et nous devenons les meilleurs amis du monde. Une amitié qui me vaudra de me joindre au groupe, reformé le temps d'une soirée au 100 Club sur Oxford Street. Au côté de Roger, mon idole, je parviens enfin à les rencontrer au grand complet, quarante ans après les avoir dévorés des yeux au Marquee. Je n'exagèrerai pas en déclarant par la suite au *Guardian* que, pour moi, c'était comme jouer avec les Beatles.

Tout au long de 1966 et 1967, nous essayons, avec Peter, de voir The Action chaque fois qu'ils se produisent dans la meilleure salle de Londres, le Marquee. Nous faisons ensuite des comptes rendus à nos collègues de The Real Thing et tentons de rejouer ce que nous avons entendu : « You Don't Know Like I Know » de Sam & Dave, le duo « Double Dynamite » de Stax, « Do I Love You » des Ronettes, groupe soul féminin américain, « Heatwave » de Martha Reeves & The Vandellas. Les paroles qu'on ne comprend pas, on les invente. Nos copains de l'école – notre public habituel – n'en savent pas plus long que nous. Cerise sur le gâteau, en 1967, Tottenham Hotspur remporte la coupe d'Angleterre.

Nous cherchons à imiter The Action dans tous les domaines. Roger arbore une extraordinaire veste en Nylon bleu. Le fan du groupe et de fringues que je suis, après avoir écumé les hauts lieux de la sape mod sur Carnaby Street, parvient à dégoter exactement la même. J'en profite l'espace de quelques semaines, jusqu'à ce que ma mère la lave… La veste me revient à la fois rétrécie et déchirée. Autant dire morte. Pour un jeune mod, c'est un coup de poignard en plein cœur.

Je m'en remets vite. Au cœur des sixties, le changement est la seule constante. Semaine après semaine, j'achète tous les journaux de musique : *New Musical Express*, *Record Mirror*, *Melody Maker*. Je m'abîme dans chaque page, surtout dans les annonces de concerts regroupées à la fin : je veux savoir qui joue et avec qui. J'en colle même certaines dans des albums, que je légende avec mes propres impressions de concert rédigées à la main. Que faire d'autre quand on habite au bout d'une ligne de métro et qu'on est un collégien curieux de tout et obsédé par la musique ? Devenu adulte, je montrerai mon album The Action à Roger et aux survivants du groupe, ils seront émus aux larmes. Moi-même, je ne garderai pas l'œil sec. Je financerai aussi l'écriture d'un livre qui raconte leur histoire, *In the Lap of the Mods*, histoire d'en avoir un exemplaire rien qu'à moi.

Je commence à fréquenter le Marquee, au moins une à deux fois par semaine, en filant à Soho juste après l'école. Je suis généralement le premier de la file d'attente. Bientôt, le directeur, John Gee, me laisse entrer gratuitement ; en contrepartie, je balaie, sors les chaises et supporte ses inoffensives avances (et celles de Jack Barrie, son assistant, qui a les mêmes préférences). « Dis-moi, Philip, soupire-t-il, quel âge as-tu déjà ? » Au fil du temps, nous deviendrons, eux et moi, de grands amis.

Dans sa configuration de l'époque, mais elle en connaîtra bien d'autres, l'institution de Wardour Street ne possède pas de bar à proprement parler. On ne peut y acheter que du Coca Cola, à un petit stand situé au fond. La priorité, c'est l'espace pour les concerts : mille deux cents personnes peuvent s'y entasser. Un chiffre, j'en suis certain, nettement supérieur à celui autorisé par la réglementation incendie, mais ces questions de sécurité n'intéressent alors personne, pas plus que les ceintures dans les voitures, la cigarette qui donne le cancer et les cent mille mâles, grands et petits, rassemblés dans les gradins des stades de foot, sans sièges ni barrières de protection. L'époque était plus simple. À condition d'y survivre.

Le Marquee décide pourtant d'aménager un bar digne de ce nom, ce qui divise sa jauge presque par deux, mais pas son ambiance. C'est l'époque où l'on peut se joindre à un groupe l'après-midi et jouer avec le soir même. Comme Jeff Beck et, par la suite, Jimmy Page avec les Yardbirds. J'assiste aux débuts de l'un et de l'autre.

Je suis fan des Yardbirds et, quand ils deviennent les New Yardbirds, je suis aussi fan de leur batteur, John Bonham. C'est, comme Roger de The Action, mon idole à la batterie. Je vais voir Tim Rose – j'ai un faible pour ce chanteur-compositeur et j'adore sa reprise de « Morning Dew » de Bonnie Dobson – parce qu'il a engagé Bonham sur sa tournée. Avec mon plus vieil ami, Ronnie Caryl, nous parlons encore de ce concert au Marquee où Bonham avait été incroyable – « Ce qu'il faisait avec son pied, c'était dingue ! ».

En habitué et fan invétéré que je suis, je me trouve souvent au bon endroit au bon moment : en suivant la trajectoire de Bonham, j'assiste, au Marquee, au premier concert londonien de ces New Yardbirds, bientôt rebaptisés Led Zeppelin. Je suis le témoin de quelques prestations sismiques, dopées au R&B, des Who. Je découvre Yes à leurs débuts, vers 1968, quand ils étaient bons. À l'image de mon improbable amitié avec Clapton, je n'aurais jamais imaginé un jour devenir le proche collaborateur de certaines idoles de ma jeunesse comme Robert Plant et Pete Townshend, ni pensé que Bill Bruford, de Yes, m'aiderait à devenir, malgré mes réticences, le chanteur de Genesis en prenant ma place à la batterie.

À cet instant, à mi-parcours de mon adolescence, dans un Londres à mi-parcours des sixties, le cadeau que m'a fait le Père Noël l'année de mes trois ans conserve toute sa valeur. Ce premier tambour m'a ouvert une voie qui menait à l'épicentre d'une révolution. La batterie va continuer de me guider – vers l'avant, vers le haut, parfois même vers le bas-côté. Mais à ce moment précis, elle a enclenché un processus qui palpite au fond de moi avec une fièvre grandissante.

À ce stade, je suis encore un gamin. Un collégien. Et un collégien qui vit dans l'Ouest profond, dans un bled de plus en plus oppressant. Ce qui commence à me taper sur les nerfs puisque je ne peux pas assister à la fin des concerts. Une soirée classique au Marquee se déroule ainsi : première partie, tête d'affiche, re-première partie, re-tête d'affiche. En général, j'arrive à voir les trois premiers sets, mais je dois partir avant le retour de la tête d'affiche afin d'avoir le train qui me ramène chez moi à temps, le couvre-feu étant à 22 h 30. C'est alors que, le 24 janvier 1967, Jimi Hendrix joue au Marquee pour la première fois. Des quatre concerts légendaires donnés dans cette salle par ce guitariste américain débutant, le premier va entrer dans les annales du rock comme un des moments historiques des sixties. Hendrix est l'un des premiers à offrir un unique et long set au lieu de deux petits.

Comme c'est de plus en plus souvent le cas, je suis le premier dans la file d'attente et je m'empare d'un fauteuil au premier rang… Pourtant, la mort dans l'âme, je dois m'éclipser avant même que Hendrix ne soit entré en scène : le dernier train pour le bout de la ligne m'appelle.

Plus tôt je partirai de là-bas, mieux ça vaudra.

3

« Batteur cherche groupe ; fournit baguettes »

Ou : pas si simple de saisir sa chance
dans le Swinging London

Il faut que je me sorte de là. Mais comment ? Certainement pas en entrant à la London Assurance, malgré l'acharnement paternel à me convaincre de reprendre le flambeau familial. Je suis un pur produit des sixties, alors la vie de bureau, très peu pour moi, cher papa.

Mais par où fuir, et par quel moyen ? La musique est ma passion, et Londres est le centre de cette galaxie. Coincé au terminus de la Piccadilly Line, avec un bagage de batteur qui s'étoffe chaque jour un peu plus, j'ai l'impression d'être proche de la capitale et en même temps bien loin. Il me faut un plan d'évasion et, idéalement, quelqu'un pour se faire la belle avec moi. Par bonheur, je connais l'homme de la situation.

Début 1966, j'ai quinze ans et j'entends parler d'un gars qui, apparemment, est un expert à la guitare comme je le suis à la batterie. Il est de Hanworth, juste au bout de notre rue, et fréquente la Corona Academy, une école rivale de la mienne. On a entendu parler l'un de l'autre grâce à la rumeur, chacun étant considéré par les camarades de son propre établissement comme quelqu'un de « cool ».

Par un matin d'été, m'étant procuré l'adresse de ce prétendu virtuose de la six-cordes, je parcours d'un pas vif les quelques kilomètres qui me séparent de chez lui. Je frappe à la porte d'une maison mitoyenne et sa mère m'ouvre.

— Ronnie est là, s'il vous plaît ?

— Ronnie ! Il y a un jeune homme avec une frange blonde et une chemise rose pour toi !

Un tonnerre de pas résonne dans l'escalier, et surgit devant moi, l'œil interrogateur, un type un peu plus jeune que moi, avec des boucles brunes et une dentition intéressante.

— Ouais ?

— Salut, je m'appelle Phil Collins. Ça te dirait de jouer dans un super-groupe ?

— Il y a qui d'autre ? me répond Ronnie Caryl. Ce qui me souffle d'entrée : il ne doute pas un seul instant qu'une poignée d'ados issus du morne Middlesex du milieu des sixties soit capable de monter un « super-groupe ». Niveau état d'esprit, il est déjà bon pour le service. J'aime cette attitude.

— Toi et moi, c'est tout, lui réponds-je, confiant.

Quelques jours plus tard, Ronnie et moi jouons déjà dans notre salon, au 453 Hanworth Road. On découpe à la hache les tubes du moment : « Cat's Quirrel », « Spoonful » et « NSU » de Cream, « Hey Joe » de Hendrix – dites un titre et on le massacre !

En fait, en toute modestie, on s'en sort plutôt pas mal. J'ai une bande sur laquelle on nous entend jouer plusieurs heures d'affilée et elle me met encore une bonne claque. D'accord, on n'est que deux, mais l'un comme l'autre, on se débrouille bien et ça donne quelque chose de cohérent et de bluesy.

Le moment venu, on recrute un bassiste, Anthony Holmes, le copain d'un copain. On se rend vite compte qu'il a beau posséder une basse, il ne sait pas en jouer. Cela dit, Anthony ne se décourage pas. Comme il joue très bas, on a du mal à savoir s'il est bon ou pas. Nos prestations se limitant au salon parental, ce n'est pas bien grave, de même que de ne pas avoir de nom de groupe. Bientôt, on maîtrise la quasi-totalité des morceaux de *Fresh Cream*. On a aussi puisé chez John Mayall et répété une quantité impressionnante de vieux blues. Si on n'est pas encore tout à fait un super-groupe, on forme au moins un trio qui tient la route.

Lonnie Donegan, lui, nous trouve mauvais. Le « roi du skiffle » est la toute première vedette de la chanson que je rencontre puisque, un dimanche après-midi, il passe voir ma sœur Carole (elle est alors patineuse professionnelle et ils se sont rencontrés en tournée). Je crois qu'ils sortent ensemble ou, du moins, que lui aimerait bien. Il assiste à l'une de nos répétitions, assis sur une chaise, dans un manteau de fourrure incroyablement long. Il détonne un peu dans ce décor très banlieusard. Son manteau aussi. Mais je me dis que quand on est le roi du skiffle, on a bien le droit de faire, et de porter ce qu'on veut.

Donegan nous taille en pièces. Ses critiques envers Anthony sont particulièrement brutales. « Et chanter, tu ne sais pas non plus ? », demande-t-il à notre malheureux bassiste. Voilà qui n'est pas de nature à le mettre en confiance, mais qui confirme ce que Ronnie et moi savons déjà. Ce qui plaît à Anthony, c'est l'*idée* de faire partie d'un groupe, mais ça ne va pas beaucoup plus loin.

Puis Donegan nous informe qu'il va peut-être se mettre en quête d'un batteur et, un instant, je m'imagine un avenir radieux, contribuant à une révolution musicale qui, à vrai dire, a déjà laissé le skiffle derrière elle. Je crains hélas que Donegan n'ait pas réellement l'intention d'engager le petit frère de Carole Collins, ne serait-ce que parce que mes quinze ans ne me permettent pas d'affronter le tourbillon de son calendrier démentiel de concerts. Il m'estime cependant suffisamment bon pour se proposer de trouver un groupe qui voudrait bien de moi. Mais malgré son enthousiasme, rien ne se présentera.

Peu après, Anthony raccroche sa basse pour de bon, mais Ronnie et moi traçons notre route sans nous laisser abattre. Amis à la vie, à la mort, nous avons des rapports francs, explosifs parfois. Les prises de bec enflammées ne nous épargnent pas, généralement après une ou deux bières. Un jour, à la fin des années 1960, Ronnie se retrouvera avec une dent en moins.

Merci qui ? Merci mon poing. Je ne suis pas fier de moi et jamais, avec personne, je ne recommencerai.

Complices musicaux, frères de scène, Ronnie et moi avons vécu ensemble bien des aventures au cours des cinquante années qui ont suivi. À commencer par un essai commun pour Genesis. Puis, bien plus tard, sur mon sixième album solo, *Dance Into The Light*, sorti en 1996, prenant conscience qu'il me fallait un second guitariste pour épauler le fidèle Daryl Stuermer, j'ai invité mon plus ancien ami à venir répéter avec nous en Suisse.

À l'époque, mon groupe est composé de cadors de Los Angeles qui brillent par une excellente technique et un niveau de civilité acceptable. Ronnie, lui, est tel qu'il a toujours été : un diamant brut, gros buveur, gros fumeur et pétomane à ses heures. Le choc culturel est aussi instantané qu'inévitable. La délégation californienne opte pour la révolte silencieuse ; dans ma voiture, alors que je les reconduis à l'hôtel tout proche, je les entends dire que Ronnie « n'a pas sa place avec nous ». « Soit vous l'acceptez, soit vous partez ! » leur rétorqué-je. Car j'aime et j'apprécie plus que tout son talent et sa musicalité, sans parler de son indispensable humour.

Quelques semaines plus tard, Ronnie est totalement intégré et l'harmonie règne, ce dont je n'avais jamais douté. « Tant que je travaillerai, tu travailleras », confié-je à mon alter ego. Dès que j'ai besoin d'un guitariste, je peux compter sur lui. Il en a toujours été ainsi. Telle est la solidité des liens forgés dans le creuset des premières amours musicales. Des liens qui m'aideront à parachever ma formation musicale dans les années 1960, depuis les répétitions en chambre jusqu'aux concerts dans les pubs, les clubs, les villages de vacances et au-delà.

En 1967, The Real Thing bat de l'aile. Après notre fol enthousiasme pour ce premier groupe d'école est venu le temps des choses sérieuses : chacun ne pense qu'à devenir danseur ou comédien professionnel — moi, cela dit, moins que mes camarades musiciens. Avec la suffisance de mes seize ans, je suis sûr que va s'ouvrir sous mes pas un chemin de lumière. En toute honnêteté, je ne suis pas convaincu que ce projet encore embryonnaire de groupe pop dure bien longtemps. S'il y parvient, je n'en ferai certainement plus partie. Mais je resterai jusqu'au bout, jusqu'à ce qu'il sombre, puis je participerai à des séances d'enregistrement pour d'autres. Après une fructueuse série de ces séances, je m'orienterai vers le monde des orchestres de variété, des big bands et du jazz. Une évolution qui me semble naturelle puisque je suis déjà plongé jusqu'aux oreilles dans Buddy Rich, Count Basie et John Coltrane. Le crépuscule de ma vie, je l'occuperai à jouer dans la fosse d'orchestre d'un des meilleurs music-halls de la capitale. Les musiciens que j'ai croisés sur *Oliver!* semblaient tous plutôt heureux de leur sort.

Je le répète, ce parcours me paraît logique. Mais il suppose d'apprendre à lire la musique. Je compte d'ailleurs bientôt m'y mettre.

Ah, la naïveté de la jeunesse… Nous sommes en 1967, j'ai seize ans et *Younger Than Yesterday* des Byrds et *Sgt. Pepper's Lonely Hearts Club Band* des Beatles vont me mettre la tête à l'envers. Ces albums, piliers de l'histoire du rock, sont aussi les piliers de ma jeune existence. Ils sortent à cinq mois d'intervalle et vont tout changer. Je commence à collectionner les posters délirants en Technicolor, je repeins ma chambre en noir – désormais, elle est à moi seul, Clive ayant quitté la maison pour épouser la charmante Marilyn et se consacrer à sa formation de dessinateur humoristique – et je tapisse l'un des murs de papier d'aluminium. L'étendard de l'anticonformisme flotte haut sur le 453 Hanworth Road. Des fourmis dans les jambes, les nerfs à fleur de peau, je m'enrôlerais bien dans la révolution psychédélique si elle voulait de moi. Hélas, je suis déjà promis à une vache d'une ferme de Guildford, Surrey.

Comme j'ai un peu de bouteille et que je suis en dernière année de l'école Barbara Speake, on me propose pas mal de rôles. Que je décline pour la plupart, au grand regret de ma mère. Je décide pourtant d'accepter celui que m'offre, au cinéma, la Children's Film Foundation, pourvoyeuse estimable de films estimables pour les ciné-clubs du samedi matin. Leur popularité a explosé vers le milieu de la décennie, surtout parce que les parents peuvent leur confier leurs enfants l'esprit tranquille pendant qu'ils font leurs courses. Le petit film en question s'intitule donc *Calamity the Cow* et, s'il est peu probable qu'on y voie beaucoup de délires psychédéliques, il me permettra en revanche de montrer ma tête sur grand écran aux gamins de tout le pays. Et d'empocher un peu de sous pour m'acheter encore plus de disques, de billets de concert et de fringues pseudo-militaires. Sans compter que j'ai le rôle principal (en dehors de la vache, évidemment).

Le film se tourne à Guildford où, coïncidence amusante, je m'installerais quelques années plus tard avec pour voisin Eric Clapton. Mais en 1967, Guildford n'est pour moi qu'un bourg qui me paraît à cent lieues de Hounslow et qui héberge un élevage de porcs dont l'odeur pestilentielle hante encore mes narines.

En ce « Summer of Love » parfumé, il m'apparaît vite que j'ai commis une erreur de jugement en acceptant le premier rôle de ce film. Comme il s'agit d'une production de la CFF, donc destinée à divertir les enfants le samedi matin, ce que nous jouons est puéril. Très puéril. Niveau Enid Blyton[1]. L'intrigue peut se résumer ainsi : un garçon trouve une vache, le garçon perd la vache, le garçon retrouve la vache. Pendant que d'autres éveillent leur conscience à l'harmonie du monde et se libèrent des contraintes matérielles, je m'acoquine avec un bovin…

Pour un batteur de seize ans plutôt imbu de lui-même et fasciné par *Sgt. Pepper*, c'est humiliant. Cet état d'esprit ne m'incite pas à livrer le meilleur de moi-même. Encore marqué par l'accent d'Artful Dodger l'escamoteur, je décide de donner à mon personnage un côté populo, à la fois effronté et fanfaron. Ce qui n'enthousiasme pas outre mesure le réalisateur. Pour compliquer le tout, celui-ci se trouve être aussi le scénariste. Il s'estime donc logiquement propriétaire du scénario et ne se montre guère ravi de voir sa « vision » trahie par un morveux qui a la tête chez les hippies et la langue en territoire cockney.

---

1. Romancière britannique (1897-1968), auteure de très nombreux ouvrages de littérature jeunesse.

« Ah, Philip…, soupire-t-il avec son gros accent australien, exaspéré par une nouvelle prise gâchée par ma gouaille londonienne, si tu prononçais plutôt comme ça… »

À la fin, il en a tellement marre de moi qu'il m'efface du script : au plus fort de l'action, le premier rôle disparaît mystérieusement à vélo…

— Mais, Michael, tu es vraiment obligé de faire cette randonnée à bicyclette ?

— Hélas, oui…, répond sans conviction mon personnage avant de s'éloigner, suivi par une vache.

Aucune explication plausible à ce départ n'est fournie au spectateur ; je disparais de l'écran sans autre forme de procès. Me voilà donc limogé à mi-parcours, mais je devrai revenir pour tourner le palpitant dénouement (désolé de dévoiler la fin : la vache remporte le premier prix à la foire du canton). Mon mécontentement est aggravé par ma gêne et amplifié par ma frustration. *J'en ai assez de ce monde-là…* me dis-je.

Pas tant que ça, en réalité. Car début 1968, maman me trouve un rôle dans un nouveau film. Encore avec des enfants, mais cette fois, c'est du sérieux : adaptation d'un roman de Ian Fleming, le créateur de James Bond ; scénario de Roald Dahl, auteur pour enfants ; chansons composées par les frères Sherman, oscarisés pour *Le Livre de la jungle* et *Mary Poppins* de Disney ; et réalisation par Ken Hughes, auteur l'année précédente d'un James Bond, *Casino Royale*. Je n'ai aucun dialogue – c'est de la figuration, comme sur *A Hard Day's Night* –, mais ça me permet de rater l'école pendant une semaine et de tourner aux célèbres Pinewood Studios.

Tout bien considéré, pour un garçon de dix-sept ans qui se sent à l'étroit dans son enfance, *Chitty Chitty Bang Bang* est un bon plan. Sur le papier, du moins.

Pinewood est investi par des centaines de jeunes venus pour le casting, tous issus d'écoles de théâtre différentes. Partout, des chaperons et des tuteurs, auxquels chacun de nous s'emploie à échapper. Hors de l'école, pas question de se surmener avec des devoirs.

Je ne me rappelle pas avoir rencontré un seul des acteurs. Pour les simples figurants que nous étions, il était exclu de se mêler aux stars : pas de Dick Van Dyke, pas de Benny Hill, pas de James Robertson Justice. En revanche, je me rappelle bien que j'avais au front une espèce de kyste sur lequel le médecin avait posé un bandage. Or nous, les jeunes captifs du terrifiant Croquemitaine, devions avoir l'air d'enfants battus, débraillés, sales. Au montage, mon pansement blanc immaculé a sauté aux yeux du réalisateur, Hughes qui, d'un coup de ciseaux, m'a évincé du film. Une fois de plus, exit Collins, côté cour cette fois.

Mon enthousiasme d'acteur est une nouvelle fois douché. Mais très franchement, je m'en fiche complètement. Nous sommes désormais en 1968, nouvel apogée musical, et il faut qu'il se passe quelque chose.

L'année de *The Beatles*, l'album blanc du groupe, de *Odessey And Oracle* des Zombies, de *Beggars Banquet* des Rolling Stones, de *Village Green Preservation Society* des Kinks, de *Astral Weeks* de Van Morrison, de *A Saucerful of Secrets* de Pink Floyd et de *Wheels of Fire* de Cream, je quitte l'école. Avec des diplômes en arts, langue anglaise et instruction religieuse. Ce n'est pas énorme. Même si j'envisageais, Dieu m'en préserve, une carrière d'agent d'assurances à la City, j'aurais du mal avec un si pauvre bagage. Voilà tout le bénéfice que je tire de la Barbara Speake Stage School. Durant tout le temps que j'y ai passé, ma tête était ailleurs ou j'étais moi-même ailleurs, ou les deux. Cette école m'a surtout emballé au début parce qu'elle m'a permis d'échapper au collège de Chiswick et laissé entrevoir ce vivier féminin. Son but est de former de futures étoiles du théâtre, mais comme je ne pense pas en devenir une, il me tarde d'en sortir. Certes, les rôles qu'elle m'a permis d'obtenir m'ont propulsé sur scène devant un public, mais à aucun moment je ne me suis imaginé à l'aube radieuse d'une quelconque carrière.

Pourtant, par besoin d'argent, je retente ma chance sur les planches, au Piccadilly Theatre en 1969, dans la toute dernière mise en scène de *Oliver!* (où Barry Humphries joue Fagin). Sortie sur les écrans l'année précédente, l'adaptation de Carol

Reed a provoqué un regain d'intérêt pour la pièce. De mon côté, j'offre à ce moment-là le pitoyable visage d'un musicien sans contrat, d'un batteur abattu. Une fois encore, le théâtre est là pour mettre du beurre dans mes épinards.

L'assistant du régisseur du spectacle a alors vingt-deux ans et se nomme Cameron Mackintosh. Aujourd'hui, c'est peut-être l'homme le plus puissant du monde du théâtre, un producteur à la tête d'un empire de un milliard de livres, à l'origine des *Misérables*, de *Miss Saigon* et de bien d'autres productions. Mais à la fin des années 1960, au Piccadilly Theatre, je suis au-dessus de lui dans la hiérarchie. Des années plus tard, je lui en reparlerai au palais de Buckingham où sir Cameron, sir Terry Wogan, sir George Martin, dame Vera Lynn et votre serviteur ont été invités à rencontrer la reine et le prince Philip à l'occasion d'un hommage à la musique britannique qui rassemble aussi Jeff Beck, Jimmy Page, Eric Clapton et Brian May.

Tandis que nous attendons en rang d'oignons de nous incliner devant leurs royales majestés, je lui chuchote du coin des lèvres :

— Sais-tu, sir Cameron, qu'on a travaillé ensemble sur *Oliver!* ?

— Non !

— Mais si ! Qu'es-tu devenu depuis ?

∗ ∗ ∗

En 1968, je ne jure que par la musique. J'annonce à maman que je veux arrêter le théâtre et gagner ma vie comme batteur. Elle en informe papa. Jusque-là, dans les couloirs feutrés de la London Assurance, mon père était fier que l'on sache que le petit dernier de Greville Collins était une vedette de la scène et de l'écran. Mais jouer dans un de ces *groupes pop* ? On me voit déjà en clochard chevelu, violant et pillant tout sur son passage, et père d'une poignée d'enfants illégitimes — si ce n'est pire.

Papa me met en quarantaine. Il ne m'adresse plus la parole, histoire de bien me signifier son courroux.

Je m'en moque et je m'accroche, plongé dans les dernières pages de *Melody Maker* ou dans le décolleté du chemisier en mousseline de Lavinia – quand ce n'est pas dans les deux à la fois.

J'entame donc une existence de batteur. Ou, plutôt, je tente tant bien que mal de m'affirmer comme quelqu'un susceptible d'être considéré comme un batteur.

Je dois certains de mes tout premiers engagements professionnels à Ronnie. Ses parents sont du métier. Son père, prénommé aussi Ronnie, est pianiste et leader d'une petite formation au nom follement original, The Ronnie Caryl Orchestra. Sa mère, Celia, en est la chanteuse et ils jouent régulièrement au Stork Club et au Pigalle, tous deux dans le West End. Quand j'ai un peu de temps et pas d'argent, je les accompagne.

Les Caryl exploitent aussi un bon filon en jouant sur des bateaux de croisière et dans des villages de vacances Butlin et Pontin. Dans les années 1960, avant le boom dix ans plus tard des voyages organisés, et bien avant la révolution des vols à bas prix, le village de vacances est un passage obligé dans la vie des Britanniques. Pour les adolescents, il est aussi propice à leur initiation sexuelle, l'éloignement des parents et les rangées de bungalows leur offrant pléthore d'occasions.

Un Noël, les Caryl me proposent d'intégrer l'orchestre qu'ils ont monté au Pontin de Paignton, dans le Devon. Je fais de mon mieux pour être à la hauteur : j'apprends à me gominer et à faire un nœud papillon, je porte la veste du groupe, et mes pieds et mes mains se retrouvent à jouer des valses, des rumbas, des two-steps et un peu de rock'n'roll. Notre répertoire balaie les standards et les genres les plus divers.

Mme Caryl est une femme adorable douée d'une voix magnifique et d'un délicieux savoir-faire face à une salle bondée. M. Caryl est un chef d'orchestre moustachu et raffiné qui connaît toutes les ficelles du métier. Il peut vous engueuler tout en souriant au public, ce dont il ne se privera pas à mon égard. Au beau milieu du set, avec un clin d'œil aux clients attablés devant leur poulet-frites, il emmène l'orchestre se rafraîchir au bar en me laissant le soin de divertir la salle tout seul avec les piètres effets batteristiques dont je dispose.

— Un petit solo, Phil ?

— Non !

— On t'écoute…

Dans ces moments-là, la scène est à moi pendant un temps qui me semble une éternité. Tandis que mes collègues lèvent leurs pintes à ma santé, je leur fais de grands signes pour qu'ils reviennent abréger mes souffrances. Pas simple, quand il faut en même temps tenir le tempo et ses deux baguettes…

L'exercice du solo, c'est évident, n'est pas encore dans mes cordes.

Vous parlez d'un apprentissage : les fûts de batterie pour moi, les fûts de bière pour eux ! Mais ensuite, après le dernier set, Ronnie et moi ratissons fiévreusement le village en jouant avec une certaine délectation la carte du « On fait partie de l'orchestre » auprès de toutes les filles qu'on croise. Dans un bon soir, pour peu qu'on les ait impressionnées, on peut finir dans un bungalow avec deux demoiselles de notre âge.

Les rites de passage, j'en subis aussi dans un autre boulot régulier que j'ai à l'époque. Par l'entremise du copain d'un copain — encore un —, j'entends parler d'un groupe qui cherche un batteur. The Charge est une formation de R&B semi-professionnelle axée sur la soul américaine et emmenée par George, un leader fort improbable puisque chanteur, bassiste, et écossais. Je suis d'assez loin le meilleur musicien du lot, mais aussi le moins expérimenté en termes de concerts en milieu sensible.

The Charge s'est fait une spécialité lucrative, quoique périlleuse, de jouer dans les bases de l'armée américaine du Norfolk et du Cambridgeshire. Nous sillonnons toute la région, entassés dans un Ford Transit fatigué, en jouant les succès du moment de la Motown, de Stax et de James Brown, si possible à toute allure. À mesure que la soirée avance, les GIs sont de plus en plus excités, de plus en plus enthousiastes et de plus en plus bourrés (donc irritables). Quand on fait partie de l'orchestre, mieux vaut rester sur scène, c'est plus sûr. Le règlement de l'armée américaine prévoit qu'une bagarre éclate toujours à un moment ou à un autre ; par conséquent, plus on peut jouer longtemps et distraire les belligérants, moins on risque d'être entraîné dans la mêlée. The Charge attaque alors « Night Train », dans la version TGV de James Brown, avec la vigueur voulue.

À dix-sept ans, tout juste sorti de l'école, j'acquiers vite une sorte d'endurance sur scène. Ainsi qu'une certaine capacité à détaler qui se révélera utile quand le claviériste de The Charge me présentera à un type de sa connaissance, un dénommé Trevor. Lui aussi joue des claviers – entre autres instruments, mais surtout probablement de la « clarinette à moustaches », comme disait Peter Cook. Ce Trevor fréquente une salle de jeux de Soho, un lieu de drague gay dans lequel on a ajouté des machines à sous. Il m'apprend que les Shevelles, groupe scénique très couru des clubs londoniens en vogue, cherchent un batteur. Dennis Elliott, celui qui les quitte, finira d'ailleurs batteur de Foreigner.

À l'époque, j'étudie toute proposition, quelle qu'elle soit. Au sein de The Charge, je suis un musicien pro dans un groupe semi-pro. Le jour, les autres ont un métier. Moi, je n'ai rien d'autre. De sorte que mon maigre cachet – peut-être cinq livres par semaines – doit être complété par ma mère. De temps à autre, elle me glisse une petite pièce pour que je puisse m'acheter des billets de concert et sortir mes conquêtes. Contrairement à mon père, fidèle à son vœu de silence, maman se montre d'un grand soutien. Pour autant, l'absence de source de revenu sûre traduit une réalité pesante : je suis englué dans une zone floue entre enfance et âge adulte, entre l'ancien collégien sans emploi qui habite encore chez ses parents et le batteur aux engagements sporadiques.

Encore ignorant du côté décadent de Trevor, je décide de me laisser tenter. Il m'emmène au Cromwellian Cocktail Bar & Discotheque à Kensington. Le premier étage est occupé par un casino et un bar, mais le sous-sol est un repaire branché pour la faune branchée des Swinging Sixties. La petite scène est occupée par des valeurs montantes – Elton John, qui n'est encore que

Reg Dwight, y joue avec Bluesology – tandis que les musiciens de passage viennent volontiers faire un bœuf. L'endroit est aussi un terrain de drague homo et, par une pénible soirée, je vais subir une rude initiation aux pratiques interlopes de la capitale. Tandis que, assis dans la pénombre et le brouhaha, j'attends de pouvoir jammer avec les Shevelles, Eric Burdon, des Animals, se hisse sur scène pour prendre le micro. Je suis encore sous le choc d'avoir devant moi l'interprète charismatique de « House of The Rising Sun » quand un dandy dégingandé, en qui je reconnais aussitôt Long John Baldry, se glisse jusqu'à notre table.

« Salut Trevor, roucoule-t-il en me dévisageant longuement, qui est-ce ? » Quelques minutes plus tard arrive Chris Curtis, le batteur des Searchers. Il pose la même question et je commence à me demander si je suis vraiment ici pour une audition à caractère musical…

Comme je m'y attendais, les Shevelles sortent de scène et remballent. Adieu mon audition. Trevor tente d'atténuer ma déception en m'invitant dans son appartement de Kensington. J'hésite, mais il est tard et le chemin est long jusqu'à mon terminus.

J'accompagne Trevor jusque chez lui. Une chose en entraînant une autre, mon inexpérience va entraîner une situation embarrassante. Comme il a un colocataire, je n'ai d'autre choix que de partager son lit. Terrifié, je dors mal, par intermittence et entièrement habillé, sur les couvertures. Mais voilà qu'à mes côtés je perçois des signes d'impatience et qu'une main s'avance bientôt vers moi…

Avant même d'avoir eu le temps de dire « Ouf ! », je suis sur le palier.

À l'époque, je suis ouvert à toutes les propositions. Je joue de temps en temps avec le Cliff Charles Blues Band, qui est plutôt bon mais ne risque pas d'enflammer la planète, et je fais un bref passage dans un groupe baptisé The Freehold. Encore une formation de circonstance sans véritable talent.

Avec The Freehold, nous sommes basés dans un petit hôtel miteux de Russell Square à Bloomsbury. C'est une sorte d'antre de musicos, plein de pensionnaires permanents et passionnants comme les techniciens de tournée de Jimi Hendrix et de The Nice. Jimmy Savile y a aussi sa chambre. Figure bien connue de la télé et de la radio – il avait présenté le tout premier numéro de *Top of the Pops* en 1964 –, il manque rarement de compagnie à l'hôtel : un essaim de demoiselles semble se livrer à un ballet incessant autour de sa chambre.

C'est là que je croise pour la première fois Tony Stratton-Smith. Dix ans plus tôt, dans sa précédente vie de journaliste sportif, il était parti à Belgrade dans l'avion de Manchester United pour une rencontre de coupe d'Europe. Le lendemain du match, il n'avait pas entendu le réveil et avait raté son avion qui, après une escale de ravitaillement à Munich, s'était écrasé au décollage, faisant vingt-trois morts parmi les quarante-quatre passagers. À compter de ce jour, Strat a toujours pris le vol d'après celui qu'on lui avait réservé.

Nous devenons vite bons amis, bien qu'il persiste à m'appeler « Pilip ». Strat est un homme de qualité et de cœur qui va jouer un rôle déterminant pour mon avenir et pour celui de Genesis.

À peine a-t-elle débuté que ma collaboration avec The Freehold prend fin, surtout parce que je m'y ennuie. Ce qui ne m'empêche pas de persévérer, en quête de cette grande percée qui se fait attendre. Avec Ronnie, nous auditionnons pour un groupe qui doit accompagner un quatuor britannique du style Four Tops. Nous sommes pris tous les deux, moi à la batterie et lui à la basse, en compagnie de Brian Chatton aux claviers et de « Flash » Gordon Smith à la guitare.

Nous prenons le nom de Hickory et le groupe vocal celui de The Gladiators. On constate vite que les musiciens sont meilleurs que les chanteurs, de sorte que les musiciens – nous – décident de faire sécession pour tenter leur chance de leur côté.

Grâce à un travail acharné et un peu de chance, j'ai l'impression d'avoir enfin intégré un vrai groupe avec de vraies perspectives. Mis en confiance, je me risque à un exercice que j'ai soigneusement évité jusque-là : l'écriture d'une chanson.

Un jour, chez moi à Hounslow, je commence à pianoter dans la pièce du fond. Je tâtonne autour du *ré* mineur – qui, comme tout fan de *Spinal Tap* le sait, est l'accord le plus triste de tous – et note quelques bribes de paroles. Je suis miné par un chagrin imaginaire à l'idée de perdre Lavinia.

Bientôt, je pense tenir quelque chose : « *Can't you see it's no ordinary love that I feel for you deep inside ? / It's been building up inside of me and it's something that I just can't hide / Why did you leave me lying there, crying there, dying there...*[1] »

C'est « Lying, Crying, Dying » et c'est la première chanson écrite par Pilip Collins, dix-sept ans. Je suis plutôt content du résultat, au point de franchir un nouveau pas : je décide que je vais aussi chanter.

Hickory réserve une séance d'enregistrement à Regent Sound, un studio pas terrible en sous-sol, sur Denmark Street. Nous mettons quatre morceaux en boîte, parmi lesquels ma composition, dont l'encre est encore toute fraîche.

De retour dans l'ouest londonien, je rends visite à Bruce Rowland. C'est le fils de Hilda, mon ancienne prof de diction ; l'année suivante, il jouera avec Joe Cocker au festival de Woodstock, reflet de toute une époque, avant de devenir le batteur de Fairport Convention. Je lui rachèterai sa Gretsch, que j'ai toujours.

Comme il est batteur, un peu plus âgé que moi et manifestement promis à un grand avenir, je vais le voir régulièrement en quête de paroles de sagesse et d'encouragement. Il me fait écouter « Loving You Is Sweeter Than Ever », des Four Tops, en me demandant de « bien écouter le groove. Ma-gni-fi-que. Vraiment magnifique. » Il me fait découvrir *Live Dead*, le double album de Grateful Dead, sur lequel jouent deux batteurs (encore une idée dont je me servirai quelques années plus tard).

Timidement, je lui soumets « Lying, Crying, Dying » enregistré avec Hickory. À mon grand soulagement, il m'annonce qu'il aime beaucoup. Mieux, il aime ma voix. « Tu devrais

---

1. « Ne vois-tu pas que mon amour pour toi ne ressemble à aucun autre / Il se répand en moi, je ne puis le cacher / Pourquoi m'avoir laissé à terre, laissé pleurer, laissé mourir... »

chanter, pas jouer de la batterie », me conseille-t-il. Jusque-là, nul ne m'avait complimenté pour ma voix, sans doute parce que presque personne ne l'avait entendue depuis ma période *Oliver!*. C'est un exercice sympathique, mais ça s'arrête là : je suis batteur, pas chanteur.

Et je suis, temporairement, auteur. Je n'en ai pas conscience sur le moment, mais avec ce coup d'essai j'ai dévoilé mon jeu : j'ai prouvé que j'avais un talent pour écrire des chansons tristes et que je prenais plaisir à traiter de sujets mélancoliques. Les paroles sont assez moyennes, mais elles viennent du fond du cœur.

Par le biais d'un autre copain d'un autre copain, nous entrons dans l'orbite d'un groupe pop nommé Brotherhood of Man. Dans une formation différente, ils remporteront le concours de l'Eurovision 1976 avec « Save Your Kisses For Me ». Mais en 1969, John Goodison en fait encore partie et il est à la composition. Avec son soutien, nous enregistrons chez CBS Records une insignifiante chansonnette pop, « Green Light ». C'est notre première expérience dans un studio digne de ce nom et nous en sortons avec un 45-tours. J'ai l'impression d'avoir enfin décroché le gros lot.

Si seulement. « Green Light » se ramasse, mais Hickory, toujours vaillant, continue de tourner partout dans Londres en écumant les clubs louches et en jouant surtout des reprises comme « Do I Still Figure in Your Life » de Joe Cocker, « I Can't Let Maggie Go » de Honeybus, « Hang on to a Dream » et « Reason to Believe », de Tim Hardin.

Hickory répète sur île d'Eel Pie, dans la salle de bal de l'hôtel, près du Converted Cruiser Club. L'amitié de ma mère avec l'hôtelier avait facilité le choix de ce port d'attache pour le club ; elle va aussi permettre à notre groupe d'accéder à la meilleure piste de danse suspendue de toute l'Angleterre. On ne sait pas danser, mais on répète beaucoup.

Un jour, deux messieurs plutôt bien mis nous rendent visite. Venus de Hampstead, Ken Howard et Alan Blaikley, auteurs-compositeurs de leur état, sont des figures du Swinging London. Personnages influents, on leur doit les titres majeurs de The Herd, le groupe du jeune Peter Frampton, et de Dave Dee, Dozy, Beaky Mich & Tich. Et des tubes, beaucoup de tubes : « The Legend of Xanadu », « Bend It » et bien d'autres. Ils ont leurs habitudes à La Chasse, un club sur Wardour Street, dans Soho. Ce rendez-vous des musiciens assoiffés est célèbre car situé à deux pas du Marquee. Tous les groupes s'y retrouvent, entassés dans un espace grand comme un salon, devant le bar – ou, dans le cas de Keith Moon, derrière.

Car, quand il ne joue pas avec les Who, Moonie adore, semble-t-il, faire le barman à La Chasse. Un soir, je lui commande une tournée et il me rend plus d'argent que je ne lui en ai donné. C'est aussi pour ça qu'on l'aime.

Brian Chatton, le clavier de Hickory, un beau gosse de Bolton qui habite dans le West End, fréquente très souvent La Chasse. Howard et Blaikley, toujours en quête de nouveaux talents, l'ont dans leur ligne de mire.

Un soir, autour d'un gin-tonic, les deux compères annoncent à Brian qu'ils travaillent à un album-concept, *Ark*[1] *2*, dont le sujet sera l'évacuation d'une Terre devenue moribonde, un thème très présent au crépuscule des sixties : l'homme va sur la Lune, la conquête de l'espace bat son plein, on s'envoie beaucoup en l'air… Notre duo interstellaire a les chansons ; il ne leur manque que les musiciens.

Brian, en homme de bon sens, les invite à venir voir son groupe.

Les voici donc sur l'île d'Eel Pie à écouter ce dont Hickory est capable. À l'idée d'auditionner pour des types aussi bien introduits, on n'en mène pas large. Mon optimisme initial sur les perspectives du groupe s'était vite mué en pessimisme : « Lying, Crying, Dying » n'a jamais dépassé le stade de la démo et on se retrouve sans but précis. Sauf qu'on a maintenant face à nous deux sorciers capables de nous expédier dans les étoiles.

Howard et Blaikley sont séduits par ce qu'ils entendent et, sans tambour (enfin, si, un peu) ni trompette, Hickory

---

1. « Arche ».

démontre qu'il est bien le vaisseau idéal pour leur suite spatiale. On est d'accord pour embarquer avant même avoir entendu un seul des morceaux.

Et nous voilà partis, Ronnie, Brian, Flash et moi, vers un coin magnifique du vieux Hampstead pour écouter les démos de *Ark 2*. Howard et Blaikley habitent une coquette maison de ville, un luxueux intérieur très sixties, un repaire de célibataires surmonté d'un jardin-terrasse à toit amovible. Celui-ci se révélera être le poste d'observation idéal pour contempler la Lune dans la nuit du 20 au 21 juillet 1969, celle où Neil Armstrong accomplit son fameux petit pas – ou grand bond, c'est selon.

Les démos sont sommaires, doux euphémisme, et les médiocres capacités vocales de leurs deux auteurs ne nous aident guère. L'ensemble me paraît chargé, surjoué, proche de la « comédie musicale rock ». Ce qui ne fait qu'ajouter à mon scepticisme croissant : pour moi, le « concept » général sonne un peu scolaire. À côté du magistral *Tommy* des Who sorti en mai, *Ark 2* risque de paraître un peu, disons, tarte.

Mais nous sommes un groupe en perdition à qui deux types en peignoirs chinois croulant sous les disques d'or viennent de lancer une bouée. Avec Brian et Flash à la manœuvre pour les voix – excellents chanteurs l'un comme l'autre – et Ronnie et moi pour régler au poil la turbine musicale, Hickory se sent de taille à faire décoller ce projet.

Nous enregistrons aux De Lane Lea Studios à Holborn sous l'œil vigilant de nos deux timoniers, Howard et Blaikley. Harold Geller, arrangeur et commandant en second, a souvent travaillé avec le duo. Brian et Flash chantent la plupart des titres, mais je m'en réserve un dans la « suite des planètes », un interlude style music-hall intitulé « Jupiter : Bringer of Jollity », et j'occupe le devant de la scène sur « Space Child ». Howard et Blaikley changent notre nom en Flaming Youth [« jeunesse ardente »], un terme emprunté à Franklin D. Roosevelt. « L'humeur de notre jeunesse est désormais plus changeante, plus critique, plus provocatrice. Cette jeunesse ardente pose aujourd'hui une question ardente elle aussi », avait déclaré en

1936 le trente-deuxième président des États-Unis devant le Young Democratic Club de Baltimore.

Ark 2 est lancé à grand renfort de publicité au Planetarium de Londres. Comme dans l'Arche biblique, les cadors de la scène sixties arrivent deux par deux. Mais, à présent, ce pseudo-psychédélisme chichiteux me gêne ; je le trouve à la fois prétentieux et caricatural. Avec mes dix-huit ans et ma forte tête, je m'irrite de la tendance qu'ont Howard et Blaikley à nous traiter comme leur créature, comme un avatar londonien des Fab Four dont ils revendiquent l'entière paternité.

Nous avons pourtant l'agréable surprise de constater que les critiques sont bonnes. Dans *Melody Maker*, le disque est même « album du mois » en octobre 1969 (« une musique adulte, magnifiquement interprétée, avec de belles tensions harmoniques ») et devance l'autre sortie notable du moment, *Led Zeppelin II*. Ce ne sera pas la dernière fois qu'on me reprochera de gâcher la vie de Led Zep.

Même hors de nos frontières, les ventes sont bonnes. Enfin, le disque plaît au moins aux Néerlandais, au point que Flaming Youth s'envole pour Amsterdam afin d'enregistrer cinq titres pour une émission. C'est la première fois que je me rends à l'étranger, la première fois que j'apparais sur un écran, mais pas que je joue devant des caméras. Tout est en play-back.

Sur place, nous faisons avec Howard et Blaikley la tournée de leurs lieux favoris. Ce qui me vaut quelques surprises, dont ma première rencontre avec un travesti. Moi qui pensais que Londres bougeait, ce n'est rien par rapport à cette capitale de la fête qu'est Amsterdam. Malgré mes réserves sur la musique qu'on nous oblige à jouer, je ne peux nier que *Ark 2* m'emporte vers des mondes nouveaux et passionnants.

Pourtant, en dépit des critiques positives et de l'enthousiasme batave, *Ark 2* ne change pas grand-chose au sort de Flaming Youth. On répète à n'en plus pouvoir, en prenant une nouvelle voie proche de la pop arrangée façon Yes. Mais on est aussi un bon gros groupe de rock, surtout à l'aise sur scène. Cela dit, on joue de moins en moins et le peu de concerts qu'on donne est scindé en deux : une partie avec des morceaux intéressants, joliment arrangés – « You Keep Me Hangin' On » dans la version de Vanilla Fudge, « With a Little Help from My Friends » à la Joe Cocker et un de mes préférés des Beatles, « I'm Only Sleeping », plus quelques compos de notre cru – et, ensuite, *Ark 2*. Sur scène, l'album a autant de pêche qu'un pétard mouillé. Le public est aussi perplexe que nous. La viabilité de Flaming Youth est devenue une question ardente.

Comme je pressens la fin, je sors mes petites antennes pour voir ce qui se présente ailleurs. Si je trouve la bonne formule pour nous deux, j'emmènerai Ronnie avec moi. Mais si j'ai un plan pour batteur seul, je partirai de mon côté. En l'état actuel des choses, ma carrière de musicien professionnel m'a obligé à dire oui aux propositions les plus hétéroclites pour finalement être chaque fois déçu du résultat. Il est temps de prendre les devants, de se montrer.

Je deviens un professionnel de l'audition, parcourant inlassablement la rubrique « Cherche musiciens » des dernières pages de *Melody Maker*. Si une annonce y paraît, c'est que le groupe a une certaine intégrité. Je fais un essai infructueux avec Vinegar Joe, futur employeur de Robert Palmer et d'Elkie Brooks. Je laisse de marbre Manfred Mann Chapter Three, phalange d'expérimentateurs jazz rock à déclinaisons multiples. Je tente même l'aventure avec The Bunch, un groupe actif mais quelconque originaire de Bournemouth.

Enfin, dans ce dernier cas, je ne tente pas vraiment l'aventure : quand je me rends compte au téléphone qu'ils sont sur la côte sud, je leur dis que je ne pourrai pas descendre car ma mère n'aime pas trop me voir voyager. J'ignore ce qu'ils ont bien pu penser de moi. « Pédé de Londonien » ou « fils à sa maman », sûrement. Je n'ai pas trouvé de meilleure excuse. Il ne m'est pas venu à l'esprit que je revenais des Pays-Bas… À vrai dire, ce long voyage en train avec ma batterie ne me disait rien.

Il y a alors chez moi une impatience, mais aussi une incapacité à suivre un cap. J'ai été le premier dans la file et j'ai squatté le premier rang du Marquee, j'ai vu les meilleurs concerts du moment. J'ai vu de près tous les jeunes pyromanes – les Who, Hendrix, Page, Plant, Bonham, Beck – et souvent au début de leur carrière. J'ai touché l'ourlet de leurs pattes d'eph. Si proche d'eux, et pourtant si loin.

Je me suis bougé, j'ai pris des risques. Quand Yes à joué au Marquee devant cinquante clampins, je suis allé en coulisses à l'entracte car j'avais appris que Bill Bruford allait reprendre la fac à Leeds. Jon Anderson, le chanteur, m'a donné son propre numéro, mais je n'ai jamais pris la peine de l'appeler. J'ignore pourquoi, mais je me demande souvent ce qu'aurait été ma vie si j'avais dit « yes » à l'audition de Yes.

Quand l'aube se lève sur les années 1970 et que s'achève la première année de ma vie d'adulte, j'erre toujours en quête de nourriture, de fric et d'avenir. J'ai joué avec quelques groupes, mais sans grand résultat. J'ai les crocs, mais je suis toujours coincé à Hounslow, avec tous les inconvénients d'habiter en bout de ligne. La vacuité de mon existence est encore accentuée par le fait que maintenant, je suis seul à la maison.

Pendant que je tournais en rond, de grands changements se sont produits au 453 Hanworth Road. Pour parler crument, tout le monde a foutu le camp et la famille Collins s'est désintégrée. Clive et Carole sont grands et mènent leur propre vie, et la relation entre mes parents est dans l'impasse. Maman reste de plus en plus souvent chez Barbara Speake (c'est plus près de son travail). Papa a hâte d'être à la retraite et de pouvoir enfin se laisser pousser la barbe. Il se rend souvent à Weston-super-Mare pour y passer de longs week-ends. C'est un endroit qu'il a appris à aimer pendant la guerre, quand la famille avait déménagé à cause de la London Assurance et qu'il avait été affecté dans un détachement local des volontaires de la Home Guard.

J'ai bien un toit, mais mon âme, elle, est sans domicile fixe.

Il faut que je quitte cet endroit. Mais comment ?

C'est alors qu'un des Beatles me tend une perche.

4

La ballade de *All Things Must Pass*

Ou : ma rencontre avec (presque tous) les Beatles

Quand, par un paisible jeudi après-midi, la providence frappe à ma porte, je sors tout juste de mon bain dans la maison où j'ai grandi. Je suis le plus souvent seul dans cette demeure désertée par la famille Collins et n'attends plus guère que *Top of the Pops* et ma tartine de haricots à l'heure du thé. Je vais peut-être regarder la télé en dînant en slip. J'en suis capable. Nous sommes en mai 1970, j'ai dix-neuf ans et les pimpantes sixties n'en ont plus pour bien longtemps. Vivement les languissantes seventies.

Je conserve malgré tout une petite aura dans la galaxie de Ken Howard et Alan Blaikley. Ils sont amis avec un certain Martin, une connaissance de La Chasse, qui se trouve être le chauffeur de Ringo Starr. Un soir, dans ce bar, Martin demande à Blaikley s'il ne connaîtrait pas un bon percussionniste. « Bien sûr, lui répond Blaikley, je vais te trouver quelqu'un. »

Quand Blaikley m'appelle, je suis encore ruisselant au sortir du bain.

— Tu fais quoi ce soir ?

— Ben, *Top of the Pops* vient de commencer…, dis-je pour me défiler. À ce moment-là, je n'ai d'autre contact avec la scène que les groupes que je vois à la télé promouvoir leur 45-tours lors de ce hit-parade hebdomadaire.

– Laisse tomber ! Une séance à Abbey Road, ça te tente ?

Il ne m'en dit pas plus sur l'artiste à l'origine de ladite séance, mais en entendant les mots « Abbey Road », je dresse soudain l'oreille. *Peu importe qui c'est. Comme ça, je verrai l'endroit où les Beatles ont enregistré...* McCartney a annoncé son départ du groupe il y a seulement quelques semaines et son premier album solo, *McCartney*, vient de sortir. Tout le monde ne parle que de la fin des Fab Four. *Let It Be*, leur chant du cygne, est à peine dans les bacs que la presse musicale se perd déjà en fiévreuses discussions à propos du premier album solo post-Beatles.

Enroulé dans ma serviette, j'essaie de réfléchir vite et bien, mais ce n'est pas à ça que je pense. Ma carrière musicale est en dents de scie, toujours obstinément embryonnaire, et voilà une occasion de montrer ce que je sais faire à un artiste assez bon pour s'offrir Abbey Road. Je suis un batteur sans emploi, et en voici un, d'emploi.

– Vous voulez que j'y sois à quelle heure ?

J'enfile une tenue de circonstance, un T-shirt et un jean. J'ai dix-neuf ans, les cheveux longs et j'affiche mon style. J'appelle un taxi, je monte et, avec un plaisir indicible, prononce cette immortelle réplique : « Abbey Road, je vous prie. »

À mon arrivée, Martin, le chauffeur, est posté sur les marches du studio de St John's Wood, dans le Nord-Ouest de Londres.

– Entre, entre, on t'attendait.

– *Moi ?* Vraiment ? m'étonné-je.

Et qui est ce « on » dont il parle ? Il m'entraîne à l'intérieur tout en discutant :

– Ça fait quatre semaines qu'ils sont là. Il y en a déjà pour *mille livres*. Et ils n'ont encore rien enregistré...

Ouah, ça doit être du sérieux, me dis-je.

En entrant dans le studio 2 d'Abbey Road, je tombe sur une scène désormais célèbre. Les protagonistes de cette mystérieuse session sont en pleine séance photo, ce qui signifie que personne ne manque à l'appel : George Harrison et ses longs cheveux (je ne suis pas peu fier des miens, en cet instant) ; Ringo Starr ;

Phil Spector, le producteur ; Mal Evans, le légendaire road manager des Beatles ; plusieurs membres de Badfinger ; Klaus Voormann, le graphiste devenu bassiste ; Billy Preston, le virtuose de l'orgue Hammond ; Peter Drake, le dieu de la pedal steel guitar ; et Ken Scott et Phil McDonald, les ingénieurs du son des Beatles.

Par la suite, en apprenant par cœur les noms des acteurs de ces séances, je me rendrai compte que Ginger Baker n'était pas encore là. J'apprendrai aussi qu'Eric Clapton est probablement parti au moment où je suis arrivé.

J'y suis : George est en train d'enregistrer le premier album solo post-Beatles, et me voilà soudain parachuté au beau milieu de cette aventure. Enfin, au bord.

À mon arrivée, les conversations cessent. Je déclenche un froncement de sourcils interrogateur et collectif : « C'est qui, ce môme ? »

La voix de Martin se fait alors entendre : « Le percussionniste est là. »

Je ne sais pas au juste ce qu'on attend de moi dans ce projet, mais « percussionniste » me va bien, même si j'estime ne pas en être tout à fait un. Quoi qu'il en soit, je n'ai pas le temps de protester car voici que George s'adresse à moi : « Désolé, mon gars, me dit-il avec l'accent traînant et grasseyant de Liverpool qu'on lui connaît, t'es pas là depuis assez longtemps pour être sur la photo. » Je ris nerveusement, un peu gêné.

Si je tremble dans mon pattes d'eph ? Disons que je suis confiant, sans être trop sûr de moi. Je sais que j'ai un contrat à remplir : premièrement, impressionner ces messieurs, deuxièmement, bien jouer des percus – ce qui n'a rien à voir avec bien jouer de la batterie. Les percussions, ce sont des instruments multiples, comme ici, des congas, des bongos, des tambourins, etc. Ils me sont étrangers et, de plus, chacun d'eux est un monde en soi. Je le savais déjà, mais je vais bientôt en découvrir les subtilités.

L'atmosphère est, disons, détendue. Pas d'experts maison hyper-pointus en blouse blanche, mais aucun signe non plus de fumette. Par la suite, j'ai appris dans une interview que George avait aménagé un coin drogue, mais ce jour-là je ne détecte aucune odeur suspecte.

Les photos terminées, chacun reprend son poste. On me conduit à l'étage dans la régie, celle-là même où George Martin était installé pour *Our World*, historique émission de 1967 où les Beatles ont joué « All You Need Is Love » pour quatre cents millions de téléspectateurs. Dans ce même fauteuil de producteur est assis Spector. On nous présente et il se montre poli, quoique peu bavard. Les lunettes fumées ne quittent pas son nez. Il n'a pas d'arme, c'est déjà ça. Du moins, je n'en vois pas…

Je redescends et Mal Evans, avec ses grosses lunettes et la coupe au bol de ses débuts – j'idolâtrais même les assistants des Beatles – me conduit là où je dois prendre place. « Tes congas sont là, petit, à côté de la batterie de Ringo. »

Je la contemple. *J'ai envie de la toucher.* De la sentir sous mes doigts. Si j'avais pu poser ma joue sur les peaux sans me faire remarquer, je l'aurais fait. Comment Ringo sonorise-t-il sa batterie ? Tiens, une serviette sur la caisse claire – intéressant, ça.

Pour moi, Ringo est un grand batteur. C'était une période où il se faisait pas mal allumer. Mais j'ai toujours pensé, et je pense encore, qu'il avait un jeu prodigieux. Qui ne devait rien au hasard. Son toucher était incroyable. Et il le sait. Des années plus tard, quand nous ferons mieux connaissance, je lui dirai mon admiration. Mais, à l'époque, Buddy Rich le traîne plus bas que terre et même Lennon le dénigre.

C'est pas mal, ça, non ? Entendre partout que tu n'as pas tout à fait ta place dans les Beatles ! Je me souviens d'une interview dans *Modern Drummer* – que j'achetais religieusement – dans laquelle Ringo racontait qu'on se moquait de ses « drôles de petites relances ». Ce qui le peinait, à juste titre. « Elles ne sont ni drôles ni petites, mes relances. Elle sont tout à fait sérieuses », avait-il répondu. Il suffit d'écouter « A Day in the Life » ; c'est vraiment fantastique, complexe, insolite, original. Beaucoup moins simple qu'il n'y paraît. J'ai donc mon badge

« Ringo » et, s'il le faut, je me ferai un plaisir de le mettre à ma boutonnière pour défendre sa cause.

Retour à Abbey Road, en ce jeudi après-midi de fin de printemps-début d'été 1970. J'ai mes congas, Ringo à ma droite et Billy Preston à ma gauche. George et Klaus sont un peu plus loin. On s'apprête à enregistrer un morceau intitulé « Art of Dying ».

« Si on le jouait d'abord pour Phil ? » Cette phrase, nul ne la prononce. Pas plus George que Ringo ou Spector. Une autre que quelqu'un aurait pu dire : « Tiens, Phil, voilà la partition. Ça fait comme ci et comme ça, et toi, tu démarres là. » George n'est pas venu me voir. Ne m'a rien dit, rien remis. Il est là-bas, il fait son boulot, il se concentre, enfin, il a mieux à faire.

Au lieu de quoi, j'entends simplement : « Un, deux, trois, quatre ! »

Après une première prise assez hésitante, je fais une erreur. Ce ne sera pas, hélas, la dernière. Je ne suis pas un vrai fumeur, mais je suis tellement tendu et j'ai tellement envie de bien faire que je demande à Billy Preston :

– T'aurais pas une clope ?

– Bien sûr, petit.

Très vite, j'enchaîne les cigarettes. J'en tape à Billy et à Ringo. Je ne me sens pas très bien, mais pas uniquement parce que j'ai déjà grillé les trois quarts d'un paquet. J'ai l'impression que je commence à agacer tout le monde. Des années plus tard, devant remettre un gong à Ringo pour les Mojo Awards, j'ai un paquet de Marlboro pour lui. Malheureusement, comme je suis tombé malade et que je n'ai pas pu participer à la cérémonie, je lui dois encore ces quelques cigarettes.

Assez vite, Billy me lance : « Mais putain, achète-toi un paquet ! » Enfin, c'est ce que me hurle son regard. Ce sera le seul moment vraiment gênant de toute cette séance. C'est du moins ce que je crois.

La soirée avance. On joue sans discontinuer, je fume sans discontinuer (et je tape mes voisins sans discontinuer). Dans mon casque, j'entends les instructions de Spector : « OK, seulement les guitares, la basse et la batterie… Maintenant juste la basse, les claviers et la batterie… »

C'est sûrement ainsi qu'il procède pour chacune des merveilles qu'il produit. Et dès qu'il prononce le mot « batterie », je joue. Je préfère pécher par excès de prudence que risquer d'entendre Spector, connu pour être éruptif (en plus d'avoir la gâchette facile), s'écrier : « Mais pourquoi tu joues pas ! » Donc, je joue, tout le temps. Comme je ne suis pas percussionniste et que j'ai le trac, j'en fais sûrement trop. J'y vais à fond. Au bout d'une heure, mes mains sont en piteux état. À vif, pleines d'ampoules. Bien plus tard, je participerai à des séances similaires avec Ray Cooper, le percussionniste préféré d'Elton John, un grand musicien capable d'envoyer du lourd, du très lourd même. Il y avait du sang sur les murs. Pas étonnant qu'Elton l'adore.

Une douzaine de prises plus tard, on ne m'a encore donné aucune consigne. J'ai donc fait ce qui me semblait convenir. Je continue de jouer, encore et encore. Durant tout ce temps, je n'ai aucun retour de la part de Spector, ce qui me trouble légèrement. Mais je fais de mon mieux pour m'intégrer, avoir l'air serein, ne pas perdre le fil ni la mesure.

À un moment donné, Martin-le-chauffeur s'approche de moi.

– Ça va comme tu veux, Phil ?

– Ouais, ouais, super… Vous auriez une cigarette ?

Enfin, après d'innombrables reprises de « Art of Dying », tombent les mots fatidiques de Spector : « C'est bon, les gars. Congas… Tu peux jouer maintenant ? » Je n'ai même pas de prénom. Pire, il ne m'a pas encore entendu. Pas une seule fois.

Je reste planté là, à contempler mes mains en sang, sûrement un peu étourdi par toutes ces cigarettes, et je me dis : *Spector, t'es un bel enfoiré. J'ai les mains en compote et, en plus, tu ne m'as même pas écouté !*

Billy et Ringo, placés de part et d'autre de moi, se marrent. Je vois bien qu'ils compatissent. Ils savent que je ne me suis pas ménagé, mesurent forcément le trac qui étreint quelqu'un de mon âge. Qui n'a pas dû le lâcher de la soirée. Faire preuve d'autant d'enthousiasme pour se faire descendre aussi cruellement...

Cela a du moins le mérite de rompre la glace et nous rejouons le morceau plusieurs fois. Après quoi, tout le monde disparaît. D'un coup. Je sors pour appeler Lavinia sur le téléphone à pièces du foyer. « Tu ne devineras jamais où je suis ! À Abbey Road ! Avec les Beatles ! » En vrai, voici ce que je lui dis : « J'ai un bol insensé, c'est pas croyable. Je te préviens qu'après ça tu risques de me trouver terriblement désirable ! » Mal aux mains ? Quel mal aux mains ?

Je reviens tranquillement dans le studio désert. On dirait un vaisseau fantôme. George, Ringo, Billy, Klaus, Mal : volatilisés. Il doit y avoir une fête quelque part et je ne dois pas être invité. Apparaît Martin-le-chauffeur :

— Écoute, j'ai l'impression que ce sera tout pour ce soir. Ils doivent être partis regarder le foot, me dit-il en prétextant un match de l'Angleterre à la télé.

— Mais je n'ai dit au revoir à personne... bredouillé-je, tout désappointé.

Je n'ai pas pu leur dire : « Merci, Ringo », « Merci, George, voici mon numéro », « Billy, si jamais tu es dans le coin... » Rien de tout ça. Il n'y a plus que Martin-le-chauffeur, qui me demande :

— Tu as besoin d'un taxi ?

Quand je sors, il fait déjà nuit. Durant le long trajet du retour, je me rappelle distinctement chaque note jouée. Mes mains m'élancent et saignent encore, mais moi, aspirant musicien de dix-neuf ans, je viens d'enregistrer à Abbey Road. *Avec les Beatles*. Bon, avec la moitié des Beatles. Mais quand même.

Quelques semaines plus tard, je reçois le chèque par la poste. Il est signé EMI, s'élève à quinze livres et correspond à une prestation en faveur de M. George Harrison pour la réalisation de l'album *All Things Must Pass*. Je l'aurais gardé en souvenir si je n'avais pas eu tant besoin de cet argent.

L'étape suivante consiste à précommander le disque. Je me rends chez Memry Discs, mon disquaire de Hounslow : « Ce serait pour commander l'album de George Harrison, *All Things Must Pass*. Je joue dessus, vous savez ! » Ce n'est pas ce que j'ai dit. Je ne pense pas. Mais j'en aurais bien été capable.

Enfin, après une attente interminable, fin novembre, le téléphone sonne : « Allô, M. Collins ? Ici Memry Discs. Votre disque est arrivé. » Ouais, c'est *mon* disque. Et il est sorti, enfin.

Je pourrais y aller à pied, mais il y a urgence. Je prends donc le bus – le 110, le 111, le 120, peu importe, tous passent devant la boutique. J'achète l'objet et il est somptueux. Un triple album sous forme de magnifique coffret. Je sors, je le tourne et le retourne en tous sens : « Je suis… là-dessus… sur un album des Beatles. »

Toujours sur le trottoir, je l'ouvre. Passe rapidement en revue les crédits : Klaus Voormann… Ginger Baker… Billy Preston… Ringo Starr… Ils sont tous présents à l'appel, les lascars croisés au studio ce soir-là, ainsi que d'autres, d'Eric à Ginger en passant par Alan White, futur batteur de Yes, et Bobby Keys, le sax des Stones. Tout le monde est là. Tout le monde sauf moi. Il doit y avoir erreur. *Mon nom n'y figure pas.* Ils m'ont oublié…

La déception est terrible. Je suis effondré. Mais je redresse la tête. Bon, allez, je vais rentrer écouter ça. Si je ne me vois pas sur la pochette, au moins je vais m'entendre. Mais dès que l'aiguille touche le sillon et que « Art of Dying » démarre, je sais que je ne suis pas dessus : ils n'ont même pas pris la version sur laquelle j'ai joué. *C'est pas possible !* Que s'est-il passé ?

À l'époque, l'idée qu'on puisse enregistrer plusieurs interprétations d'une même chanson m'est étrangère. Certes, j'ai participé à *Ark 2* avec Flaming Youth. Mais, pour le reste, je suis un néophyte – qui n'a encore quasiment jamais mis les pieds dans un studio, encore moins dans le plus célèbre du monde, avec le producteur américain le plus célèbre du monde, et *avec un Beatles*. J'ignore que le dada de Phil Spector est de multiplier les versions. « On oublie la séance de la semaine dernière, j'ai une nouvelle idée… »

Je tombe de très haut.

Certes, je ne m'étais pas dit : *George Harrison va m'appeler tous les jours. Quand il partira en tournée solo, il me prendra à la batterie. Ou au moins aux congas.* Mais je pensais au moins pouvoir mettre *All Things Must Pass* sur mon C.V.

Car, pour moi, ce genre d'expérience, ce genre de confirmation revêt une importance énorme. On oublie *Oliver!* ou le fait que j'aie été un enfant acteur dans une agence artistique. J'aurais pu continuer, mais je n'en avais plus envie. Tout ce que je veux, c'est être batteur et dans ma petite tête, j'ai consciencieusement planifié ma carrière : répertoire pop tant que ça dure, ensuite le Ray McVay Show Band les vendredis, et les samedis au Lyceum. Peut-être quelques séances d'enregistrement – si j'apprends à lire la musique – et ensuite la fosse d'orchestre.

Sauf qu'on m'appelle pour jouer avec un Beatles sur son premier album solo post-Beatles. Oubliés la fosse et les allers et retours entre orchestres de variété et thés dansants. Je vais devenir un vrai batteur !

Sauf que le Beatles en question m'éjecte de son album sans un mot d'explication. D'abord, ils me coupent de *A Hard Day's Night*, et maintenant ça ! Mais qu'est-ce que j'ai fait aux Fab Four ?

La Ballade de All Things Must Pass : j'ai tiré un récit des événements qui ont entouré cette journée marquante à Abbey Road. Plusieurs, même. Après tout, j'ai passé trente ans à ruminer cette séance éprouvante et, au sens propre, sanglante, à envisager des hypothèses à mon éviction. Trente ans à tenter d'expliquer pourquoi les musiciens phares de mes jeunes années ont cru bon de s'éclipser sans un mot et, ensuite, de me jeter aux oubliettes.

Voici, me suis-je dit, ce qui s'est produit : ils ont décidé de donner à la production de ce morceau une nouvelle orientation. C'est une évidence. Un coup de Phil Spector. Coutumier du fait. Un fou génial, mais qui, un beau jour, allait sombrer dans la folie pour de bon.

Ou alors, George a imaginé ce morceau autrement. Je parie que c'est ça. C'était son grand œuvre post-beatlesien : triple album, vingt-huit morceaux, une cargaison d'idées. Quoi de plus normal qu'il change d'avis sur le son qu'il voulait donner à « Art of Dying » ?

Sans compter que c'était George Harrison, des Beatles. Le Silencieux. Un surnom sans doute justifié. Pas étonnant qu'il ne m'ait rien dit.

$$* * *$$

Un jour de 1982, je travaille à The Farm avec Gary Brooker de Procol Harum sur son album *Lead Me to the Water*, quand Gary me dit : « Si on demandait à Eric et George de faire les guitares ? » Il sort de plusieurs années de tournées avec Clapton et connaît Harrison – lui aussi a participé à *All Things Must Pass*, mais, au moins, sa contribution n'est pas passée à la trappe.

Puisqu'il le peut, Gary leur pose la question et tous deux acceptent. Quand George arrive, je me présente.

– Tu sais, George, on s'est déjà rencontrés… lui dis-je en préambule avant de lui raconter cette soirée de mai à Abbey Road douze ans plus tôt.

– Tu en es sûr, Phil ? Je ne m'en souviens pas du tout.

Génial. Un Beatles a gâché ma vie et n'en garde pas le moindre souvenir. J'avais déjà les boules, mais alors là…

Au moins George me met-il à l'aise grâce à un autre sujet. On racontait alors que j'allais rejoindre Wings, le groupe de son vieux copain McCartney. Même si ces bruits n'avaient aucun fondement, l'idée éveillait ma curiosité. Mais George s'empresse de m'assurer que le poste n'a rien d'enviable : devenir le cinquième batteur de Wings aurait été, selon lui, « un sort pire que la mort ».

Bref. Je n'arrive pas à tourner la page. Tout au long des années 1980 et 1990, alors que ma situation est plutôt bonne, rien ne peut me débarrasser de cette lancinante interrogation : ai-je disparu de *All Things Must Pass* parce que je n'avais pas le niveau ?

En 1999, je suis convié au soixantième anniversaire de Jackie Stewart, légende de la formule 1. Jackie, que j'ai rencontré au cours d'une décennie 1980 riche en tribulations, et moi, nous entendons comme larrons en foire. Il m'a emmené à des parties de tir aux pigeons d'argile, ce qui n'est pas tout à fait mon rayon, et je lui ai offert des places pour venir voir Genesis et pour que ses fils Paul et Mark assistent à mes concerts.

Ce qui a encore davantage cimenté notre amitié, c'est qu'en 1996 j'ai acheté la maison de Jackie en Suisse. De sorte qu'à la fin de la décennie, quand il lance son écurie Stewart Grand Prix avec son fils Paul, nous sommes très copains. Alors que George et Eric sont des mordus de course automobile, moi, je n'ai jamais vu de Grand Prix. Ma femme Orianne et moi sommes conviés à de merveilleux week-ends à Hockenheim où nous rencontrerons Schumacher, Coulthard, Barrichello et les autres cracks de la F1. Le jour de la course proprement dite est presque secondaire car, sur un Grand Prix, on ne voit jamais grand-chose. On est aussi bien à le regarder à la télé dans une caravane. Cela dit, les séances d'essais et les qualifications valent le coup. La F1 va vite, mais prend le temps de bien recevoir.

Nous voici donc à la soirée d'anniversaire de Jackie, dans sa nouvelle propriété près de Chequers, dans le Buckinghamshire, la résidence de week-end du Premier Ministre. Parmi les invités, beaucoup de gros flambeurs, de rejetons de la royauté et de pilotes. À ma table se trouvent Zara et Peter, les enfants de la princesse Anne. Et George est également des nôtres.

Je l'ai déjà croisé plusieurs fois avec Eric. Et j'ai découvert en lui un homme charmant. C'est mon préféré parmi les Beatles. Nous nous connaissons suffisamment pour que je lui lance un joyeux « Salut, George, comment ça va ? ». Et l'air détaché (enfin j'espère), je lui repose la question au sujet de

All Things Must Pass. Mais non, aucun souvenir. Rien, nada, que dalle.

Au bout de trente ans, peut-être devrais-je finalement prendre au pied de la lettre le titre du chef-d'œuvre solo de George : *tout doit passer*, surtout ma disparition d'un des plus grands albums de tous les temps.

L'année suivante, toujours à Hockenheim, un journaliste musical m'accoste et, de but en blanc, me demande :

– Dites-moi, Phil, vous étiez bien sur *All Things Must Pass*, non ?

Dans mon for intérieur, je hurle : « OUI ! Oui, j'y étais ! » Mais, préférant ne pas m'enflammer devant un inconnu, je me contente d'un :

– Disons que c'est une longue histoire…

Puis il reprend :

– Savez-vous que George le remixe ? Pour la réédition du trentième anniversaire. Je le connais bien, et comme il a ressorti toutes les bandes originales, je vais lui demander s'il peut vous retrouver.

Soudain, je suis tout excité.

– Oh, ce serait super !

Pas seulement pour savoir ce qui est arrivé à ma session, mais pour en avoir une copie.

– Oui, ce serait vraiment super. Le morceau, c'est « Art of Dying ». Ça peut prendre combien de temps, à votre avis ?

Insistant, moi ?

Cela dit, ça date tellement que j'ai fait une croix dessus. Au fond de moi, je suis certain de ne plus jamais en entendre parler. Quand, le mercredi suivant, arrive un colis. Avec, dedans, une cassette et un petit mot.

« Cher Phil. Serait-ce toi ? Amitiés, George. »

Je me dis : *C'est ça ! Quelque part, sur cette bande…* J'ai presque l'impression de tenir le Saint-Graal (des enregistrements de congas, catégorie ado). … *Je n'ai pas rêvé. Et George ne peut pas la sortir de chez ce disquaire de Tokyo connu pour avoir tous les pirates des Fab Four depuis les origines.* Car j'ai déjà cherché là-bas et elle n'y était pas. *Non, c'est George en personne qui m'envoie ça.*

Je n'écoute pas la cassette tout de suite. Impossible. Mais au bout d'un moment, la mine sombre, je pénètre dans mon home studio. Ferme la porte, approche un fauteuil, cale la bande et appuie sur PLAY. Nous y sommes : un bref chuintement et la batterie démarre.

« Ba-da-dad doum ! »

Et dans les enceintes éclate le son des congas : un tintamarre d'une arythmie crispante, avec des défauts immédiatement perceptibles pour une oreille experte. *Doux Jésus !* Coupez !

Un enfant hyperactif livré à lui-même. On entend bien que le garçon a un semblant de talent. Il ne fait pas complètement n'importe quoi, mais assez pour qu'on ait envie de le faire taire.

Je suis abasourdi. Je ne me rappelais pas avoir été aussi mauvais. Mon jeu est trop chargé, trop volubile, trop amateur. Et à cent lieues des attentes de MM. Harrison et Spector.

Tout le monde s'arrête en ordre dispersé et le morceau s'interrompt. J'entends alors une voix reconnaissable entre toutes. Celle de Harrison s'adressant à Spector : « Phil ? Phil ? Tu ne crois pas qu'on devrait la refaire, mais sans le petit aux congas ? »

Je rembobine quatre ou cinq fois pour être sûr d'avoir bien entendu : Harrison demande à Spector de me mettre à la poubelle. Mes pires craintes se réalisent…

Phil ? Phil ? Tu ne crois pas qu'on devrait la refaire, mais sans le petit aux congas ?

Soudain, enfin, la vérité. Durant toutes ces années, j'ai cru – espéré – qu'ils avaient donné au morceau une autre direction musicale. Cette pensée me consolait, apaisait une déception vieille de trente ans. Et voilà que je comprends que j'ai été viré. Ils n'ont pas disparu pour aller regarder le foot ou fumer un joint. Ils se sont débarrassés de moi. « Le jeune aux congas, il dégage, on n'a qu'à le planter là », a dû suggérer l'un d'eux. Comme le ferait quelqu'un qui ne sait pas quoi dire, *a fortiori* si ce quelqu'un est un poids lourd du rock. On disparaît et on laisse Martin-le-chauffeur faire le sale boulot, renvoyer chez lui un gamin de dix-neuf ans.

Quelques jours plus tard, je suis assis chez moi, dans la chambre de Mathew, mon plus jeune fils. Le téléphone sonne. C'est Jackie Stewart.

– Salut, Phil, comment vas-tu ?

On discute de choses et d'autres.

– Je pensais te voir pour l'hommage à John Lennon l'autre soir au Royal Albert Hall...

– Il y a eu un concert ? réponds-je en jouant les détachés. Je n'étais pas au courant.

– Ouais, c'était une super soirée. Il y avait plein de batteurs.

– Ah bon ?

– Ouais. Et de joueurs de congas.

Je reste interdit. Depuis quand sir Jackie Stewart, légende de la course automobile et champion de tir aux pigeons d'argile, s'intéresse-t-il aux conguistes ? Puis il ajoute :

– Je suis avec un copain à toi, il veut te parler.

Il lui passe le téléphone et la voix de George Harrison retentit :

– Salut Phil. T'as reçu la cassette ?

– Petit salopard, George !

Trente ans de douleur qui s'épanchent enfin.

– Hein ? Pourquoi ?

– Pendant trente ans, j'ai essayé de comprendre ce qui s'était passé ce soir-là et pourquoi j'avais été coupé de *All Things Must Pass*. Et là je me rends compte que j'étais tellement mauvais que toi et cet enfoiré de Phil Spector, vous m'avez viré !

Harrison éclate de rire.

– Mais non, pas du tout ! La cassette, on l'a enregistrée l'autre jour !

– Hein ? Qu'est-ce que tu racontes ?

– Comme Ray Cooper est venu m'aider à remixer l'album, je lui ai demandé de faire un peu de bouillie de percus sur « Art of Dying », pour enregistrer une prise spéciale rien que pour toi !

Je persiste : tu es un petit salopard, George ! Trente ans d'émotions en montagnes russes et, pour finir, un coup foireux. Ce n'était donc pas moi. C'était Cooper qui déconnait avec Harrison.

Le comique de la situation m'apparaît enfin, d'autant que George me confirme que – s'il a bonne mémoire – personne ne m'a viré.

George m'a-t-il révélé ce qu'était devenue la vraie prise ? Non. Il ne savait plus. N'avait aucun souvenir de ces séances. Je le crois, mais j'ai du mal à comprendre. Comment ne pas se rappeler avoir enregistré *All Things Must Pass* ? Tant de souvenirs à garder, et pourtant il semblait avoir tout gommé. Mais peut-être que quand on est un Beatles, on en a trop, et qu'il est parfois plus facile de les oublier.

Dans le livret qui accompagne cette édition du trentenaire sortie en mars 2001, sept mois avant la mort de George, on trouve sur la pochette des notes écrites de sa main. Et là, je tombe enfin sur ceci : « Je ne m'en souviens pas, mais il semblerait que le tout jeune Phil Collins ait été parmi nous… »

Ce bon George m'a envoyé un exemplaire de la réédition remixée de *All Things Must Pass*. Un travail remarquable, mais qui serait bien sûr infiniment meilleur avec « ma » version de « Art of Dying ».

J'ai toujours la bande avec les vrais-faux congas. C'est un de mes trésors. À la tienne, George – charmant salopard.

5

La genèse de Genesis

Ou : les débuts de mes débuts

Le printemps 1970 s'efface devant l'été et mon moral est à la fois au beau fixe et au plus bas. Dans la colonne des « plus », je viens de jouer à Abbey Road avec deux Beatles – mes phalanges et mes paumes à vif et couvertes d'ampoules en témoignent. Pour moi, à ce stade, je fais partie des stars qui ont enregistré *All Things Must Pass*. Si on fait abstraction de mes pauvres mains, le batteur de dix-neuf ans aux baguettes frétillantes d'ambition que je suis ne peut guère en demander plus.

Dans la colonne des « moins », force est de reconnaître que Flaming Youth se meurt à petit feu. Après un lancement en fanfare, *Ark 2* est vite retombé sur terre. J'ai conscience d'être un bon batteur, mais je n'imagine pas une seule seconde que George Harrison va m'inviter à intégrer son équipe de tournée. Il me faut un boulot à plein temps ou dans un meilleur groupe, ou les deux.

Tous les jeudis, je cours chez mon marchand de journaux acheter tous les hebdomadaires musicaux – tous, sans exception. Tel le fan de foot moyen, je commence par la fin. Je passe au crible les offres d'emploi en écartant celles qui ne me concernent pas : « Quartet skiffle cherche percussionniste non édenté avec washboard » ; « Groupe country cherche batteur sobre avec chapeau de cow-boy ». J'étudie aussi la liste des concerts pour repérer les groupes les plus demandés. Je tiens à éviter ce que Flaming Youth est devenu, un groupe pour salle de répétition. J'ai envie de prendre le large, de jouer avec d'autres.

Enfin, une annonce attire mon attention car elle est encadrée, ce qui est toujours bon signe (le cadre leur a coûté un peu plus cher, ce sont sûrement des gens sérieux) : « Tony Stratton-Smith recherche guitariste douze-cordes et batteur et sensibles à la musique acoustique. » Un seul de ces critères me concerne, encore que, dans mes bons jours, il me semble être « sensible » aux attentes de mes petites amies. Mais la musique acoustique ? C'est peut-être beaucoup me demander. Je finis pourtant par me décider : après tout je suis batteur, j'y vais, on verra bien.

Si cette annonce m'intéresse, c'est aussi à cause du nom de Stratton-Smith. Je l'ai connu à l'époque du Russell Hotel, avec The Freehold. Depuis, il s'est plutôt bien débrouillé comme manager de The Koobas, groupe de beat de Liverpool, et de The Creation, groupe rock du Hertfordshire – leurs 45-tours « Making Time » et « Painter Man » ont tous deux bien marché. Je sais aussi qu'il a créé sa propre maison de disques, Charisma.

Je ne suis pas spécialement amateur de The Creation, encore moins de The Koobas, mais Strat est quelqu'un que j'apprécie et que je respecte, et lui m'aime bien. S'il s'occupe de ce groupe, c'est sûrement qu'il est au-dessus de la moyenne. Le lendemain soir, je repère Strat au Marquee, l'un de ses refuges favoris. Je lui offre un verre en lui rappelant mes états de service (« Vous vous souvenez sûrement de The Freehold ? Ah non ? ») et en tentant de lui forcer la main pour entrer dans ce groupe.

– Pas si vite, jeune homme, me calme Strat, ce sont des garçons exigeants. Tu vas devoir les appeler. Et passer une audition.

Ces « garçons exigeants », m'apprend-il, c'est Genesis. Je ne sais pas grand-chose d'eux, si ce n'est qu'ils apparaissent constamment dans les dernières pages de *Melody Maker* : c'est un groupe qui joue beaucoup en concert.

J'appelle mon vieux copain Ronnie Caryl. Je me dis qu'en nous présentant ensemble à l'audition, on aura plus de chances d'être pris. Ronnie n'a pas énormément d'expérience à la douze-cordes, mais c'est un excellent musicien, à coup sûr capable de se mettre à niveau en un temps record. Ronnie, aussi impatient que moi de s'échapper de Flaming Youth, accepte.

Je compose le numéro que Strat m'a donné et tombe sur le chanteur de Genesis, qui est également en charge des auditions. C'est un garçon à la voix douce, au débit fébrile, au verbe choisi, du nom de Peter Gabriel. Je lui décline nos références, à Ronnie et à moi, sans en rajouter, en soulignant notre sensibilité à la musique acoustique, et il nous invite avec une grande courtoisie à nous retrouver chez ses parents, à Chobham, dans le Surrey, d'ici une semaine.

On décide donc de tenter le coup, et on le tente dans la voiture de Ronnie, une Morris Minor fatiguée où on entasse ses guitares et ma batterie Gretsch rachetée à Bruce Rowland. On quitte Londres par le sud-ouest, direction le Surrey. On longe des arbres, beaucoup d'arbres. Des arbres, j'en ai déjà vu – sans être beaucoup sorti de chez moi, je ne suis pas totalement ignare non plus –, mais pour la première fois de ma vie, j'ai l'impression de voyager en territoire inconnu. Je me rends compte que je suis un citadin et que nous sommes en plein dans les verdoyants Home Counties. Une remarque qu'on se fait : « Ouah, il y a du fric par ici. »

Après s'être abîmé les yeux sur la carte et avoir échoué dans un ou deux chemins, on arrive enfin à l'adresse indiquée. Ronnie engage la Morris dans une allée de gravier au craquant parfait et l'immobilise près d'une somptueuse demeure campagnarde. La voiture, pleine à craquer de guitares et de fûts de batterie, fait tout de suite un peu désordre dans le tableau. Soudain, je me sens mal à l'aise à cause de mes fringues. Vu l'endroit, mon pattes d'eph et mon T-shirt usagés font un peu bas de gamme. Je sonne et, après une attente qui me semble interminable, une femme distinguée d'âge mûr nous ouvre. Mme Gabriel devine qu'on n'est pas venus là pour lui fourguer l'*Encyclopædia Britannica* ni adhérer à son cercle de bridge, mais plutôt pour faire un essai avec le groupe pop de son fiston.

— Ah, entrez, je vous en prie, dit-elle avec un sourire. Vous êtes un peu en avance. Piquez donc une tête en attendant, si ça vous tente.

Eh ben, des arbres et *une piscine !* me dis-je. Les choses s'améliorent. Si seulement j'avais pensé à apporter mon maillot de bain pour cette audition de groupe de rock… Mais maillot ou pas, je décide de me mettre à l'eau. Si ces dernières années m'ont appris quelque chose, c'est bien de profiter de toutes les occasions qui se présentent. Qui sait si j'aurai encore la chance de me baigner à la campagne dans une piscine privée et chauffée ? Sans complexe, j'ôte mon jean pour n'arborer que mon slip kangourou défraîchi, et je plonge. Le bassin est superbe. C'est le grand luxe.

Nous sommes en avance sur l'horaire prévu et, tandis que je m'ébats, j'entends mes rivaux montrer l'étendue de leurs talents. Le niveau est correct et je mesure vite ce qui m'attend. Je fais des apnées pour me détendre. Je découvrirai par la suite que le père de Peter travaille pour la chaîne ATV. Ou en est peut-être même le propriétaire.

À peine sorti de l'eau, je décharge ma Gretsch et, suivant les indications de Mme Gabriel, gagne la terrasse de derrière en tâchant de ne renverser aucune des céramiques ou des statues.

La première personne sur qui je tombe est un grand monsieur à l'allure distinguée, en pantoufles et veste d'intérieur. Il ne lui manque que le fume-cigarette. Il fait jeune et a gardé une formidable simplicité. C'est le genre d'adulte qu'on aimerait être plus tard. Mais si c'est lui le père de Peter Gabriel, quel âge a donc celui-ci ?

En fait, ce n'est pas son père, mais son compère au sein de Genesis : Mike Rutherford, dix-neuf ans, est le bassiste-guitariste. Comme mon père, le sien a une solide expérience des bateaux. Sauf qu'il est amiral dans la Royal Navy…

Un piano à queue trône sur la terrasse et dans l'ombre s'affaire un autre gars sur le point d'en jouer. Il se présente : Tony Banks, vingt ans, clavier du groupe. Mes premières impressions ? Je n'en ai pas vraiment. Tony est réservé au point de passer inaperçu ; encore un jeune homme aux propos policés qui ne ferait pas de mal à une mouche – sauf si, je le découvrirai bientôt, la mouche se trompe d'accord.

Arrive enfin Peter Gabriel, vingt ans. Il est fait du même bois précieux que ses camarades. On peut le décrire ainsi : hésitant, une main enserrant le coude opposé, presque timide, très gêné, l'air de chercher un trou de souris pour s'y glisser. C'est lui le maître des lieux – enfin, ce sont ses parents puisque c'est leur maison –, mais il fait tout pour que ça ne se voie pas.

« Hum, commence-t-il, on pourrait peut-être passer dans le séjour pour écouter l'album ? » Ces trois-là, je l'apprendrai par la suite, sont de vieux copains d'école. Ils sortent de Charterhouse School, un pensionnat anglican privé, prestigieux et select – donc cher –, fondé il y a quatre siècles et renommé pour la qualité de son enseignement. Une école de garçons qui, par définition, valorise la tradition, le patrimoine, la discipline, le sport et la réussite scolaire, et prône une phraséologie et une terminologie foisonnantes et obscures. Ceux qui y ont étudié, comme Mike, Peter et Tony, portent le nom d'« anciens chartreux ». Charterhouse prétend aussi avoir contribué à l'invention du football. Bref, c'est un endroit chic avec un *c* majuscule, rien à voir avec la Barbara Speake Stage School.

Peter et Tony se sont rencontrés dès leur arrivée à Charterhouse en 1963 et Mike les a rejoints ensuite. Ils ont formé Genesis en 1967 à partir de deux groupes du lycée, avec leurs condisciples Anthony Phillips à la guitare et Chris Stewart à la batterie. Cette année-là, Jonathan King – un ancien chartreux qui avait plutôt bien réussi dans la musique – est devenu leur « manager » et leur a décroché un contrat d'enregistrement chez Decca.

Après avoir pris le nom de Genesis (une idée de King), ils ont sorti leur premier 45-tours, « The Silent Sun », en février 1968. L'été suivant, Chris Stewart les a quittés pour être remplacé à la batterie par John Silver, chartreux lui aussi. En août, Genesis a consacré dix jours de ses vacances d'été à enregistrer son premier album, *From Genesis To Revelation*, sorti en mars 1969. Par la suite, Tony Banks déclarera qu'« au bout d'un an environ », ils en avaient vendu « six cent quarante-neuf exemplaires »...

À l'été 1969, tous ses membres ayant quitté l'école, Genesis s'est remis en ordre de marche pour préparer un deuxième disque. Mais auparavant ils ont encore changé de batteur, Silver cédant sa place à John Mayhew. Celui-ci était charpentier occasionnel et cherchait une place de batteur quand Mike est tombé sur son numéro. Genesis a donné son premier concert en septembre 1969, pour la soirée d'anniversaire d'un copain. Ses membres, qui se consacraient désormais à plein temps au groupe, répétaient et jouaient partout où ils le pouvaient. Pas étonnant que leur nom apparaissait sans arrêt dans le *Melody Maker*. Au printemps 1970, alors qu'ils passaient six semaines au Upstairs at Ronnie's, dans le club de jazz de Ronnie Scott à Soho, Tony Stratton-Smith est venu les voir. Il leur a rapidement fait signer un contrat de management et d'enregistrement avec Charisma.

En juin, Genesis a commencé à enregistrer ce qui allait devenir leur deuxième album, *Trespass*, aux Trident Studios de Soho avec John Anthony à la production. Mais en juillet, avant la sortie du disque, Ant Phillips a annoncé son départ. Victime de surmenage, il était également sujet au trac.

Mike, Tony et Peter ont accusé le coup. Ant était un membre fondateur, un ami de toujours et un excellent musicien. Comme Mike le dira par la suite : « On n'a jamais été aussi près de nous séparer. Sans qu'on se l'explique vraiment, on était tellement proches que si l'un de nous partait, on avait l'impression qu'on ne pourrait pas continuer. De tous les changements qu'on a connus, le départ de Ant a été celui dont on a eu le plus de mal à se remettre. »

Ils ont pourtant décidé de poursuivre l'aventure avec un nouveau guitariste, Tony demandant au passage qu'on en profite pour remplacer Mayhew par – disons-le franchement, quitte à être brutal – un meilleur batteur. Manifestement, ces jeunes gens en faisaient une grosse consommation ; mais, au moins, leurs batteurs n'explosaient pas sur leurs tabourets[1]. Pour ce que j'en savais, en tout cas.

D'où l'annonce du *Melody Maker* de juillet 1970. À ce moment-là, Tony, Mike et Peter ont déjà un passé commun, amical comme musical. Ils ont certaines habitudes, certaines attentes et, bien sûr, certaines façons de se comporter les uns avec les autres.

Il me faudra un moment pour comprendre leur mode de fonctionnement. Tony et Peter, par exemple, sont les meilleurs amis mais aussi les pires ennemis du monde. Tony prend vite la mouche, mais je le remarquerai plus tard et, avec Peter, ils peuvent claquer à tour de rôle la porte du studio parce qu'ils sont vexés. Mike préserve entre eux un équilibre précaire. Mais tous trois restent fidèles à ce qu'ils sont : d'anciens élèves du privé, avec tout ce qui s'y rattache en termes de privilèges et de bagage. Des garçons parfaitement préparés aux rôles d'officier et de gentleman, sans doute moins à faire vivre un groupe rock né du tumulte des swinging sixties.

J'ignore à l'époque qu'ils viennent de passer à deux doigts de la séparation, et donc l'enjeu de ces auditions. Je n'ai pas non plus conscience que leur symétrie créatrice fondée sur un

---

1. Allusion au film *Spinal Tap* dans lequel un batteur explose en plein concert.

subtil équilibre a du plomb dans l'aile. Car jusque-là, Genesis possédait dans ses rangs deux duos de créateurs, Mike et Ant, et Tony et Peter. Et voilà qu'ils se retrouvent à trois.

De sorte que ce jour-là, chez les Gabriel, l'atmosphère est instable, tendue, entre réserve extrême, nerfs à fleur de peau, menace d'asphyxie et raideur absolue. Bref, rien à voir avec moi ni avec mon milieu. À se demander s'il peut en sortir quelque chose de bon. Néanmoins, nous avons quelque chose en commun : nous sommes tous de bons musiciens.

Mais, pour l'heure, Ronnie et moi sommes à mille lieues de ces subtilités et de ces considérations annexes. Nous voici installés, en compagnie d'une poignée d'autres candidats aussi désorientés que nous, dans un vaste séjour rendu encore plus imposant par l'absence du piano. Désormais sur la terrasse, près de la piscine, celui-ci est tapi sous un gigantesque parasol : nature morte à la Dalí revue et corrigée par Storm Thorgerson, une image en quête de pochette pour album de rock progressif des seventies.

Peter apparaît, brandissant *Trespass*, alors encore inédit. Il nous passe trois morceaux : « Stagnation », « Looking for Someone » et « The Knife ». À dire vrai, je ne sais pas trop quoi en penser. La batterie ne m'emballe pas : un peu gauche, sans grand groove. Des harmonies délicates qui me rappellent Crosby, Stills & Nash. Mais l'ensemble m'évoque… de la gelée : on mettrait le doigt dedans, ça se refermerait autour.

Ronnie sort faire un test à la douze-cordes avec Mike. Puis Mike revient et c'est enfin mon tour. On s'installe sur la terrasse. Sur la base de cette écoute expéditive et unique d'un échantillon de *Trespass* – un album de six plages seulement, de sept minutes chacune en moyenne –, je tâche de m'imprégner de l'univers de Genesis. Tony démarre au piano, Mike à la guitare et Peter à la grosse caisse (il se dit batteur, ce qui posera certains problèmes durant les mois et les années à venir) et, aux moments voulus, j'interviens comme je le sens.

On joue trois ou quatre titres, dont « The Knife », morceau de bravoure qui clôt *Trespass*, et quelques passages acoustiques pour tester ma véritable sensibilité à ce genre musical.

Ce jour-là, je suis le dernier batteur à passer et j'essaie de savoir si je m'en suis bien sorti – ou pas. Peine perdue. J'ai face à moi de purs produits de l'enseignement privé britannique, fermés à double tour, dont les armes maîtresses sont la réserve et la politesse. Ils me promettent avec un air grave de me « tenir informé ».

Ronnie et moi ramassons nos guitares et nos fûts, chargeons la Morris Minor et repartons pour Londres, pour le monde réel.

– Moi, je pense que tu t'es planté, me glisse aimablement Ronnie. Je crois m'en être bien tiré, mais toi, c'est sûr, tu t'es vraiment planté.

– Ah oui ? Non, tu vois, je trouve que j'ai été bien.

Et c'est reparti pour une nouvelle dispute.

Mais à mesure que nous nous approchons de la banlieue londonienne, je suis moins sûr de moi. Les mecs n'ont rien laissé paraître. Ni Peter, ni Mike, ni Tony, ne m'a lancé : « Excellent, vraiment ! » Aucun n'a dit ce qu'il pensait ; ce n'est pas leur tempérament. Ils en reparleront sérieusement après. À tête reposée, sans personne pour les bousculer – et certainement pas un batteur de Hounslow, aussi passionné soit-il –, Genesis rendra son verdict.

Plus tard, j'apprendrai qu'à l'instant même où je me suis assis, Peter a su que ce serait moi ; l'assurance de mes gestes pour installer ma batterie était apparemment révélatrice. Mike, lui, était moins convaincu. Tony, secrètement confiant. Quant à Mme Gabriel, l'histoire n'a pas gardé trace de son opinion.

Le 8 août 1970, au 453 Hanworth Road, le téléphone posé sur la banquette en skaï rouge et en fer forgé blanc sonne. Une voix, qui me deviendra familière au fil des années, m'annonce à travers la friture de la ligne :

– Euh, hem, ah, allô, Phil ? C'est Peter Gabriel à l'appareil. De Genesis. Alors, on te prend, si ça t'intéresse.

– D'accord, Peter, merci beaucoup.

Je m'efforce de masquer mon émotion, mais intérieurement je fais des bonds. J'ai enfin trouvé un groupe, ou un groupe m'a trouvé. Je vais enfin jouer de la batterie devant des gens. Rien ne surpasse ça.

Priorité : appeler Ronnie.

— Apparemment, je suis pris chez Genesis.

— Ah ouais ? Ils t'ont parlé de moi ?

— Ah non…

— Merde ! Bon, de toute façon, je dois être un peu trop blues pour eux…

La déception de Ronnie est compréhensible et sera durable. Il se fera un devoir d'encourager son vieux pote lors de tous les concerts londoniens du groupe, mais, avec la même application, nous pourrira à chaque fois. Au point d'en faire une figure imposée de l'après-concert : verre, descente en flammes, analyse critique, témoignage d'amitié éternelle.

Quelques jours après le coup de fil, Genesis et leur nouveau batteur, cinquième du nom, se retrouvent dans le bureau de Strat chez Charisma à Soho. Rien qu'avec cette réunion du groupe à Soho, dans les bureaux de notre manager – en charge aussi de Van Der Graaf Generator et Lindisfarne –, j'ai déjà l'impression d'avoir fait un énorme bond. Après avoir patienté si longtemps sur la touche en lorgnant le terrain, me voici maintenant au cœur de la mêlée. Je fais partie d'un groupe, qui fait partie d'une maison de disques, qui fait partie de l'industrie musicale. Ils ont même un camion de tournée. Enfin, accès à un camion de tournée. Un camion de tournée de location.

La réunion se déroule au mieux. Le salaire de dix livres par semaine est plus que bienvenu, moi qui suis habitué à la moitié. C'est alors que Tony, Mike et Peter lâchent une bombe : « On va prendre quinze jours de vacances, le temps de revoir nos batteries. » J'en reste bouche bée. Moi, je n'ai qu'une batterie et je veux en jouer avec eux ! Plus prosaïquement, avec quel argent vais-je vivre ?

Mon rêve de rock'n'roll trébuche avant même la ligne de départ. Je n'ai d'autre choix que d'envisager une perspective franchement abominable : un boulot normal.

Durant cette période, je peux une nouvelle fois considérer Lavinia comme ma petite amie. Elle a décrété que cette semaine j'étais à son goût, ce qui n'exclut pas un revirement d'ici samedi. Comme toujours, sa famille se montre charmante envers moi et tente même de la ramener à un peu plus de constance. Un peu de constance, je n'aurais rien contre.

En manque cruel d'argent, surtout pour sortir avec ma chérie, je suis condamné à surfer sur notre dernière période faste : je demande à son père s'il n'aurait pas du travail pour moi. Fred Lang, entrepreneur et touche-à-tout, est à l'époque sur un gros chantier de ravalement à Wembley. Reconnaissant mais humilié jusqu'à l'os, je troque mes baguettes contre un pinceau. Le rock et le rôle que je suis appelé à jouer dans son futur devront patienter encore un peu.

Il s'agit de repeindre toutes les fenêtres et les boiseries extérieures de la maison d'un pauvre couple sans méfiance. Peindre, ce n'est pas le plus difficile. La préparation, en revanche – décapage et traitement du bois nu –, c'est la mort. Et l'ancienne peinture, généralement au plomb, est probablement mortelle au sens propre.

L'ado irritable et frustré que je suis, doublé d'un musicien pressé de jaillir des starting-blocks, a une sainte horreur des tâches répétitives, comme le ponçage de l'ancienne peinture, surtout dehors, dans le froid et l'humidité de l'été anglais. La minutie, dont je ferai preuve par la suite pour mes démos et mes trains miniatures, n'est pas ici ma priorité. Dommage, car c'est précisément ce que demande ce travail. Mais parfois, je réussis à rouler Fred dans la farine en prétendant avoir tout parfaitement préparé pour pouvoir passer plus vite à la peinture finale.

Pour ce qui est de barbouiller à tort et à travers, en revanche, je m'en sors pas mal. Tout y passe, à la va-vite et au pif : le cadenas du portail, les serrures des portes, les cadres des huisseries... Certes, les lignes droites autour des fenêtres laissent un peu à désirer. Mais quand mes fautes seront découvertes, je serai bien loin. Il ne me vient pas à l'idée que saloper le chantier du père de sa copine n'est peut-être pas ce qu'il y a de mieux à faire quand on est un jeune soupirant plein d'espoir.

Au terme des deux semaines les plus longues de l'histoire, Peter, Mike et Tony rentrent de vacances. Comme ils habitent tous dans le Surrey et moi dans le lointain Ouest londonien,

Mike me propose de m'installer chez ses parents à Farnham. Là encore, la demeure est majestueuse, mais l'atmosphère très chaleureuse et je m'y sens comme chez moi. Je quitte Londres le cœur léger et prends mes quartiers chez Mike, en me promettant de ne plus toucher à un pinceau jusqu'à la fin de mes jours.

Ma nouvelle vie commence enfin en septembre 1970 avec les premières répétitions du Genesis nouvelle mouture, dans un lieu recouvert de fientes de pigeon, The Maltings, un ensemble d'anciens bâtiments industriels situé à Farnham. On installe le matériel et on commence à jouer avec un enthousiasme que je qualifierais de nébuleux : des copains de lycée de Peter, Tony et Mike passent nous voir, je découvre de nouveaux aliments exotiques comme la Marmite et le tahini, le tout enveloppé de doux effluves d'herbe.

Un homme est constamment présent : Richard MacPhail. Ancien chanteur de The Anon, l'un des groupes de Charterhouse à l'ère pré-Genesis, il est road manager, ingénieur du son et grand amateur de pétards. Peut-être est-ce une obligation car, dormant sur place, il partage sa couche avec les pigeons et leur guano et garde un œil sur le matériel. Il m'initie aux délices de l'écoute au casque en état de défonce. Comme le *Déjà Vu* de Crosby, Stills, Nash & Young vient de sortir, Richard apporte le 33-tours, roule un joint géant et nous invite, Mike et moi, à nous immerger dans les majestueuses harmonies de « Carry On ». Dire que j'enfonce alors les portes de la perception serait exagéré ; j'y frappe timidement.

Mon séjour chez les parents de Mike est un enchantement. Il y a des œufs à la coque au petit déjeuner et toujours un plat qui mijote sur la cuisinière. J'ignore pourquoi, mais Mike et Tony parlent souvent de « kedgeree[1] ». Je n'ai aucune idée de ce que c'est.

Ai-je l'impression d'être un plouc ? Sans doute un peu. Mais je sais déjà que je peux apporter quelque chose à Genesis. Quelque chose qui leur manque. Et pas seulement sur le plan

---

1. Plat à base de haddock, riz, œufs durs, crème et curry.

des compétences musicales, même si j'ai conscience que mon jeu peut donner à cette gelée la fermeté requise.

Le milieu où évoluent Peter, Mike et Tony est à des années-lumière du mien. En termes d'études, de classe sociale, de famille, on ne peut guère être, en théorie, plus éloignés. Malgré une expérience précoce de la scène et du studio avec Genesis, ils ont été comme cloîtrés, tandis que mon éducation s'est faite au gré de mes tribulations de comédien et de musicien. On m'a vu au théâtre dans le West End, fidèle au poste au premier rang du Marquee, derrière la batterie d'une ribambelle de groupes, orchestres et formations dont la diversité est presque comique. Je me suis engouffré, immergé dans le Soho des swinging sixties ; mon énergie, mon tonus et mon enthousiasme sont là pour le prouver. C'est tout cela que je peux offrir à un Genesis plutôt conservateur, moins en prise avec le monde.

Et puis j'ai la blague facile, une faculté de détendre l'atmosphère qui se révèle fort utile quand Peter, Mike et Tony retombent dans leurs chamailleries de cour d'école. Lorsqu'ils commencent à se disputer pour savoir qui a piqué le rapporteur de l'autre, ma bonne humeur peut toujours faire diversion. Ma personnalité, mon aptitude à rompre la glace, c'est exactement ce dont ces lycéens coincés ont besoin, même s'ils n'en ont pas conscience. La réserve britannique a ses limites. De même que mon expérience limitée d'auteur-compositeur me désigne comme l'arrangeur musical du groupe à nos débuts, je sais aussi arranger les ambiances.

Tout bien considéré, ce travail me convient à merveille. Genesis est un groupe actif qui donne des concerts, qui est estimé et qui a un contrat d'enregistrement. En plus, ces gars-là me plaisent. Ils sont intéressants. Ici, pas de blues en douze mesures. Nous sommes différents, mais nous avons beaucoup en commun. Je sais que je peux faire l'affaire. Le costume me va comme un gant.

6

Du Sanglier bleu
à la tête de renard

Ou : Genesis en tournée,
et la garde-robe aux merveilles

Lors de nos répétitions aux Maltings, on constate vite qu'entre nous la chimie opère. Dans ce vieux bâtiment chaleureux, on prend plaisir à jouer, à improviser et à composer. La scène sera pour notre formation expérimentale un test plus concluant – ou, pour être précis, les trajets jusqu'à la scène. Comment les composants inflammables du « nouveau » Genesis vont-ils réagir dans l'habitacle confiné d'un minuscule et poussif break de fabrication britannique ?

Notre ambition dépassant de loin les campagnes du Surrey, les derniers mois de 1970 nous voient sillonner le pays du Nord au Sud dans la Hillman Imp de Peter ou la Mini Traveller de Mike. Même là, les vieux usages lycéens ayant la vie dure, une hiérarchie s'instaure bientôt. Sans surprise, j'arrive en dernier.

Le conducteur est installé au sommet de la pyramide. C'est lui le chef, lui qui s'attribue tous les timbres de fidélité à chaque plein. Peter et Mike seront les heureux détenteurs d'un service de table de vingt-quatre pièces bien avant que je n'entrevoie l'ombre d'une soucoupe.

Quand Peter est au volant, Tony a généralement gain de cause pour occuper le siège passager. Les autres s'entassent à l'arrière où ils se battent pour trouver de la place dans cette armada de guitares électriques et acoustiques.

Pendant un moment, « les autres » sont au nombre de trois puisque nous avons un guitariste, Mick Barnard. Après l'audition manquée de Ronnie, on a continué à quatre, sans guitariste, Tony tentant vaillamment de jouer toutes les parties de guitare sur un piano électrique Hohner à l'aide d'une pédale de fuzz. Puis on est tombés sur Mick. Un type sympa, bon guitariste, mais qui n'est pas resté. Ce qui m'a marqué lors de son bref passage au sein de Genesis n'a rien à voir avec son jeu ni avec la musique : après les concerts, on le déposait toujours sur l'aire de Toddington sur l'autoroute M1, près de Dunstable dans le Bedfordshire. Comment rentrait-il chez lui ? Aucune idée.

La chasse au guitariste est donc toujours ouverte. En épluchant un jour *Melody Maker*, on découvre l'annonce de Steve Hackett, « Accordéoniste averti ». Tels sont les premiers mots, une façon habile de se placer en tête de la liste alphabétique et, selon Peter, un indice suffisant pour que nous donnions suite. Nous invitons donc Steve dans le nouvel appartement de Tony, à Earls Court, pour qu'il nous montre l'étendue de son talent. Tout de noir vêtu, une constante à laquelle il nous accoutumera, c'est un être habité. Manifestement inconditionnel de Robert Fripp et de King Crimson, Steve impressionne son monde, moins par sa technique que par ses idées. Et voilà qu'on se retrouve à cinq.

C'est une période palpitante : j'ai vingt ans dans quelques mois, je gagne dix livres par semaine (c'est plus que je ne peux dépenser) et le charme de la vie sur la route avec un groupe digne de ce nom est grisant.

Ce charme peut prendre des formes insolites, notamment un arrêt au Sanglier bleu sur les aires de Watford Gap sur l'autoroute M1. Les groupes sont nombreux à y faire halte au retour de leurs concerts dans le Nord. Une assiette de toasts aux haricots au beau milieu de la nuit et un lamento entre confrères sur les étudiants de la fac de Leeds, rien de tel pour vous requinquer un rocker aux pieds fourbus. En plus, à partir de là, il y a enfin de la lumière : jusqu'à cette étape, il n'y a sur la route que des yeux de chat, mais après Watford Gap, l'autoroute est bordée de réverbères pour vous raccompagner chez vous dans le Sud. Sans amphets ou autres produits pharmaceutiques, c'est le seul moyen de se tenir éveillé.

Quand Peter conduit, il parle. Un jour qu'on fonce sur la M1, direction les Midlands, un gémissement aigu vient soudain nous frapper les tympans. Non, ce n'est pas moi à l'arrière, qui râle à cause de la répartition inique des timbres de fidélité. C'est Peter qui roule à 130 km/h en seconde. Il était tellement absorbé par ce qu'il essayait de nous dire qu'il en a oublié de changer de vitesse. Il corrige le tir et la voiture respire.

À l'époque, nous avons des techniciens, Gerard Selby, ancien chartreux lui aussi, et son frère de dix-neuf ans, Adrian. On découvrira par la suite qu'Adrian nous a roulés pendant un an. Personne ne songe à nous en parler et nous ne pensons pas non plus à poser la question, mais pendant tout ce temps, il n'a gardé aucun double de facture, aucun reçu pour l'achat des lampes UV, tentures, piles et autres câbles. Genesis a gagné pas mal d'argent avec ces concerts, mais en a dépensé beaucoup plus pour les donner. Au terme de l'année fiscale, nous sommes dans le pétrin, et Adrian aussi : il est viré.

Notre public est surtout masculin, surtout chevelu, surtout étudiant. Il privilégie le chapeau de pêcheur et le maxi-manteau, accessoirisés par une pile de 33-tours calée sous une aisselle odorante. Pas la tenue idéale pour les atmosphères moites de ces salles surchauffées. La mode n'est pas de notre côté, un état de fait auquel nous nous ferons.

Nous donnons des concerts n'importe quand et n'importe où, avec des degrés de réussite variables. On fait la première partie de Atomic Rooster à une soirée universitaire à Londres. Je n'ai jamais été trop fan du Carl Palmer batteur, mais c'est un chic type et, pendant qu'ils jouent, je rôde en coulisses à la recherche d'un bon poste d'observation pour regarder le concert.

Des câbles électriques sont agglutinés en arbre de Noël sur une même prise et, dans la pénombre, je trouve le moyen de me prendre les pieds dedans et de tout arracher. Boum, fait l'alimentation plateau, et tout s'éteint : lumières, son, ambiance. Je détale à toutes jambes avant d'être repéré par le groupe vedette – dont ne subsiste d'ailleurs aujourd'hui qu'une particule subatomique.

En général, les concerts se déroulent avec un certain professionnalisme : on y va, on joue, on s'en va. Quelques joints, mais pas de bacchanales effrénées. On s'en approche toutefois lors d'une soirée à la City University de Londres, qui se trouve être le premier concert de Steve avec Genesis. Notre passage étant retardé, je tue le temps en descendant quelques Newcastle Brown. Au moment où nous sommes sur scène, je suis, dans tous les sens du terme, à côté de la plaque : je fais les relances au bon moment, mais dix centimètres à droite des fûts. Après l'air guitar, l'air batterie ! Plus tard dans la soirée, je m'en veux : *Qu'est-ce qu'il doit penser, le nouveau guitariste ? Premier concert et le batteur est bourré...* C'est la première fois que je joue bourré, et ce sera la dernière.

Ce qui ne signifie pas que je sois contre une petite troisième mi-temps, surtout en compagnie d'autres musiciens avec qui jouer. Tony Stratton-Smith a la lumineuse idée de monter avec trois de ses groupes phares une tournée de neuf dates réparties sur tout le territoire. Coup d'envoi du Charisma Package Tour au Lyceum de Londres le 24 janvier 1971. Pour un tarif ultra-compétitif de six shillings (soit quarante centimes d'euro...), vous avez Genesis (« À présent, le doute n'est plus permis, ils ont atteint la maturité » – *Sounds*), Lindisfarne (« Leur marque de fabrique : des morceaux puissants, nets, qui filent droit » – *Melody Maker*) et, en haut de l'affiche, Van Der Graaf Generator (« Tel le messager d'Armageddon, VDGG fait grand usage d'accords martelés et de pauses bien

senties pour souligner une tension latente nourrie aux décibels »
– *New Musical Express*).

La tournée, qui connaît un succès retentissant, établit nos
trois formations comme des groupes majeurs aptes à remplir
les salles. Le *NME* décrit l'ambiance à Newcastle : « Plus de
cinq cents personnes ont dû rester dehors dans le froid tandis
que, dans le sanctuaire de l'hôtel de ville, deux mille cinq cents
passionnés se livrent à des scènes d'hystérie presque sans précédent. » À Manchester, le Free Trade Hall « était cerné de jeunes
chevelus en rang par deux venus s'arracher les ultimes billets ».

On ne s'ennuie pas non plus en coulisses où, dans le bus
qu'on partage pour sillonner le pays, règne une belle gaieté,
là encore alimentée à la Newcastle Brown. Je sympathise avec
Alan Hull de Lindisfarne et le reste du groupe – tous de chaleureux gars du Nord – et fume quelques pétards avec l'équipe
technique. Mais pour Genesis dans son ensemble, cette joie est
peut-être excessive : c'est notre première tournée en bus et ce
sera la dernière. Ces engins sont bien moins rapides qu'une
voiture et les trajets tendent à s'étirer au-delà du raisonnable.
Londres-Newcastle, quatre cent cinquante-sept kilomètres selon
l'atlas routier, est un périple interminable en car. Genesis décide
donc de prendre son indépendance et, par la suite, de revenir
à son propre mode de transport : la Hillman Imp de Peter et
la Mini Traveller de Mike.

Signe prémonitoire, nous divisons la critique. Commentaires
du *NME* après le sixième concert de la tournée, au Free Trade
Hall de Manchester : « Avec Peter Gabriel, personnage démo-
niaque vêtu de noir, Genesis tient un chanteur doué de ce
magnétisme précoce qui est la marque des idoles de la pop
contemporaine. Entrepreneur macabre, Peter introduit chaque
titre par d'étranges monologues néo-fantastiques qui, par
moments, confinent à la démence. »

« Genesis, avec à la guitare Steve Hackett, recrue de fraîche
date mais déjà très à son aise, a livré une prestation de qualité »,
écrit en préambule le *Sound* au sujet de l'avant-dernière date
au Brighton Dome, « mais sans recevoir du public le soutien

auquel il est normalement habitué. [...] Pour changer, Peter Gabriel a été impressionnant, même si ce soir-là, comme cela arrive parfois, ses drôles de petits monologues sont tombés à plat et ont été accueillis par des visages de marbre. »

Donc, pour résumer, notre chanteur est une idole de la pop contemporaine, un entrepreneur macabre, et débite de drôles de petits monologues qui ne plaisent à personne.

Par un concours de circonstances, Genesis a percé depuis peu en Belgique. Après mon voyage aux Pays-Bas avec Flaming Youth, seul me manque l'amour du Luxembourg pour avoir la bénédiction du Benelux.

En mars 1971, Genesis donne donc son premier concert à l'étranger, au Ferme Cinq, un petit club de Charleroi. À notre arrivée après une traversée de la Manche en ferry, notre excitation de former désormais un groupe en tournée internationale ne retombe pas lorsqu'on découvre la scène, faite de... caisses de bière. Après les avoir savamment réorganisées pour leur éviter de bouger et de basculer en plein monologue néo-fantastique, on parvient tant bien que mal à rester sur nos jambes et on fait un malheur. Résultat identique pour la demi-douzaine de concerts : tous bondés, tous incroyables. Genesis a enfin pris son envol. En Belgique, en tout cas.

Sur nos terres, on joue dans des lieux comme le Farx, un club situé dans un pub à Potter's Bar, et dans un autre Farx, sur Uxbridge Road à Southall. Ce concert est l'un des très rares auquel mon père assiste puisqu'il se déroule près de chez Barbara Speake, là où habite ma mère, et non loin de Hounslow où lui vit pour quelques mois encore avant de partir définitivement pour Weston-super-Mare.

De cette soirée, je me rappelle seulement qu'il y était. Je n'ai aucun autre souvenir ; je ne revois pas mon père me dire « Bravo, fiston ! ». Peut-être n'a-t-il tenu que le temps d'une demi-pinte de bière ? Pour moi, il en est encore à se dire que je ne vaux pas grand-chose : je passe dans un pub et, d'après le peu de sens musical dont il dispose, je fais apparemment partie d'un groupe. À l'époque, il n'est pas rare qu'on joue des airs sans paroles et des morceaux manifestement inachevés, et-ou que Peter ne chante que des syllabes sans signification.

Le public semble ne pas s'en rendre compte. Est-il transporté par notre merveilleuse musique, ou est-il bourré ? Sans oublier notre vieille sono si fatiguée que, de toute façon, personne n'est capable de distinguer les paroles. Pauvre papa… Pas étonnant qu'il ne vienne presque jamais nous voir. Pas étonnant qu'il craigne pour l'avenir de son fils.

Pourtant, malgré l'incessante pression des concerts, ces mélodies sans paroles (ainsi que certaines paroles sans queue ni tête) et ces passages musicaux assez fumeux finissent par donner naissance à de nouveaux morceaux. De sorte que nous sommes enfin prêts à enregistrer mon premier album avec le groupe. Autrement dit, l'heure est venue pour le « petit nouveau » d'être reconnu membre à part entière de Genesis.

Ironie du sort, c'est aussi le moment où, du côté de mes parents, les liens se distendent jusqu'à se rompre. En juin, ils se décident enfin à vendre le 453 Hanworth Road. Mais en cet été 1971, un an après mon arrivée au sein de Genesis, la vie du groupe suit son cours, inexorablement, au point de nous couper du monde, et nous changeons de camp de base pour Luxford House près de Crowborough dans le Sussex de l'Est. C'est une maison louée par Strat, et sa proposition ; l'idée que des groupes partent « se ressourcer à la campagne » – c'est-à-dire composer loin du tumulte de la ville – est tout à fait dans l'air du temps. Si c'est ce que font Traffic et Led Zeppelin, c'est ce que fera Genesis.

Il s'agit d'une superbe bâtisse style Tudor, un manoir de carte postale avec une belle dépendance, parfaite pour composer. On mange de bons petits plats préparés par un des roadies, on boit du vin rouge au tonneau, on se retrouve sur les pelouses ondoyantes pour jouer au croquet. Ce jeu désuet, aristo, très anglais inspirera la pochette du futur *Nursery Cryme*. Personnellement, je trouve les illustrations de Paul Whitehead (déjà auteur de celle de *Trespass*) un peu ringardes. Mais comme je suis en minorité, il concevra aussi celle du suivant, *Foxtrot*.

La répartition des chambres à Luxford House est dictée, là encore, par la hiérarchie. Peter, Mike et Tony choisissent en premier, et les derniers arrivés, Steve et moi, prennent ce qui reste.

Peu importe, en fin de compte, car un sujet plus important occupe mon esprit : le premier album du nouveau Genesis. Nous composons « The Fountain of Salmacis » et « The Return of the Giant Hogweed ». Je suis dans mon élément, je me délecte de cette liberté créatrice, de ce déferlement d'idées, de notre degré d'ambition, de la longueur de nos morceaux. Je me sens galvanisé et libéré, encouragé par les autres à apporter ma pierre à l'édifice.

Nous nous donnons toute latitude pour nous exprimer. Parfois, nous nous regroupons autour de Tony, assis à son orgue Hammond, avec Mike à la douze-cordes, Peter qui improvise au chant et moi qui improvise avec lui. De même, Peter compose « Harold the Barrel » au piano ; je suis à son côté, chantant les harmonies et lui soumettant des idées. Je sais plaquer quelques accords au piano, même si mon manque de confiance en moi me crie : *Tout ça, ils l'ont déjà entendu !* En composant avec les autres, j'apprends notamment qu'il ne faut jamais s'arrêter à la première mélodie venue. On creuse, on tourne autour. On explore. Quand on écoute « She Loves You » des Beatles, la séquence d'accords est très simple, mais la mélodie qu'ils ont posée sur cette simplicité est superbement travaillée. Ces conseils, ces astuces, je m'en imprègne auprès de Peter, Mike et Tony, tous infiniment plus expérimentés que moi.

Prolongement naturel de ces séances de composition : le batteur chante sur un morceau. Un morceau court, unique, mais un morceau quand même. Un jour, Steve me tend une partition de guitare aux tonalités pastorales sur laquelle je mets mes mots. Pour donner aux autres une idée des paroles et de la mélodie, j'ouvre la bouche et je me lance. Timidement. Je ne suis pas sûr de moi, je trouve ma voix douce, hésitante. Mais elle leur plaît et je n'en demande pas plus. En fait, « For Absent Friends », qui dure une minute et quarante-quatre secondes, est à proprement parler plus un interlude qu'un morceau. Malgré tout, c'est ma première apparition vocale avec Genesis.

Dès lors, sur tous les disques du groupe, en dehors de la voix de Peter, celle qu'on entendra dans les chœurs et les harmonies sera la mienne. Les autres ne sont franchement pas de bons chanteurs. Mais moi, je suis content de chanter tout au fond, bien au chaud sur mon tabouret.

Nursery Cryme – enregistré aux studios Trident de Soho avec John Anthony, le producteur de *Trespass* – sort en novembre 1971. Il devient numéro quatre en Italie, deuxième pays européen à se rallier à Genesis. On joue dans la capitale, au Palazzetto dello Sport, un lieu construit pour les jeux Olympiques de 1960 et pouvant accueillir trois mille cinq cents Romains assis et dix mille debout. Qui nous font un triomphe.

C'est la plus grande de toutes les salles où nous avons joué et nous y retournerons durant de longues années. Le public italien est extraordinaire. Non seulement il nous aime avec passion, mais il est vraiment « dedans » : les spectateurs poussent des cris, applaudissent à chaque changement d'ambiance, un exercice dans lequel Genesis excelle, pouvant passer d'un tempo vif à un imperceptible chuchotis avant de bifurquer vers un intermède bucolique, le tout presque sans bouger un cil. L'enthousiasme des Italiens n'a rien d'étonnant : nous sommes un groupe anglais qui explore la tradition de l'opéra.

Cette histoire d'amour atteindra son paroxysme trente ans plus tard, en 2007, quand Genesis achèvera la première partie de sa tournée de retrouvailles *Turn It On Again* par un concert gratuit au Circo Massimo devant un parterre de cinq cent mille personnes environ. Pour un passionné d'histoire romaine comme moi, un site où les courses de char ont diverti l'empereur est l'illustration même du « circus rock'n'roll maximus ».

Même en 1972, ce succès italien, supérieur à celui de la Belgique, est extraordinaire. Il y a seulement dix-huit mois, je me morfondais au terminus de Hounslow, et aujourd'hui, on est adulés internationalement (ou presque). Peu importe, finalement, qu'en Angleterre on en soit encore à jouer dans des pubs, ou sur des caisses de bière, ou les deux à la fois. Car oui, dans la vraie vie, on voyage toujours dans une camionnette qu'on loue à une boîte louche de Kensington. De la qualité du véhicule de location dépend d'ailleurs le respect de l'horaire du concert. On est abonnés aux pannes, parfois multiples : sur le trajet d'Aberystwyth University, on en a eu trois à l'aller, on est arrivés trop tard pour jouer, et on en a eu deux autres au retour.

C'est une époque agitée, joyeuse, itinérante, faite de nuits courtes sur des coins de canapé. Comme la maison n'est toujours pas vendue, il m'arrive de passer en coup de vent au 453 Hanworth Road où le camion me dépose en pleine nuit. Ou, si on joue le lendemain, de m'inviter chez mes petits camarades, en général chez Richard MacPhail. Corn-flakes au bout de la nuit-petit matin, petit joint, dodo, re-corn-flakes et c'est reparti.

On trace notre route, le nez dans le guidon. En octobre 1972, onze mois après la sortie de *Nursery Cryme*, arrive *Foxtrot*. Ce quatrième album de Genesis, mon deuxième avec le groupe, est enregistré avec le coproducteur Dave Hitchcock et l'ingénieur du son John Burns aux studios Island à Notting Hill – là où, deux ans auparavant, Led Zeppelin a enregistré *IV* et Jethro Tull, *Aqualung*. Douze ans plus tard, j'y suis retourné pour enregistrer « Do They Know It's Christmas ? » avec le Band Aid.

Sur *Foxtrot*, il y a notamment « Supper's Ready », une suite chantée de vingt-trois minutes[1] qui, durant l'essentiel des années 1970, va façonner l'image du groupe auprès du public. Pour beaucoup de genesisophiles, c'est notre *magnum opus*, et je suis plutôt d'accord avec eux. Le morceau est plus grand que la somme de ses parties, même si certaines sont remarquables, notamment « Apocalypse in 9/8 (Co-Starring the Delicious Talents of Gabble Ratchet) » et « As Sure As Eggs Is Eggs (Aching Men's Feet) ».

---

1. Cette longue séquence se compose de sept morceaux d'atmosphères différentes.

118

Cette fois, l'écriture de l'album se déroule à mille lieues d'un manoir de campagne : avant d'entrer aux studios Island, on investit le sous-sol de la Una Billings School for Dance, à Shepherd's Bush dans l'ouest de Londres. Alors que jusque-là on pouvait respirer l'odeur de l'herbe fraîchement coupée, c'est celle des chaussons de danse qui nous enivre. On installe notre matériel chez Una et on se met au boulot.

Un jour où je me suis absenté quelques heures, je trouve, à mon retour, Tony, Mike et Steve en train de broder autour d'un motif en 9/8. Sans rien savoir de leurs intentions, je me mêle au jeu. Tantôt je jongle avec le motif, tantôt je m'aligne sur Tony. Aujourd'hui encore, je suis extrêmement fier de la version finale de ce morceau, le futur « Apocalypse in 9/8 », où on m'entend inventer au fur et à mesure que je joue.

Mais c'est surtout à Tony, Mike et Peter que revient le mérite d'avoir compris que ces parties pouvaient s'assembler et aboutir à autre chose qu'un chapelet de cinq morceaux égrenés sur vingt-trois minutes.

Pour autant, on se demande alors si « Supper's Ready » va tenir sur l'album : sur un LP vinyle, plus il y a de musique, moins les sillons sont profonds et moins le son est clair. Vingt-trois minutes, c'est beaucoup pour une face de 33-tours. Pire, si on a des cartouches huit pistes dans sa voiture – ce qui est majoritairement le cas au Royaume-Uni en 1972 –, on risque d'avoir trois ou quatre sauts de piste pendant l'écoute. C'est fou de penser aujourd'hui aux limites physiques auxquelles la musique se heurtait en ce temps-là.

Genesis est donc en train de repousser, au sens propre du terme, les limites de ce qu'un groupe peut se permettre sur un album. À l'époque, la seule œuvre musicale susceptible de rivaliser en termes d'ambition et d'envergure avec la nôtre est *Tubular Bells*. Ce révolutionnaire coup d'essai, et de maître, de Mike Oldfield, sorti sept mois après *Foxtrot*, nous le passons dans la salle avant nos concerts. Le but est de mettre le public en condition pour notre entrée, mais aussi de rythmer nos préparatifs. Car chaque morceau est pour nous un repère : « Eh, c'est "Bagpipe Guitars", les gars, c'est l'heure de s'habiller ! »

L'interprétation de « Supper's Ready » pose des problèmes spécifiques. Pendant une douzaine de concerts environ, particulièrement lors du tout premier à Brunel University le 10 novembre 1972, on passe notre temps à se courir après, tant cette longue fresque musicale exige de la concentration. Mais, d'emblée, le succès est au rendez-vous et on est toujours soulagés en arrivant à la fin. Surtout quand on finit ensemble. Si seulement c'était le seul défi à relever sur scène…

Un mois avant la sortie de *Foxtrot*, le 19 septembre 1972, nous sommes programmés au National Stadium de Dublin. J'aborde ce concert dans cette salle de boxe de deux mille places avec une certaine appréhension. C'est notre première date en Irlande et je crains que nous ne soyons un peu optimistes en jouant dans un lieu de cette dimension et de cette nature.

Mais on entre en scène et on attaque. Nous voici dans la partie instrumentale du premier titre de *Nursery Cryme*, « The Musical Box », qui est assez longue. Suffisamment pour enfiler une robe.

Après être sorti de scène, Peter reparaît. Du coin de l'œil, je le vois tâtonner pour retrouver le chemin du micro. Pourquoi prend-il tant de temps ? Normalement, il doit revenir avec le « masque de vieux », un accessoire de sa fabrication qui le transforme instantanément en vieillard grisonnant. Il le porte toujours dans le finale de « The Musical Box ».

Mais quand il entre dans la lumière, mon incompréhension redouble avant de faire place à la perplexité : Peter porte une robe (celle de sa femme Jill, on l'apprendra par la suite) et est coiffé d'une tête de renard… Sur scène comme dans la salle, tout le monde ouvre de grands yeux. La surprise est totale, aussi bien pour Mike, Tony, Steve et moi que pour les deux mille Dublinois.

Plus tard, dans les loges, Peter n'est pas du tout disposé à entendre les commentaires de ses collègues sur cette extravagante tenue de Dame Renarde. Quand il a planté ses griffes dans quelque chose, il n'est pas du genre à lâcher prise. Donc personne ne s'exclame « C'était génial ! », mais personne ne le critique non plus. Il a droit à un simple haussement d'épaules collectif, du genre : « Si ça t'amuse… » Peter ne donne aucune explication à son geste et je n'émets aucune protestation. La priorité étant la musique, ça ne me dérange pas plus que ça. Peter fait du Peter, c'est tout. Dans nos longs tunnels instrumentaux, il trouve toujours le moyen de nous sortir une nouveauté de son chapeau.

Rien auparavant n'a laissé deviner son intention d'apparaître dans ce nouvel accoutrement. Tout comme, par la suite, rien n'annoncera son masque de fleur sur « Willow Farm » dans « Supper's Ready », ni son couvre-chef géométrique sur le titre suivant, « Apocalypse in 9/8 ». Nous les découvrirons en même temps que le public. L'idée d'une décision collégiale ne l'effleure pas. Dans son esprit, ce genre de consultation démocratique au sujet d'accessoires de scène ne pourrait que freiner notre élan et nous entraîner dans des débats du style « Alors la fleur, elle doit avoir quelle couleur ? » ou « Il faut prendre une annuelle rustique ou une vivace ? ».

Voilà donc les diableries auxquelles Peter Gabriel se livre de son propre (couvre-)chef sur scène. Après Dublin, Dame Renarde apparaîtra chaque soir au même moment du spectacle. On s'y habitue vite, mais c'est aussi notre intérêt : une photo de Peter dans ses nouveaux atours fait aussitôt la couverture de *Melody Maker* et ajoute instantanément un zéro au cachet de Genesis : de trente-cinq livres la soirée, nous passons à trois cent cinquante.

* * *

L'année 1972 se termine et j'ignore totalement que mon père est malade. Il est parti avec armes et bagages pour Weston et vient rarement à Londres. Le 453 Hanworth Road a enfin été vendu, c'est la fin d'une époque, mais ma vie doit continuer. Sur Downs Avenue, à Epsom, je suis locataire d'une maison géorgienne délabrée et réaménagée à l'économie : les cloisons ont l'épaisseur du papier à cigarettes et, quand il pleut, il fait aussi humide dedans que dehors.

En décembre 1972, nous donnons nos deux premiers concerts aux États-Unis, mais notre arrivée dans le Nouveau Monde n'a rien de particulièrement engageant. Nous nous rendons vite compte que notre manager américain, Ed Goodgold, qui s'occupe aussi de Sha Na Na, une des attractions de Woodstock, nous a programmés à la Brandeis University près de Boston, dans le Massachusetts. À l'heure du déjeuner. Notre première prestation sur le sol américain se solde donc par une déception complète et brutale : les étudiants de Nouvelle-Angleterre sont moins portés sur les groupes anglais – sur Genesis en tout cas – que nous ne le pensions et ont l'air plus intéressés par leurs études ou leurs sandwichs. Voilà qui ne présage rien de bon pour nous aux États-Unis d'Amérique.

Quand nous approchons de New York, la ville nous submerge, nous écrase par son gigantisme, nous qui courbions déjà l'échine après la déconvenue de Boston. Mais en y pénétrant par le pont George-Washington au crépuscule, nous voyons émerger l'horizon de Manhattan dans la palpitation de ses innombrables lumières. New York ! On l'a vue dans les films, et maintenant on y est.

Enivré par le spectacle des colonnes de vapeur montant des bouches d'égout, par la chaude odeur des bretzels, par les coups de Klaxon incessants des taxis, par les panoramas vertigineux du haut des tours d'acier, je garderai de ce premier séjour new-yorkais une trace indélébile, malgré tous ceux qui suivront. Nous arrivons à notre hôtel, le Gorham, un établissement vaguement branché et un tantinet décati de Midtown, près de la 5ᵉ Avenue. Nous explorons un peu les lieux, après quoi nous allons dormir. Le lendemain, photos promotionnelles à Central Park et devant The Bitter End, une adresse mythique de Greenwich Village. Ensuite, direction le Philharmonic Hall pour faire la balance et nous rendre compte d'un problème majeur : le courant électrique américain est différent du nôtre puisqu'ici les moteurs fonctionnent en 110 volts, et non en 220 volts comme chez nous. Ce qui signifie que le Mellotron (un nouveau jouet racheté à King Crimson) et l'orgue Hammond sont désaccordés par rapport aux guitares.

Une solution de fortune est trouvée et, le soir même, on se débrouille comme on peut. Le public ne semble rien remarquer, mais malgré la synchronisation entre nous cinq, à nos yeux le concert est un désastre. En sortant de scène, dans l'ascenseur qui nous ramène aux loges, la fureur est palpable. Même des années plus tard, l'évocation de cette première date new-yorkaise fait grincer des dents car elle ravive de pénibles souvenirs.

Pour autant, tout bien considéré, je rentre au Royaume-Uni assez euphorique. Certes, ce premier voyage de Genesis aux Amériques n'a pas été une totale réussite, mais au moins j'y suis allé ; en 1972, je ne connais pas grand-monde capable d'en dire autant.

Noël se profile et j'appelle mon père pour savoir s'il compte revenir à Londres pour notre fête « de famille ». Je ne l'ai pas vu depuis des mois et l'idée est de réunir le clan Collins, malgré ses divisions, chez Barbara Speake à Ealing pour passer un Noël aussi joyeux que possible. Papa m'assure qu'il sera là.

Un jour, Clive reçoit un appel : papa a fait une crise cardiaque. Mais comme le médecin affirme qu'il peut se déplacer, mon frère va le chercher à Weston.

À son arrivée chez Clive à Leigh-on-Sea, papa passe une nuit paisible. Mais le lendemain matin, il ne se sent pas bien et Clive l'emmène à l'hôpital près de Southend, où sa santé se dégrade encore. Nous sommes à la veille de Noël.

Papa décède le matin de Noël à 8 heures.

En réalité, je suis peut-être trop préoccupé pour être bouleversé (cela viendra plus tard), même quand mon frère me fait part du triste état de mon père et de son logement : le petit pavillon qu'il habitait était tellement humide que l'eau ruisselait sur les murs – des conditions de vie très malsaines, surtout pour une personne fragile du cœur. Il souffrait sans doute aussi de diabète car, à son arrivée à l'hôpital, les médecins ont envisagé de l'amputer des deux jambes. Maman et Clive étaient d'accord pour dire que dans ce cas, papa n'aurait pas souhaité vivre plus longtemps.

Les obsèques de mon père ont lieu le 1er janvier 1973. Je suis dans un état second. Je revois le cercueil entrer dans le four du crématorium, j'entends encore « Jésus, que ma joie demeure », un de ses morceaux préférés de Bach. Je ne me rappelle pas avoir pleuré. Ou alors j'ai oublié. Ce qui est sûr, c'est que mon chagrin a grandi au fil des années. Ayant perdu mon père jeune, je suis beaucoup plus conscient de la place que je tiens dans la vie de chacun de mes cinq enfants. Et il ne se passe pas un Noël sans que je ressente un pincement au cœur.

Papa n'a jamais compris mon désir de gagner ma vie grâce à la musique. De manière générale, il ne s'y intéressait pas, ou peu, à celle des années 1960 encore moins. D'ailleurs, le seul souvenir musical que j'aie de lui, c'est ce « Hi-diddle di di, à moi la vie d'artiste… » qu'il chantait lorsque pour la première fois il a lâché la selle de mon vélo quand j'étais petit. J'ai continué de pédaler sans me rendre compte que mon père n'était plus derrière moi.

J'ai vingt et un ans. Ma vie d'adulte – ma vie profession- nelle – a commencé, et mon père n'est plus là.

Tout me semble assourdi, affadi. Je me surprends à me poser des questions qui viendront me hanter à des moments divers, sous des formes diverses, pendant des années : papa a-t-il fini par admettre que son fils avait fait le bon choix ? L'ai-je impressionné en m'en sortant, même en suivant une voie peu orthodoxe ? Grev Collins a-t-il tiré quelque satisfaction de voir son petit dernier traverser l'Atlantique ?

J'aime à penser qu'au bout du compte il aurait été fier de moi, mais je me suis souvent demandé ce qu'il aurait fallu pour le convaincre définitivement. Peut-être remplir Wembley quatre soirs de suite ? Ou alors : « Mon fils, tu vas jouer pour le prince de Galles, mais c'est mer-veil-leux ! » L'estampille royale aurait emporté l'adhésion paternelle. Et coupé court à toute discussion.

P.-S. : En écrivant ce livre, je me suis rendu compte qu'on n'avait jamais su où se trouvaient les cendres de mon père. Je me suis juré d'éclaircir ce point et Clive a fait des recherches. Il a découvert qu'à cause d'une confusion entre lui et maman, les cendres de mon père n'avaient jamais été récupérées. Elles sont donc restées à se morfondre au crématorium de Southend, Essex. À ce jour, nul ne sait où papa se trouve.

7

L'agneau se couche,
le chanteur s'envole

Ou : Genesis gagne des voix en Amérique,
mais perd la sienne

P eut-être est-ce un bien, mais je n'ai pas trop le temps
de m'appesantir sur la mort de mon père. La tournée de
Foxtrot reprend à Croydon, dans le sud de Londres, le
7 janvier 1973, six jours après ses obsèques. Elle se poursuit à
travers l'Europe avant le Royaume-Uni et l'Amérique du Nord,
où nous jouons à Carnegie Hall. Elle ne prendra fin qu'à Paris
et Bruxelles, les 7 et 8 mai.

Une tournée pesante pendant une période pesante. Les costumes de Peter deviennent de plus en plus extravagants au
fil des étapes. Pour « Watcher of the Skies », son maquillage
est fluorescent, il porte une cape et, sur la tête, des ailes de
chauve-souris. Ce n'est pas le finale, c'est le morceau d'ouverture. L'effet dramatique est amplifié par une longue et sombre
introduction de Tony au Mellotron (qui a retrouvé la bonne
alimentation).

La théâtralité de Peter fait désormais partie intégrante du
spectacle. C'est, d'après la presse et le public, la marque de
fabrique de Genesis. Mais, dans le contexte du début des
années 1970, elle n'a rien d'extraordinaire. Alice Cooper fait

de drôles de choses avec des serpents, Elton John s'habille en canard et porte des lunettes surdimensionnées, les Who sortent des albums-concepts à tour de bras. Mais notre excentricité est d'un autre ordre, d'une étrangeté toute britannique, ce qui explique peut-être pourquoi elle plaira tant aux États-Unis.

Au sujet du *Genesis Live* sorti en juillet 1973, *Rolling Stone* écrit : « ... Cet album restitue bien le magnétisme et le mysticisme qui incitent nombre de ses admirateurs à voir en Genesis "le plus grand groupe scénique de tous les temps". Des titres comme "Get 'Em Out by Friday" et "The Return of the Giant Hogweed" en disent long sur son *modus operandi* : un moralisme étrange, visionnaire, qui rappelle fortement Yes aussi bien que Jethro Tull. Si Genesis les a précédés sur le plan de la création audiovisuelle, le groupe reconnaît clairement ce qu'il leur doit en développant avec un raffinement extrême des thèmes multiples au travers de ses textes et de sa musique. »

Après la sortie du *Genesis Live*, à peine le temps de marquer une pause que nous nous retrouvons dans une maison de campagne charmante mais un peu défraîchie à Chessington, dans le Surrey, pour écrire l'album suivant. J'ai oublié comment on est arrivés là, mais ce que je sais, c'est que les propriétaires étaient un couple charmant, que leurs filles étaient mignonnes et qu'elles avaient joué un rôle dans cette histoire. On installe notre matériel dans leur salle à manger, ce qui me fait dire qu'ils devaient être absents. C'est dans ce curieux décor domestique que naît « The Battle of Epping Forest » et, mieux encore, « The Cinema Show ». Fondé sur un motif de guitare en 7/8 de Mike, « The Cinema Show » fera partie des morceaux chéris du public pendant des années. À Chessington, on termine aussi une chanson ébauchée chez Una Billings lors des séances de *Foxtrot*, « I Know What I Like (In Your Wardrobe) ».

L'album qui en résulte, *Selling England By The Pound*, sort en octobre (là encore, je chante en solo sur un titre, « More Fool Me ») et nous voilà déjà repartis en tournée. Nous ne nous arrêterons qu'en mai 1974, mais, avant cela, « I Know What

I Like (In Your Wardrobe) » sera notre premier 45-tours à se hisser dans le Top 30 britannique.

En studio, le morceau ne nous frappe pas particulièrement par son caractère « pop », même s'il a bien la durée requise. On s'était procuré une guitare-sitar, un instrument dont se servaient les Beatles. Steve avait joué le riff de base, qui nous a plu, j'ai lancé un groove façon Beatles, et tout est parti de là. Les paroles de Peter sont arrivées très tard puisque inspirées par la pochette de l'album qui reprendra un tableau de Betty Swanwick (*Le Rêve*). Sur l'enregistrement, ma voix, bien présente, tisse une sorte de duo avec celle de Peter. Ça y est, Genesis tient son premier tube. *Top of the Pops*, nous voilà !

Sauf que non. On décline l'offre de cette institution hebdomadaire de la BBC, de crainte que nos fans ne nous reprochent d'apparaître dans une émission grand public. Au fond, on n'est pas trop partants non plus. On trace notre propre route et, tout comme on ne fait pas confiance aux festivals (aucun droit de regard sur la mise en scène, et leur public n'est pas le nôtre), on ne fait pas confiance à la télévision. Et puis maintenant, on est fiers de notre scénographie, or « I Know What I Like » ne se prête pas vraiment à une scénographie particulière. Pas encore, du moins. Car en tournée, Peter, coiffé d'un chapeau pointu assez semblable à un casque colonial, et avec un brin de paille entre les dents, fera mine de tondre une pelouse sur le bourdonnement qui ouvre le morceau.

C'est à ce moment-là que les errements comptables d'Adrian Selby nous rattrapent et que nous découvrons que Genesis est endetté à hauteur de 150 000 livres. Une fortune pour l'époque, environ 2 millions de livres actuelles. Pourtant, nous refusons toujours la plus grosse émission de promo télévisée du pays.

C'est là que Tony Smith entre en scène. Juste une précision : ne pas le confondre avec Tony Stratton-Smith. Strat est notre manager, mais aussi le patron de notre label, Charisma. C'est lui qui a lancé Genesis et l'a maintenu à flot pendant un bon moment, mais il y avait un conflit d'intérêts inévitable quand il s'agissait de négociations entre manager et maison de disque. Malgré toute notre affection pour lui, toute la confiance qu'il nous inspire, nous nous devons d'agir avec réalisme et de préparer notre avenir. D'autant que nous avons une dette exorbitante à éponger.

Tony Smith, lui, codirige avec Mike Alfandary et Harvey Goldsmith une société bien implantée de promotion de spectacles. Son père, John, organisait aussi des concerts – notamment ceux des Beatles et de Frank Sinatra – et Tony a donc bénéficié à son côté d'un apprentissage de premier ordre. Ce sont d'ailleurs eux qui ont encadré le Charisma Package Tour. Tony connaît donc tous ceux avec qui il faut se lier d'amitié et ceux à éviter, notamment les managers tristement célèbres Don Arden et Peter Grant. Il décide pourtant de sacrifier la poule aux œufs d'or des concerts pour s'occuper d'un groupe qui devrait aller loin... mais surtout, dans l'immédiat, devant le tribunal de commerce.

La tournée de *Selling England* est le premier grand périple américain de Genesis, mais aussi le premier gros projet de Tony Smith avec nous. On avait joué un mois là-bas sur la tournée de *Foxtrot*, mais là, changement de ton : il va falloir faire beaucoup plus pour conquérir les États-Unis et le Canada. En route !

Avec les Canadiens français, c'est le grand amour. On démarre par deux concerts le même soir à Québec ; je me souviens d'un public de beatniks charmé par notre côté précieux. Le concert au Tower Theatre de Philadelphie sera également très bon. On a pas mal de dates dans le nord de New York et aux environs, dans le Nord-Est aussi, dont beaucoup sont prises en charge par un jeune organisateur, Harvey Weinstein, qui dirige aujourd'hui la Weinstein Company et est l'un des producteurs de films les plus talentueux de tous les temps.

Au bout de quelques mois, notre popularité sur la côte est finit par être excellente. Délirante, presque. Cela dit, il ne faut jamais jurer de rien. On donne un concert atroce avec le Spencer Davis Group au Felt Forum, en dessous du Madison Square Garden, une salle tout en moquette, acoustiquement morte. On espérait le vrai Garden, on a eu son affreuse petite sœur. Boston semble nous détester toujours autant, mais ils finiront par changer d'avis.

Dans l'ensemble, à l'échelle du territoire, dans des coins comme Ypsilanti, Evanston, Fort Wayne et Toledo, on joue devant des visages perplexes. En bref, on nage à contre-courant. Ils n'ont jamais rien entendu de semblable. C'est moins emberlificoté que Yes. Moins axé sur la virtuosité qu'Emerson, Lake & Palmer. Beaucoup plus excentrique que n'importe qui là-bas, et on en paie le prix.

Los Angeles nous donne l'occasion de décompresser. On loge au Tropicana, un vrai motel (une cour de récré pour nous autres Anglais). On va de chambre en chambre en se roulant des pétards – on est à L.A., hein ! – et on prend nos repas au Duke, le restaurant du rez-de-chaussée, point de ralliement de tous les groupes de passage. L.A. ne nous déçoit pas. Tous les points de repères sont là : le Whisky a Go Go, les lettres de « Hollywood », la tour de Capitol Records. Des palmiers, du soleil, un petit tequila sunrise de temps en temps, on n'en demande pas plus.

En trois jours, on donne six concerts au Roxy. Ce lieu, sur Sunset Boulevard, comprend au premier étage un club très chic et privé, On The Rox. C'est là que Jack Nicholson, Warren Beatty, Joni Mitchell et autres figures en vue se retrouvent le soir. Le Roxy proprement dit est moins grand qu'on ne pourrait le penser. Il a une capacité de cinq cents places seulement et les cinq cents spectateurs présents sont sans doute les mêmes les six soirs. Mais au moins la maison de disques, Atlantic Records, nous divertit : elle organise une soirée entre mecs où est projeté le plus gros succès de l'année précédente. Non, pas *Le Parrain* ni *Cabaret*. Mais *Gorge profonde*, un des pornos les plus décriés de l'histoire, même à l'époque. Cela dit, aucun de nous n'est très au fait de l'actualité pornographique et le seul souvenir que j'en garde, c'est qu'il y avait beaucoup de poils. Assez répugnant. L'embarras est perceptible dans le coin britannique de la salle, même si le film est curieusement dénué de tout érotisme et se rapproche plutôt du cours d'anatomie.

Au bout du compte, il serait faux de parler d'un éreintant voyage en bus sur les routes et autoroutes américaines. Car on ne voyage pas en bus, mais dans deux limousines allongées.

Tony Banks a horreur de l'avion – ça s'arrangera avec les années – et le reste du groupe n'en raffole pas non plus. Le fantasme rock'n'roll de donner des concerts en sillonnant les States dans un « tour bus » nous laisse froids. D'abord, nous ne sommes pas rock'n'roll. Quant à picoler et forniquer dans le bus de tournée, très peu pour nous. « Draps propres et cacao », disait Mike Rutherford quand l'hôtel lui plaisait. Et je doute qu'on puisse bien dormir dans un bus en se demandant sans arrêt si le type au volant de cette grosse boîte en forme de cercueil remplie de couchettes ne roupille pas.

Deux limousines allongées, donc, conduites chacune par un dénommé Joe (une coïncidence plus qu'une exigence).

Du coup, j'y pense : ce n'est peut-être pas étonnant que Genesis ait une dette de 150 000 livres…

En principe, la limousine allongée est un mode de transport pratique pour parcourir en long et en large l'Amérique du Nord, sauf pour celui qui est bon dernier dans la hiérarchie et qui se retrouve au milieu de la banquette arrière, au-dessus de l'essieu (je me demande sur qui ça va tomber…). Le hic aussi, c'est que deux mastodontes pareils emplis de musicos britanniques hirsutes et crasseux risquent d'attirer l'attention, surtout au passage des frontières.

Les douanes canadiennes sont parmi les plus redoutables. Elles sont habituées à voir des musiciens arriver des États-Unis avec leur petit stock de dope. Les groupes ont tendance à oublier que le Canada est un pays à part entière, ce qui explique peut-être la fameuse arrestation de Keith Richards à Toronto. Inévitablement, au moment où on s'apprête à filer vers Toronto, la douane nous interpelle au Peace Bridge, le poste-frontière des chutes du Niagara. Les Adey, notre éclairagiste, fumeur de pétard enthousiaste et assidu, est blanc comme un linge. Bientôt, nos anatomies britanniques, d'une blancheur assez voisine, sont mises à nu pour les besoins d'une fouille au corps. Regis Boff, notre tourneur, qui en temps normal passe pour un roc, tremble comme une feuille. Ça se présente mal.

Très mal, même. Au moment où les douaniers s'attaquent à mes affaires, me revient soudain en mémoire le résidu de joint que je conserve pour les mauvais jours dans le portefeuille de mon père, un *memento mori* que je porte désormais sur moi.

Ils ont vite fait de dénicher le mégot brunâtre. Debout dans la salle d'interrogatoire, le slip kangourou aux genoux, je pense à une seule chose : *Je ne serai pas rentré pour Noël.* Mais, dans un geste de clémence, le chef douanier balaie mon mini-pétard de son bureau. Même pour des douanes canadiennes réputées tatillonnes, cette piètre saisie est trop maigre pour qu'on puisse nous coffrer. On nous relâche mais on s'est fait une belle frayeur.

La « Tournée des deux Joe », comme Genesis l'appelle pour rigoler encore aujourd'hui, est néanmoins un succès. Certaines salles, d'abord réticentes, finissent par adhérer à notre démarche et on commence à drainer pas mal d'inconditionnels. Cela renforce notre conviction que, logistiquement parlant, il n'est pas obligatoire de faire comme tout le monde et de voyager en bus. Par la suite, il nous arrivera de prendre nous-mêmes le volant. Je me demande d'ailleurs si Tony Banks n'est pas encore en train de payer les PV pour excès de vitesse qu'il a récoltés là-bas dans les années soixante-dix.

Genesis enchaîne, imperturbable. On joue au Winterland Ballroom de Bill Graham à San Francisco – concert légendaire, mais pas pour nous. C'est le pays de Jefferson Starship et Janis Joplin. Ils ne sont pas trop portés sur les barbus britanniques en limousine par là-bas. Le désintérêt du public à notre égard est massif, mais ce sont des salles où il faut jouer car on ne passe pas beaucoup en radio. Il existe bien quelques DJ qui nous soutiennent – de mémoire à New York, Chicago et Cleveland –, mais guère plus. Notre absence de l'antenne se fait logiquement sentir dans pas mal de concerts. Dans les villes où les radios nous diffusent, le public est enthousiaste. Dans celles où on rame pour passer sur les ondes, on rame pour rameuter du monde.

Dans le Sud, arrière-pays fatal à Genesis, l'accueil est antipathique. Ils ne voient pas où on veut en venir. Pour eux, on incarne le sommet, ou le tréfonds du dandysme à l'anglaise. De quoi ça parle, leurs chansons ? C'est quoi, cette musique ? Et le chanteur, il est maquillé ou quoi ? Dans certains endroits, il ne manque plus qu'un grillage à poules sur le devant de la scène.

À New York, on joue trois soirs à l'Academy of Music. Mais après le premier concert, on se fait piquer nos guitares pendant la nuit. Un acte ressenti comme une agression majeure. Notre précieux matériel, envolé ! On s'autorise une pause. On annule même la deuxième date, histoire de se remettre de nos émotions et de donner à Mike le temps de racheter une guitare. En emprunter une ? Vous êtes fous ou quoi ? Il aurait l'impression de jouer avec la femme d'un autre. On finit par reprendre nos esprits, on donne le troisième concert et on repart.

De retour sur nos terres, la cadence ne baisse pas. On joue cinq soirs à Londres, au Theatre Royal, sur Drury Lane, où Peter décide de se lâcher. Après tout, c'est un théâtre et Peter Pan a l'habitude d'y voler suspendu à des câbles. Peter est en costume argenté, le visage peint en blanc. Et au moment le plus fort de « Supper's Ready », après avoir jeté sa cape et son masque fluorescent, il s'envole dans les airs. Ce que Peter n'a pas prévu, c'est que pendant qu'il se balance tout là-haut, il tourne lentement sur lui-même. Du coup, il agite les jambes comme un fou pour tenter de faire face au public – « ... *and it's hey babe...* » – et il termine le morceau ainsi, en se tortillant comme un ver. Même si l'effet est un peu raté, on fait encore la une de *Melody Maker*, ce qui, pour nous, est une belle récompense. Les effets visuels ne font pas écran. Pas encore.

En juin 1974, environ quatre semaines après la fin de cette tournée de huit mois, on ouvre un chantier dont le groupe ressortira brisé, dans tous les sens du terme. On s'est installés à Headley Grange dans le Hampshire, un hospice bâti en 1795, mais où, plus récemment, ont enregistré Led Zeppelin et Bad Company. Le dernier groupe à y être passé a laissé les lieux dans un état repoussant de saleté et de puanteur. Ceux qui en profitent, ce sont les rats. Ils sont partout, montent et descendent les escaliers en faisant grincer les marches, galopent sur les plantes grimpantes qui recouvrent les arbres, escaladent la façade tapissée de vigne vierge. Par dizaines, par centaines. Et encore, on ne les voit pas tous. Cet endroit mérite encore son nom d'hospice.

La seule chose qui peut le racheter à mes yeux, c'est que John Bonham a enregistré l'incroyable motif de batterie de « When the Levee Breaks » dans la cage d'escalier. Ce riff, je perçois presque son odeur. Derrière celle des rats, bien sûr. Ils sont des milliers. J'arrive le dernier et, évidemment, les meilleures chambres sont déjà prises. Du coup, la mienne est pourrie, infestée de rongeurs. La nuit, j'entends leurs petites pattes trotter au-dessus et au-dessous de moi.

Comme « Supper's Ready » a bien marché sur la tournée de *Selling England*, on décide de reprendre le principe du récit en chansons ou de la suite chantée, mais en un double album. C'est l'époque de *Tommy*, de *The Rise and Fall of Ziggy Stardust* et de *The Dark Side of the Moon*, des albums-concepts qui font le tour de la planète. Pour moi, *Tommy* est au-dessus du lot. Je suis un fervent fan des Who, ils avaient du talent à revendre.

Mike a l'idée saugrenue de reprendre la trame du *Petit Prince*, mais ça ne donne rien. On étudie d'autres pistes. À un moment donné, je me demande si Peter et Tony n'en viendront pas aux mains car Tony, en particulier, ne veut pas laisser Peter écrire toutes les paroles. Mais celui-ci n'en démord pas : si cet album doit raconter une histoire, cette histoire, et donc cet album, doivent être confiés à une seule et même personne.

Peter a le dernier mot et entreprend l'écriture de ce qui va devenir le récit surréaliste-limite-allégorique de Rael, un jeune Portoricain vivant à New York. Il lui donne pour titre *The Lamb Lies Down on Broadway*.

On s'installe dans la grande salle, tandis que Peter s'assied devant un piano miteux hors d'âge qui prend la poussière dans une autre pièce. On improvise à quatre, lui jette sur le papier ses idées de paroles, et j'enregistre le tout sur mon fidèle magnéto à cassette Nakamichi.

On crée des super morceaux – « In the Cage », « Riding the Scree », des tas de belles choses –, pendant que, dans l'autre pièce, Peter écrit les textes en pianotant. Bizarre comme formule, mais ça a l'air de fonctionner.

Malheureusement, Peter est débordé, et pas seulement de travail. Chez lui, ça se passe mal : la grossesse de sa femme, Jill, est difficile, ce que j'ignore à l'époque. Du coup, il s'absente de temps en temps et on avance sans lui. Pas facile, dans ces conditions, de définir un axe précis pour un projet aussi ambitieux.

À ce moment-là, en pleine phase d'écriture, une proposition nous arrive d'une direction inattendue : William Friedkin, réalisateur de *L'Exorciste,* oscarisé pour *French Connection,* a l'intention de faire un film de science-fiction et cherche (d'après Peter qui nous rapporte ses propos) « un scénariste qui n'a encore jamais travaillé pour Hollywood ». Il a lu le texte au dos du *Genesis Live* – une petite histoire fantastique à la Peter – et a été séduit par son humour surréaliste et pince-sans-rire. Et il s'est dit que Peter pourrait peut-être travailler avec lui. Comme on avait tous vu *L'Exorciste* pendant la tournée de *Selling England* et qu'on avait adoré, on savait que Friedkin était quelqu'un avec qui il fallait compter.

Pour Peter, un rêve se réalise : l'occasion de collaborer avec un artiste visionnaire parmi les meilleurs de sa discipline et de rester auprès de sa femme tout en travaillant à la maison. « On peut mettre l'album en attente ? nous demande-t-il. Donnez-moi le temps de faire ça, et je reviens. » Il ne dit pas qu'il part.

Et nous de répondre : « Désolés, Peter, c'est non : tu restes ou tu t'en vas. »

De mon point de vue, le départ de Peter, s'il doit advenir, n'est pas forcément la fin du monde. Car mon idée, d'un solide pragmatisme, est de reconfigurer Genesis en quatuor instrumental. Comme ça, au moins, on entendra enfin la musique, toute la musique.

La réaction de mes trois camarades à cette suggestion peut se résumer ainsi : « Ne dis pas n'importe quoi. Nous, sans chanteur, sans paroles ? Arrête ton délire, Phil. » Et, évidemment, ils ont raison.

Avant d'avoir concrétisé quoi que ce soit, Friedkin apprend que sa proposition risque de signer l'arrêt de mort de Genesis. Ce n'est pas son intention, d'autant que son projet de science-fiction est encore flou. Quelques semaines plus tard, il arrête les frais.

Et Peter revient, mais il revient faute de mieux. Pas idéal comme ambiance de retrouvailles. Le travail reprend, on pardonne et on oublie, ou on fait semblant.

On part ensuite enregistrer notre moisson musicale dans une ferme du pays de Galles, Glaspant Manor, avec le studio mobile Island, toujours avec John Burns. On s'est aperçus que l'ambiance du studio classique nous étouffait et qu'on dépensait beaucoup d'énergie pour être aussi crédibles sur disque qu'en concert. En faisant appel à John et à un système mobile, on fait un pas vers une sorte de liberté. Désormais, John a presque l'impression de faire partie du groupe.

Peter écrit toujours les textes, on enregistre de notre côté, mais on vit une parenthèse paisible, surtout que Peter, Mike et Tony en profitent pour s'adonner à leur passion, les balades dans la nature. Souvent, en tournée, on se garait, on achetait des oignons, des carottes, du fromage et du pain, on se trouvait un pré et on pique-niquait. Ça faisait un peu hippie, mais une bonne tranche de cheddar et un oignon, ça n'a jamais fait de mal à personne.

De retour à Londres, on mixe *The Lamb* aux studios Island sur Basing Street. Après deux mois passés à enregistrer cette fresque au pays de Galles, on est contents de rentrer au pays. Pendant qu'on travaille sur nos morceaux, on apprend que Brian Eno enregistre à l'étage du dessus son deuxième album solo, *Taking Tiger Mountain (By Strategy)*. Je ne suis pas un fan de Roxy Music, mais mes camarades adorent. Peter monte saluer Eno et lui demande s'il pourrait traiter certaines de nos voix sur son ordinateur. En contrepartie, Eno me sollicite pour jouer sur un de ses morceaux, « Mother Whale Eyeless ». Me prostituer à l'occasion, je ne dis pas non.

Avec Eno, ça accroche tout de suite. C'est un personnage très intéressant, qui ne sort pas du moule classique de l'artiste « pop », ce qui est peut-être une des raisons de son départ de Roxy Music, et puis sa façon de travailler m'intrigue. Je finirai par jouer sur ses albums *Another Green World, Before and After Science* et *Music For Films*.

Lors des séances de mixage à Basing Street, un schisme se dessine entre le Genesis de jour et le Genesis de nuit. Peter et moi, on mixe parfois jusqu'à 2 heures du matin. Le lendemain, Tony arrive, trouve ça nul et fait le ménage. Parfois, on en est encore à enregistrer alors qu'on devrait mixer. Le temps presse, l'ambiance est tendue et tout le monde est crevé. Il y a trop de musique, il y a trop de textes, on finit dans la précipitation, les nuances narratives de ce double album-concept échappent à tout le monde (y compris, soupçonnons-nous, à Peter) – en plus, on doit partir en tournée d'un moment à l'autre. Une tournée où on a décidé de jouer tout l'album. Une tournée sur laquelle la production est de taille.

Forcément, inévitablement, le show de *The Lamb* promet de dévoiler avec faste un double album de vingt-trois titres que personne n'a encore entendu, joué par un groupe qui, de son côté, court pour rattraper le temps perdu, pour mettre coûte que coûte à l'eau un vaisseau dont la peinture est encore fraîche. Agrémentée d'une production ambitieuse mais qui doit encore être testée, la croisière comporte cent quatre dates.

Gros plan sur Dallas... Genesis répète au siège social de Showco, la boîte qui nous loue le matériel de son et d'éclairage.

On essaye de caler les lumières et d'organiser les diapos qui doivent illustrer le récit de *The Lamb*. Avant même d'avoir commencé, c'est la catastrophe. À l'époque, la technologie est loin d'être fiable et la synchronisation des trois écrans se révèle impossible. Et si ça ne marche pas aux répétitions, ça ne marchera pas en tournée. Surtout que, comme ça s'est déjà produit, toute une partie de la mise en scène se décide dans notre dos. Peter a créé ses costumes dans son coin et certains sont totalement importables, voire ridicules. Quand il enfile celui de « Slipperman » – une tenue assez ignoble faite d'un body garni de ballons gonflables (avec ces espèces de testicules, il ressemble un peu à Elephant Man) –, il ne peut pas approcher le micro de sa bouche. Et quand l'accessoire du « Lamia », un tube de gaze multicolore, descend des cintres en tournant, le câble du micro se prend dedans sans arrêt et plusieurs concerts se passeront à tenter désespérément de le dégager. Tout se fait à toute vitesse, on n'a jamais le temps de régler correctement les problèmes.

Gros plan sur Chicago... Le premier soir de la tournée de *The Lamb*, au milieu du concert, j'aperçois juste à côté de moi une structure gigantesque en train de se remplir d'air. Je ne rêve pas, c'est un énorme pénis gonflable ! Et je vois aussitôt Peter en costume de Slipperman le traverser en rampant.

Gros plan sur Cleveland... Après cinq jours de tournée, on descend au Swingos, hôtel branché quoique ringard de la ville. Chaque chambre a une déco bizarre, avec des rayures, des pois, tout ce qu'on veut. C'est dans un de ces étranges décors que Peter annonce à Tony Smith qu'il quitte le groupe. Tony le persuade de finir la tournée.

Gros plan sur la Scandinavie... Le matériel pyrotechnique n'en fait qu'à sa tête. Trop de détonations, trop peu de fumée et, partout, des débris des haut-parleurs qui ont explosé. L'équipe compte aussitôt un membre de moins (précision : il n'est pas mort carbonisé, il a été viré).

Gros plan sur Manchester... Dans le paisible hôtel Midland, Peter finit par me dire qu'il s'en va. Je ne peux pas lui cacher ma tristesse. La relation entre lui et moi est assez forte, dans le groupe comme en dehors. Et puis, on est frères de batterie. Nous, les batteurs, on se bat ensemble.

Malgré le départ imminent de Peter, je garde de la tournée *The Lamb* des instantanés souvent merveilleux. La plupart du temps, je l'avoue, je suis sur un nuage. Je porte des écouteurs pour pouvoir m'entendre chanter et j'ai un excellent son

d'ensemble. Certains titres sont vraiment agréables à jouer :
« The Waiting Room » se renouvelle chaque soir, et « Riding
the Scree », le morceau au clavier de Tony, ainsi que le suave
« Silent Sorrow in Empty Boats » baignent dans des ambiances
qui me transportent.

Pourtant, l'impression générale est celle d'un groupe qui
court après sa queue. L'album étant sorti au Royaume-Uni le
18 novembre 1974 et la tournée ayant commencé à Chicago
deux jours plus tard, même les fans les plus assidus n'ont guère
eu le temps de digérer ces quatre faces de conceptualisme
ambient prog. En concert, c'est un énorme morceau à avaler
en une seule fois. En interne, tout le monde râle un peu à cause
de ce lancement peu judicieux, surtout pour une tournée aussi
ambitieuse, aussi lourde et aussi coûteuse.

Mais, bénis soient nos fans, ils font de leur mieux. Au terme
de cette superproduction de quatre-vingt-dix minutes, qui se
termine par « *it.* » (titre en minuscules, en italique et agrémenté
d'un point) où Peter apparaît en deux exemplaires, tout le
monde voit double. C'est un triomphe, mais pas aussi éclatant
que si le disque avait été mieux assimilé, et son propos plus
accessible.

La tournée de *The Lamb* deviendra mythique, et inspirera les
scénaristes et acteurs du film *Spinal Tap*. Le coup de la bulle
qui ne s'ouvre pas ? J'ai connu ça, coincé sur scène entre des
effets qui foirent et un guitariste fou de rage. Ce n'est peut-être
pas un hasard si Derek Smalls, le bassiste de Spinal Tap dans
le film, est le sosie de Steve Hackett…

Sur scène, on joue de temps en temps devant des salles
à moitié remplies. En coulisse, Peter a sa propre loge, avec
maquillage et miroir, où ses quatre compères sont toutefois
bien reçus. Il ne joue pas les divas, mais souvent, les types des
maisons de disques qui viennent après le spectacle n'en ont que
pour lui : « Super show, Pete ! »

Leurs léchages de bottes commencent à nous agacer, Tony
et moi. Peter est à leurs yeux le grand architecte. Il est sur le
point d'éclipser Genesis. Cela dit, je reconnais que, dans mon

souvenir, Peter n'a jamais mordu à l'hameçon de la starification. Dans les coulisses, malgré sa loge individuelle, il reste l'un des nôtres.

En point d'orgue, la France ; et, au grand soulagement de chacun, la fin de la tournée. Juste avant d'entrer en scène à Besançon, Tony Smith nous annonce que la dernière date, à Toulouse, est annulée à cause du manque d'intérêt du public. Ça veut tout dire. Le pénultième show, celui de Besançon, sera donc le dernier. Soudain, tout le monde se rend compte qu'on va probablement jouer pour la dernière fois des titres comme « The Colony of Slippermen » et « Here Comes The Supernatural Anaesthetist ». C'est notre ultime concert avec Peter. C'est la dernière fois qu'on le verra ramper sur une grosse bite. C'est le 22 mai 1975.

Peter joue « The Last Post[1] » au hautbois. Pas très propice aux effusions. L'agneau va se coucher sur Broadway pour ne plus jamais se relever. À présent, nous sommes quatre.

Est-ce que j'en veux à Peter de partir ? Absolument pas. À titre personnel, lui et moi sommes aussi proches qu'à mon arrivée au sein de Genesis cinq ans plus tôt et, malgré toutes les difficultés et le comique involontaire de la tournée de *Lamb*, je me suis régalé. À titre professionnel, les défis à venir vont plutôt resserrer les liens entre ceux qui restent. Jamais il ne sera question pour Tony, Steve ou moi de jeter l'éponge. Notre quatuor est bien décidé à continuer. Sans savoir comment. Mais à continuer. Cela dit, il va falloir trouver un nouveau chanteur. Chaque chose en son temps.

On se met d'accord pour garder le silence sur le départ de Peter aussi longtemps que possible. On veut être prêts, avec des nouvelles compositions, quand la nouvelle tombera.

Et *The Lamb Lies Down on Broadway* dans tout ça ? C'est l'un des rares albums de Genesis qui me surprend encore, même si je ne souviens pas l'avoir écouté en intégralité. Par bien des côtés, c'est un jalon majeur pour le groupe, et même son

---

1. Équivalent de la sonnerie *Aux morts*.

évocation dans *Spinal Tap* est un hommage, équivoque ou pas. Pour citer les derniers mots de Peter sur scène avec Genesis : « *It's only rock'n'roll, but I like it.* »

Quant à moi, j'attends avec impatience de savoir de quoi demain sera fait. Car j'ai désormais d'autres obligations, sur le plan personnel. Au Canada, pendant la tournée *Selling England by the Pound*, j'avais renoué avec une ancienne dulcinée et découvert avec ravissement qu'elle n'était plus seule, mais accompagnée d'une petite fille.

Nous voici au milieu des années 1970. Au début de la décennie, je cherchais un groupe, j'ai ensuite perdu mon père et maintenant, à mi-parcours et contre toute attente, je me suis trouvé un nouveau rôle, celui de père de famille.

8

Chef de famille et chef de chœur

Ou : tentative de satisfaire tout le monde
et résultat mitigé

Pause, rembobinage, réflexion.

Nous sommes en mars 1974, quatorze mois avant le départ de Peter de Genesis. La tournée *Selling England by the Pound* déboule à Vancouver pour un concert au Garden Auditorium. J'ai vingt-trois ans et je suis tout excité : cette ville de la lointaine côte Pacifique canadienne est celle où vit désormais Andrea Bertorelli, la petite amie par intermittence de mes jeunes années.

Andy, on s'en souvient, était dans ma promo à la Barbara Speake Stage School. Comme on sortait ensemble, on a passé beaucoup de temps l'un chez l'autre. J'a-do-rais sa mère et j'aimais bien aller chez eux dès que l'occasion se présentait. Les Bertorelli étaient de la même famille que les célèbres restaurateurs londoniens, et monsieur comme madame étaient de vrais cordons bleus. Le délassement d'après-dîner était tout aussi plaisant : ils ne voyaient pas d'inconvénient à ce que le chéri de leur fille passe la nuit sous leur toit. Je faisais déjà partie des meubles.

À la fin des années 1960, ma relation avec Andy s'est distendue – parce que je me suis remis avec Lavinia Lang –, et mes liens avec les Bertorelli aussi. Après le décès du père d'Andy, sa mère a ravivé une amitié avec un officier de l'armée de l'air canadienne en poste pendant la guerre à Godalming dans le Surrey. Elle l'a épousé, puis est partie à Vancouver. Andy, sa sœur Francesca, serveuse dans un club Playboy, et son frère John l'ont suivie.

Au printemps 1974, je n'ai donc pas vu Andy depuis trois ou quatre ans, mais j'ai quand même quelques nouvelles d'elle. Mme Bertorelli écrit à ma mère, qui m'apprend qu'Andy est partie vivre en pleine nature, a rencontré quelqu'un, a vécu un temps dans une cabane et est tombée enceinte avant d'être abandonnée par le père de l'enfant. Elle est revenue au domicile familial à Vancouver et, le 8 août 1972 – deux ans jour pour jour après mon admission au sein de Genesis –, a mis au monde une petite Joely Meri Bertorelli.

Avant l'arrivée du groupe à Vancouver, j'appelle les Bertorelli pour les inviter au concert. La mère d'Andy, l'hospitalité faite femme, insiste pour que je m'installe chez eux pendant mon bref séjour en ville. Des retrouvailles merveilleuses. J'accepte avec joie l'invitation à déjeuner de Mme Bertorelli et je fais connaissance avec le beau-père canadien, un enragé de bowling (je sponsoriserai son équipe pendant des années), et avec Joely, adorable chérubin de seize mois. On a à peine fini le dessert que l'ancienne idylle entre Andy et moi se réveille et s'embrase.

Andy est une jeune femme magnifique, avec un corps qui l'est tout autant. Elle est d'une sensualité débridée, ce qui explique ses talents de briseuse de cœurs. Je dois avouer que les paroles de « Invisible Touch », composé en 1986 pour Genesis, lui doivent beaucoup.

Andy est heureuse, je suis heureux et Mme Bertorelli est heureuse – elle m'a toujours voulu comme gendre. Quand Genesis quitte Vancouver, Andy et moi sommes à nouveau en couple. Et de fait, me voilà père. Ma vie vient de basculer en peu de temps, et je ne regarde ni derrière moi ni sur les côtés. Andy a une place dans mon cœur depuis l'école. Elle a une fille ? Je l'accepte sans même réfléchir.

La prochaine date étant à New York six jours plus tard, encore au Philharmonic Hall, je repars illico. Mais tout au long du mois suivant, on reste en contact par téléphone et on retombe fous amoureux. Ma vie s'est recalée sur mes années adolescentes, mais aussi sur mon avenir.

La tournée refait un crochet par New York où elle se termine par les trois soirées programmées à l'Academy of Music. Andy m'y retrouve. Joely dort dans le lit entre nous deux et je la revois encore me dévisager, comme pour me dire : « Qu'est-ce que tu fais là ? »

Moins de six semaines après nos retrouvailles à Vancouver, notre décision est prise : nous allons nous remettre ensemble et Andy va rentrer au Royaume-Uni avec moi. Je suis parti en tournée célibataire, et je reviens marié – ou presque – et papa. Nous formons une famille et je ne pourrais pas être plus heureux.

De retour en Angleterre, Genesis s'accorde un mois de vacances avant d'attaquer l'écriture et l'enregistrement de l'album-concept-vision-repère-boulet qui deviendra *The Lamb Lies Down on Broadway*. Bientôt, Andy et Joely me rejoignent dans le deux-pièces que je loue à Epsom. On se rend compte que l'endroit n'est pas terrible pour un couple avec un enfant. Dieu merci, on déménage bientôt à Headley Grange...

... où nous attend l'horrible spectacle de tous ces rats grouillant dans cette vieille bâtisse puante. Je n'ai guère le temps de me lamenter sur notre condition car je suis immédiatement happé par le boulot. Ce qui me convient parfaitement, bien sûr : je travaille *et* ma nouvelle famille est auprès de moi. Mais pour Andy et Joely ? D'abord arrachées à leur foyer à l'autre bout du monde, les voilà parachutées dans l'effervescence d'un groupe, puis livrées à elles-mêmes, avec pour tout programme la possibilité de s'asseoir dans l'herbe et de compter les rats. Situation intimidante, déroutante, effrayante, à vous de choisir.

Le moins qu'on puisse dire, c'est que le cadre n'est pas idéal pour les conjointes. Comme Peter va s'en apercevoir avec sa famille embryonnaire (au sens propre du terme), Genesis ignore les notions de permission exceptionnelle et de vie familiale. On travaille soirs, dimanches et fêtes. Après, en général, on lève le camp et on travaille de nouveau. C'est comme ça.

Manque de chance, comme l'enregistrement et la tournée de *The Lamb* se chevauchent en grande partie, la planète Genesis est encore plus en ébullition que d'habitude. Du fait de ce tourbillon et du coût du spectacle, Andy et Joely ne peuvent pas me rejoindre sur la tournée aussi souvent qu'on l'aurait voulu. Dès le début de notre relation, et par la force des choses, Andy se retrouve donc seule ; dès le premier jour, elle est une veuve du rock'n'roll. Pourtant, je ne me souviens pas que Mike ou Tony en en aient alors souffert, ni leurs compagnes ; elles semblent omniprésentes. Je n'ai sans doute pas assez tapé du poing sur la table.

On réussit à quitter notre trou d'Epsom pour une maison sur Queen Anne's Grove à Ealing. Mais il faudra attendre l'année suivante, et la fin de la tournée de *The Lamb*, pour nous marier, ce que nous ferons civilement à East Acton. La jolie mariée porte une robe blanche, le marié, un œillet à la boutonnière, une barbe bien taillée et des Converse All Star flambant neuves achetées exprès. Fidèle à mes mauvaises habitudes, je n'ai pas une minute à consacrer à notre lune de miel.

En attendant, Peter n'étant plus là, Genesis doit encore régler l'épineux problème de son remplacement. On fait paraître une annonce dans *Melody Maker* : « Cherchons chanteur pour groupe style Genesis », une formulation qu'on espère assez ingénieuse pour préserver le secret et ne pas éveiller les soupçons de la presse.

La légende dit qu'on aurait eu quatre cents réponses. Je n'y crois pas, mais les services de Tony Smith ont peut être procédé à un écrémage plus sévère que je ne le pense.

Ce que je sais, en revanche, c'est qu'on reçoit de tout. Des bandes comme s'il en pleuvait. Des types qui chantent par-dessus nos disques. Qui jouent de la guitare sur nos morceaux. D'autres qui y ajoutent un peu de piano, un peu de ci, un peu de ça. D'autres encore qui s'enregistrent en train de chanter sur Frank Sinatra ou Pink Floyd. Avant de commencer les auditions, on fait un tri pour ne garder que les plus potables.

Parallèlement, on a trouvé refuge dans le sous-sol de Maurice Plaquet sur Churchfield Road à East Acton, un endroit que je connais du temps de mes éphémères cours de batterie. On est plongés dans l'écriture du septième album du groupe, notre premier à quatre – même si, au début, Steve est absent, occupé à finaliser son premier opus solo, *Voyage of the Acolyte*. J'ai l'impression qu'il aurait aimé avoir davantage son mot à dire dans l'écriture – mais c'était la chasse gardée de Tony, Mike et Peter qui, honnêtement, étaient meilleurs que lui. Et que moi aussi, bien sûr. Mais comme jusqu'à *The Lamb*, je n'avais pas écrit grand-chose, ça ne me gênait pas plus que ça. Steve, lui, cherche un exutoire et donc, sans susciter la moindre grogne ou discorde entre nous, il cultive son petit jardin en solitaire. Mike et moi jouons même sur *Voyage of the Acolyte* et je chante sur « Star of Sirius ». En toute amitié.

Même sans Steve pour commencer, on constate très vite, à notre immense soulagement, qu'on va s'en sortir sans Peter. Les morceaux nous viennent comme avant et ils sont de qualité. « Dance on a Volcano » est sorti de terre avant même l'arrivée de Steve ; « Squonk » et « Los Endos » suivent. Belle salve d'ouverture pour un album qui s'intitulera *A Trick of the Tail*.

Et puis patatras… Peter fait encore la une de *Melody Maker* : « Gabriel quitte Genesis ». La nouvelle a fuité avant qu'on ait eu le temps de se remettre en ordre de bataille.

Dans le milieu, on chuchote que c'est la fin de Genesis. Ben tiens ! Comment un groupe, quel qu'il soit, pourrait-il survivre au départ d'un chanteur, surtout aussi charismatique et créatif que l'était Peter Gabriel ? Il faut agir vite au cas où l'idée de notre naufrage prenne corps et nous poursuive à tout jamais.

Les commentaires de la presse, ainsi que des faits avérés, accréditent l'hypothèse que la belle aventure de Genesis est terminée. Un peu plus tôt, en octobre 1975, avant même le début de l'enregistrement de *A Trick of the Tail*, l'album de Steve est sorti ; et j'ai moi-même choisi ce moment pour m'acoquiner avec un autre groupe, ce qui n'a rien arrangé.

Mon engagement en pointillé avec Brand X commence fin 1974 quand je reçois un coup de fil de Richard Williams. Ancien rédacteur à *Melody Maker*, il est désormais responsable du secteur Artistes & Répertoire chez Island Records. Il me dit qu'un groupe intéressant, un « jam band » qu'il vient de signer, cherche un nouveau batteur.

Je me joins à eux pour des répétitions et on s'amuse pas mal. À l'époque, Brand X est plus funk que jazz. Ils ont un chanteur, mais comme la plupart du temps il n'a rien à faire, il se rue sur les congas (je compatis en frissonnant, soudain visité par le spectre de Phil Spector). On improvise beaucoup autour d'un motif et d'un seul accord. *Pendant des heures !*

Mais j'aime bien cette bande et j'aime bien la liberté qu'elle m'offre, du coup j'accepte d'intégrer Brand X à temps partiel, sans savoir vraiment où je mets les pieds. Il n'y a aucune date de concert prévue, juste de vagues rumeurs de disque. Mais, finalement, le guitariste et le chanteur partent vers d'autres horizons et il ne reste plus que le bassiste, Percy Jones, le clavier, Robin Lumley, le guitariste, John Goodsall et moi.

Dès l'instant où les quatre instrumentistes que nous sommes commencent à jouer, Brand X devient tout autre chose. C'est l'époque de la fusion et du jazz-rock, des genres souvent beaucoup trop alambiqués et bavards pour moi. Ce qui ne nous empêchera pas de faire quelques albums intéressants, notamment les deux premiers, *Unorthodox Behaviour* (1976) and *Moroccan Roll* (1977).

À l'automne 1975, le Genesis post-Peter adopte la devise « Un pour tous, tous pour un ». Notre attitude est celle du défi, « On va leur montrer ce qu'on sait faire ». Il faisait tout, Peter, hein ? Il écrivait tout, c'est ça ? Mais ce n'est pas parce que la tête de renard a disparu que nous aussi. Il nous manque peut-être encore un chanteur, mais les morceaux qu'il aura à se mettre sous la dent tiennent la route. Les rumeurs de trépas de Genesis sont très exagérées.

On installe du matériel et, tous les lundis, à Churchfield Road, on auditionne quatre ou cinq prétendants. Je leur apprends les parties vocales en les leur chantant pendant que Steve, Tony et Mike jouent en sourdine. On choisit des morceaux susceptibles de mettre en évidence leurs talents. Notamment « Firth of Fifth », de *Selling England by the Pound*, et « The Knife », de *Trespass* : des chansons-tests pour pouvoir juger de leur registre et de leur niveau. Des extraits seulement, mais qui demandent beaucoup à un aspirant chanteur. On est obligés de procéder ainsi : notre groupe est exigeant et le costume qu'a laissé Peter est large.

On cherche quelqu'un avec des qualités vocales, mais pas seulement. On se demande aussi s'il saura nous épauler pour l'écriture, ce qu'il apportera au groupe. On essaie de le cerner, de savoir si on aurait envie de lui dans notre famille. Car, pour l'heure, dos au mur, Genesis est un groupe très soudé. Un groupe de frères.

Ce rituel du lundi commence à me plaire car il me donne l'occasion de chanter. Il a toujours été acquis que, sur l'album en cours, je prendrai en charge quelques morceaux acoustiques, disons « Entangled » ou « Ripples ». Mais je sais que je ne pourrai jamais m'attaquer à « Squonk », « Dance on a Volcano » ou d'autres titres plus costauds.

Mais ce n'est pas un problème : on a besoin d'un nouveau chanteur et on fait tout pour en trouver un. Il ne me vient pas à l'idée – ni à celle de mes compagnons – que j'ai, ne serait-ce que de loin, l'étoffe du rôle.

Surtout, évidemment, parce qu'on sort tout juste de *The Lamb Lies Down on Broadway* : un double album copieux, audacieux, avec beaucoup de parties chantées – des parties chantées compliquées – et la panoplie théâtrale qui va avec. Comment pourrais-je, moi, escalader une falaise pareille ? Impossible. Et, honnêtement, je n'en ai aucune envie. Je suis bien mieux au fond de la scène.

Je suis également prêt à abattre mon joker : plutôt jouer dans un groupe instrumental que prendre le micro. Une idée, hélas, vite écartée. Car Tony et Mike aspirent depuis long-temps à écrire des chansons, c'est-à-dire des chansons avec des paroles, des paroles qu'il faut chanter. Mieux, ils veulent écrire des *tubes*, des titres qui entrent dans les hit-parades. Ils en ont toujours eu envie, ont toujours voulu écrire comme les Kinks et les Beatles. Et ça, avec un groupe sans chanteur, ni paroles, ni refrains, c'est impossible.

Il y a une certaine ironie à constater que leurs talents d'auteurs-compositeurs ont mis presque dix ans à atteindre ce stade de maturation et à produire des tubes. Et cela, au moment précis où se dessine une nouvelle réalité, dictée par la nécessité : je suis en passe de devenir le chanteur par défaut du groupe – du moins, dans le sous-sol de Churchfield Road.

Chaque soir, je retrouve Andy à la maison.

– Alors, ce chanteur, vous l'avez trouvé ?

– Non. Aucun ne répond aux critères.

On auditionne pendant cinq ou six semaines. On voit une trentaine de candidats. Ça commence à devenir lassant. Les jours passent – bien évidemment, il est déjà question d'une nouvelle tournée – et nous n'avons d'autre choix que de nous décider à entrer en studio. Au moins, on dispose d'une solide brochette de compositions.

Ça se fait chez Trident, avec un nouveau coproducteur, Dave Hentschel, et on enregistre à un train d'enfer. Je suis surtout impliqué dans « Los Endos », que je modèle d'après le rythme de « Promise of a Fisherman » de Santana, tiré de *Borboletta*, l'album de jazz-fusion qu'il vient de sortir. « Squonk » est car-rément zeppelinien. Et il y a « Robbery, Assault and Battery », preuve qu'il reste de la place pour les chansons « narratives » qui ont fait le renom de Genesis.

On est vraiment très contents de ces chansons. Elles ont de la force, de la fraîcheur et une certaine originalité. On a l'impression d'être un groupe neuf, et d'avoir le son qui va avec. Mais il faut vite s'y remettre, répartir les pistes d'accom-pagnement et décider qui écrit les textes de quelle chanson. La course contre-la-montre s'accélère car la musique est en boîte, mais on n'a toujours pas de chanteur. En fait, on s'est quand même décidés à en laisser entrer un. Mick Strickland est un peu au-dessus des autres et on le convoque chez Trident pour un essai. On lui donne à chanter « Squonk ». La toute première ligne est coton : « *Like father, like son…* » On ne lui demande pas sa tonalité ni sa tessiture. On lui colle le texte entre les mains. Débrouille-toi…

Le pauvre. Le morceau est à cent lieues de sa tonalité et on est obligés de le remercier. Quand je repense à Mick, je m'en veux. Moi aussi, j'ai été ce petit soldat obligé de chanter dans une tonalité imposée. À l'époque, personne ne voyait où était le problème.

Mais « Squonk » est un morceau nouveau, et j'aime bien son rythme. Plus prosaïquement, comme on n'a pas d'autre solution, plus rien à perdre et que les heures de studio s'accumulent, je pose la question : « Et si je tentais le coup ? » Les autres, en haussant les épaules : « Au point où on en est… »

Au fond de moi, je m'en sens capable, mais le faire *pour de vrai*, c'est une autre paire de manches. Parfois, la tête dit « oui », mais la voix crie « non ».

Je me lance malgré tout, même si je ne comprends pas toutes les paroles de Mike. Par la suite, Mike et Tony me raconteront que, comme dans une BD, ils ont cru voir s'allumer une ampoule au-dessus de leur tête. Dans la cabine de contrôle, ils se regardent et leurs sourcils parlent pour eux : « Mais ça le fait, on dirait ! » Rétrospectivement, ce moment aura été pour moi un tournant. Les conditions d'enregistrement étant idéales, on travaille d'arrache-pied jusqu'à ce que les voix soient en place et que la musique tombe parfaitement. Cela dit, je ne suis toujours pas prêt à prendre le micro sur scène.

Et pourtant, et pourtant… On est toujours dans le brouillard et l'incertitude. Le type auquel on avait finalement pensé pour faire les voix n'a pas fait l'affaire, et voilà que le batteur s'est jeté à l'eau et que ça ne sonne pas trop mal… mais sur tout un album ? Est-ce bien raisonnable ?

On fait quelques prises, on les peaufine, on revient le lendemain, on réécoute, tout le monde est d'accord : ça sonne toujours aussi bien.

Même si j'ai de gros doutes, ne viendrait-on pas de trouver un chanteur ? De la même façon qu'on peut trouver un billet de cinq livres sous les coussins d'un canapé.

On laisse de côté nos problèmes de recrutement pour l'instant, car il faut avancer. On expédie les morceaux les uns après les autres. « Robbery, Assault and Battery » fait figure d'exception, car il se met en place tout seul (je fais un peu mon Artful Dodger dans la partie vocale). Petit à petit, je démontre que non seulement je peux chanter les morceaux, mais aussi leur apporter quelque chose. Un peu de caractère, d'incarnation. Je peux les habiter sans recourir aux accessoires visuels de Peter.

Certains titres me donnent du fil à retordre. « Mad Man Moon », signé Tony, comporte des mélodies qui ne sont pas dans mes cordes, d'autant qu'il faut les apprendre à la volée dans le studio. Avec les années, je m'y ferai. « A Trick of the Tail » est aussi de lui, mais me convient mieux. Dans l'ensemble, chanter sur cet album est plus facile que ce que je pensais..

Et soudain, on arrive au bout. Je me dis malgré tout que cette histoire est sans lendemain. J'ai joué les bouche-trous, mais de là à tout assumer sur scène, c'est une autre affaire. Du coup, en effet, on n'a toujours pas de chanteur.

Je rentre à Ealing retrouver Andy et Joely.

Andy :

– Comment ça se passe, cet album ?

Moi :

– J'ai tout chanté et ça rend pas mal.

Andy :

– Alors, pourquoi ce ne serait pas toi, le chanteur ?

Moi :

– Mais tu es folle ! Moi, je suis batteur. Pas question d'aller me trémousser devant un micro. Il y a une vitre de sécurité entre le public et moi – ma batterie – et c'est très bien comme ça.

L'enregistrement terminé, on jette de nouveau une oreille aux bandes. « Vous êtes sûrs que ce n'était pas quelqu'un d'autre ? »

Non, ce n'était pas quelqu'un d'autre, et il n'y a personne d'autre.

Je finis par dire : « Bon, ben, le chanteur, ça pourrait être moi alors, mais... »

La situation paraît presque limpide, d'un seul coup. Après l'avoir étudiée sous toutes les coutures, il semblerait que le batteur soit la seule solution, l'ultime recours. Parmi nous, personne n'y croit vraiment. Le gars aux tambours, un bon chanteur ? Ça se saurait.

Je suis moi-même tiraillé, surtout parce que j'aime vraiment beaucoup la batterie. C'est mon territoire. Mais il faut voir les choses en face : ces chansons, je peux les chanter.

Un compromis est finalement trouvé. Je veux bien m'y risquer, à condition de trouver un batteur à mon goût car je ne tiens pas à passer mon temps à regarder par-dessus mon épaule pour le contrôler, pour disséquer son jeu. Et je ne suis pas très tenté par une double casquette, ça ne ressemblerait à rien. Don Henley s'en est bien tiré sur un morceau ou deux, Levon Helm aussi. Mais aucun n'aurait pu maintenir le contact avec le public pendant deux heures de concert. Le public se sent coupé du chanteur qui joue en même temps de la batterie, et le lourd arsenal du batteur fait obstacle à la relation entre le chanteur et la salle.

J'émets quelques réserves. Mais timidement, à contrecœur, en serrant un peu les dents, je me plie à cette idée. Et me résigne, au bout du compte, à devenir l'artisan de mon propre malheur. Je ne m'en rendrai compte que plus tard.

Bill Bruford, un ex-Yes, est un bon copain qui m'a fait découvrir beaucoup de batteurs de jazz. De passage sur une séance de répétition de Brand X – on est en train d'écrire *Unorthodox Behaviour* –, il me demande :

– Alors, comment ça va chez Genesis ? Vous avez trouvé un chanteur ?

– Pas vraiment. J'ai chanté tous les morceaux de l'album et ils veulent que je tente le coup sur scène. Mais pour ça, il faudrait qu'on trouve un batteur.

– Ben, pourquoi tu ne me le proposes pas ?

– Parce que ça ne t'intéresserait sûrement pas. C'est un peu trop Yes pour toi, non ?

– Mais si, ça m'intéresserait !

Et, l'instant d'après, Genesis a un nouveau batteur.

Du coup, je n'ai plus aucune excuse.

On se réorganise un peu pour s'adapter à ce changement de formation et de configuration. Ça se fait sans cérémonie. Naturellement. Je ne me souviens même pas des répétitions, ni d'une quelconque annonce officielle.

Bill s'intègre sans problème, même si c'est le genre de batteur à aimer se renouveler chaque soir. Je ne peux que saluer sa volonté d'apporter de la fraîcheur à son jeu, mais il devrait comprendre que certaines relances sont de véritables *signaux*, des repères pour Tony, Mike et Steve.

Et puis boum ! ça décolle. Nouvelle tournée, nouveau chapitre.

* * *

A Trick of the Tail sort en février 1976, et personne ne donne cher de ce nouveau Genesis. C'est peut-être une des raisons pour lesquelles les critiques sont bonnes : le pronostic vital du groupe était très, très mauvais. Puis le public écoute le disque, le trouve bon et le groupe reprend du poil de la bête : l'album devient numéro trois au Royaume-Uni, ce qui nous rassure puisque c'est aussi bien que *Selling England by the Pound*.

Un mois plus tard, on part pour Dallas où on doit répéter en public. La première date de la tournée *Trick of the Tail* se profile : London, Ontario, Canada, 26 mars. Ce n'est pas le fait de chanter que j'appréhende le plus, ni le face à face avec le public. J'ai fait mes armes sur *Oliver!* il y a bien longtemps. Non, le plus compliqué, c'est d'être sur scène avec, entre soi et la salle, un simple micro au lieu d'une rangée de cymbales. Quand on n'est pas du genre à se mettre des ailes de chauve-souris sur la tête et à s'envoler dans les airs, on fait quoi dans les moments où on ne chante pas ?

D'autres problèmes pratiques se posent. J'ai déjà prévenu que je ne serai pas capable de faire ce que faisait Peter. Je ne débarquerai pas avec un chemisier appartenant à Andy ou une peau de blaireau sur le dos. Quoi porter, alors ? Une salopette, ce qui faisait l'affaire quand je n'étais encore que batteur ? Ou est-ce que ça fait trop, disons, ouvrier ? Je veux bien porter une casquette et une redingote sur « Robbery, Assault and Battery », mais je n'irai pas plus loin dans le déguisement.

On me suggère des tenues de scène. Elles seraient prêtes à temps pour le concert de lancement, mais, pour ma première fois en tant que chanteur, je ne me vois pas avec quelque chose qui ne me correspond pas. Il faut que je me sente vraiment à l'aise. Alors va pour la salopette.

Autre problème. Peter avait un vrai talent pour régaler le public de petites histoires pendant que Mike, Tony et Steve s'accordaient. Il était le « Mystérieux Voyageur ». Moi, ce serait plutôt « Tonton Phil ». Dans la voiture qui me conduit de Toronto à London, je griffonne donc comme un forcené des idées de phrases à dire entre les morceaux. « Cette chanson parle de… euh… Merde, sur celle-là, j'ai rien à dire… »

Les lumières de la London Arena s'éteignent. Je jure en moi-même, j'expire bruyamment. Comment ça va se passer ? Tout le monde est mort de peur. Je prends mon rôle au sérieux, donc pas de petit remontant avalé en vitesse, encore moins de pétard de dernière minute. Soudain, l'importance de l'instant me submerge. Genesis est sur le point de monter sur scène avec un nouveau chanteur. Rares seraient les groupes à s'y risquer, encore plus à y survivre. En revanche, beaucoup ont parié sur notre échec, déjà rédigé l'épitaphe : « Genesis : au commencement était le verbe… et, à la fin, vint le désastre quand ils voulurent remplacer un chanteur de génie par un batteur de talent. Il ne reste d'eux que des morceaux. »

Moi, le gamin de vingt-quatre ans, taillé dans une baguette de batterie, je passe les trois quarts du show planqué derrière le pied de micro. Le micro, d'ailleurs, je n'y touche même pas. Si je l'enlevais de son support, ça ferait trop… tour de chant, justement. Cela dit, la fragile image de chanteur que j'ai de moi traverse le concert sans être trop écornée.

Pour la deuxième date, au Memorial Auditorium Complex de Kitchener dans l'Ontario, je sors une des tenues fabriquées pour moi : une combinaison une pièce, orange clair. Pattes d'éléphant, boutonnée sur le devant et un poil trop petite, du coup un peu moule-boules, ce qui, croyez-moi, est très gênant pendant tout un concert. Et elle est faite dans une matière synthétique qui pue dès que je transpire.

Mon calvaire commence à l'instant où je pose le pied sur scène. Je ne la porterai plus. Plus jamais. Juré.

En dehors de ce souci de garde-robe, les deux premières soirées se déroulent à merveille. On fait un medley de *The Lamb* – il faut amener le public en terrain connu –, mais je ne me sens écrasé par aucun des morceaux. Je les connais tellement bien, tous. Je les ai entendus à m'en crever les tympans. Et nous avons le devoir de jouer les titres préférés des fans, qu'ils soient difficiles, interminables ou touffus. Le devoir, aussi, de faire passer au mieux le message : *Genesis est toujours debout.*

Pourtant, quand je chante, mes mains restent souvent au fond de mes poches. Il me faudra un certain temps avant de pouvoir toucher le micro, le retirer de son pied, me promener avec. Ce n'est qu'à ce moment que je me dirai : c'est officiel, moi, Phil Collins, je suis chanteur.

Il s'agit d'une tournée de six semaines aux États-Unis et, là encore, de la première partie d'un périple mondial. L'Amérique reste en tête de nos priorités. En Allemagne, on récolte des regards vides – il faudra attendre *Duke* en 1980 pour être adoptés –, mais on se dit que les States peuvent remplir notre tiroir-caisse.

Au-dessus de nous, il y a Led Zeppelin ; eux, ils sont déjà au sommet. Dans notre catégorie, en Angleterre, on trouve Yes,

Emerson, Lake & Palmer, Supertramp, etc. Il nous manque encore un tube international. Pour l'instant, on ne passe que sur les radios FM. On est un groupe culte, mais un groupe culte à forte audience.

Les critiques et les interviews me mettent du baume au cœur, tout comme les encouragements d'Andy quand elle me rejoint sur la tournée avec Joely. Mes qualités vocales étonnent tout le monde. « Ouah, me dit-on, ça sonne bien ! On dirait Peter. » Je ne suis pas sûr qu'il faille le prendre comme un compliment mais, à ce stade, je prends tout ce qui vient.

Les réactions favorables affluent. À partir de London, Genesis et ses fans poussent ensemble un ouf de soulagement. On est extrêmement rassurés de voir qu'après le départ de Peter notre solution maison a fonctionné au-delà de nos espérances. Il aurait été très difficile de le remplacer par un chanteur extérieur. Mais c'est probablement aussi compliqué de le remplacer de l'intérieur.

En mai, nous rentrons chez nous et, après une coupure d'un mois, le 9 juin 1976, lors du premier de nos six concerts au Hammersmith Odeon, je fais mes débuts comme chanteur de Genesis sur le sol britannique.

D'une part, je commence à trouver mes marques à ce nouveau poste. D'autre part, la longue série de shows outre-Atlantique m'a habitué aux publics tapageurs, car le niveau sonore produit par les Américains lors d'un concert est étonnamment élevé. De retour en Europe, le groupe est frappé par le silence respectueux qui règne dans les salles : « Putain, eux, ils écoutent. » Il va falloir faire gaffe.

Le concert de Hammersmith se passe au mieux. J'ai enfin trouvé mon uniforme : salopette blanche et veste blanche. C'est là-dedans que je me sens bien. Je me glisse sans trop de problème dans la lumière de mon nouveau rôle. Je suis de plus en plus à l'aise sur scène, même si le micro reste encore sur son pied. La communication avec le public s'améliore elle aussi. C'est une compétence à développer car je suis maintenant celui qu'on veut interviewer. J'en suis flatté, bien sûr. Je peux enfin révéler au monde entier comment les choses se passent vraiment. Par la suite, je me rendrai compte que donner six interviews le même jour peut être préjudiciable à ma voix pour le concert du soir.

À mesure que je trouve (plus ou moins) ma vitesse de croisière, j'invente une nouvelle manière de jouer du tambourin. À un moment donné, lors de cette grisante enfilade de concerts, je me frappe la tête avec. Pas une fois, pas deux fois, mais sans arrêt. En rythme, à la fin de « I Know What I Like ». Cette lubie deviendra un rituel, la « danse du tambourin », un croisement entre une danse folklorique et le « ministère des Démarches à la con » des Monty Python. Cette petite touche d'exubérance très music-hall fait mon bonheur et celui du public.

En somme, Genesis a puisé en lui-même les moyens de sa survie. Mieux, il a rajeuni.

La tournée s'achève à l'été 1976 et, dès septembre, on entre aux Relight Studios de Hilvarenbeek aux Pays-Bas pour enregistrer le huitième album du groupe, *Wind & Wuthering*, toujours avec l'indispensable Dave Hentschel à la production. C'est la première fois qu'on enregistre hors Royaume-Uni et, en douze jours, toutes les pistes d'accompagnement sont terminées. Notre ardeur semble redoublée.

Ce qui n'échappe pas à l'attachée de presse de la maison de disques américaine chargée du dossier de presse : « Au milieu de toutes ces sollicitations, l'insatiable Phil Collins a pu glisser des dates de concerts et d'enregistrements avec son "deuxième" groupe, Brand X, sans parler d'autres séances… », claironne la plaquette de *Wind & Wuthering*.

Le chanteur un peu discutable que j'étais a maintenant pris confiance sans (j'espère) se prendre trop au sérieux. Mais on a du pain sur la planche et on s'y met. Là encore, l'écriture se fait à plusieurs mains. Steve et moi cosignons « Blood on the Rooftops » et tout le monde met son grain de sel dans « …In That Quiet Earth ». Je plaide fortement pour le groove à la Weather Report sur « Wot Gorilla » que je compose avec

Tony. C'est durant ces séances que Steve commence à se sentir évincé du processus créatif.

Mais ce qui me préoccupe plus que tout à l'époque, c'est que d'un moment à l'autre, Andy va donner naissance à notre premier enfant. Un événement considérable en temps normal mais qui, dans la mesure où je suis absent depuis si longtemps, prend une résonnance émotionnelle particulière. Comme Andy est enceinte depuis début 1976, elle n'a pas pu me rejoindre souvent sur la tournée de *Trick of the Tail*. Pendant qu'elle était coincée chez nous à Ealing, je parcourais le monde en apprenant le métier de chanteur.

Simon Philip Nando Collins naît le 14 septembre 1976 (Philip en référence à moi et Nando au père d'Andy). Rien n'aurait empêché Genesis de décaler la mise en chantier de l'album pour me permettre d'être à la maison pour cette naissance, sans panique ni retours en urgence en survolant la mer du Nord. Néanmoins Genesis est ce qu'il est et le spectacle doit continuer. Rétrospectivement, j'aurais pu dire : « Je me fous de Genesis, je me barre pour m'occuper de ma femme. » Mais chacun se doit de tout donner pour le groupe, même si, par la suite, viendront plusieurs tentatives de rétropédalage : « Ah, si seulement tu nous l'avais dit, on aurait pu repousser la date ! » Si, sur scène, je me suis enhardi en devenant chanteur, en privé, je suis trop timide pour l'ouvrir. L'habitude de la hiérarchie, domestique ou professionnelle, a la vie dure.

En somme, tous les musiciens sont égaux, mais certains sont plus égaux que les autres. Je suis en première ligne, je donne tout ce que j'ai – sincèrement, j'ai beaucoup fait pour sauver le groupe de la désintégration – et, pourtant, j'ai toujours l'impression de ne pas avoir le droit de faire de vagues (éternel manque de confiance en soi des Collins).

Heureusement, je suis prévenu suffisamment tôt pour pouvoir rentrer à temps pour la naissance de Simon au Queen Charlotte's Hospital de Hammersmith, dans l'Ouest de Londres. Notre bébé est placé en quarantaine pendant quelque temps à cause d'un problème de peau. Je lui rends visite régulièrement, ainsi qu'à sa maman. Je suis là depuis quelques jours, mais déjà on me demande de réintégrer mon unité aux Pays-Bas. Cette visite bien trop brève ne fait que renforcer Andy dans l'idée qu'elle passe après les autres. De mon point de vue, à cet instant précis, l'obligation l'emporte sur l'émotion : j'ai un autre album à finir et un autre problème personnel à régler.

Car après la tournée de *Trick of the Tail*, Bill Bruford s'est retiré pour former son propre groupe, UK, et le nôtre se retrouve encore le bec dans l'eau. J'appelle Chester Thompson, immense batteur américain. Je l'ai vu avec Weather Report et entendu avec Frank Zappa sur l'album *Live at the Roxy and Elsewhere* où il est associé à un autre batteur, Ralph Humphrey. Sur « More Trouble Every Day », ils se livrent à un fantastique duo de batterie qui me donne des idées pour notre groupe.

J'appelle Chester, il me dit oui sans jamais nous avoir rencontrés, on répète à quelques reprises et voilà, il est pris. Chester restera parmi nous jusqu'à la fin de notre tournée de retrouvailles en 2007.

Wind & Wuthering sort en décembre 1976, on démarre 1977 sur de bonnes bases – la tournée commence le jour de l'an – et, côté production scénique, on est passés à la vitesse supérieure. On a maintenant des lasers et des feux d'atterrissage de 747. En tournée, Genesis a maintenant le gabarit d'un gros porteur.

De mon point de vue de chanteur, tous ces accessoires, gadgets et autres lasers sont utilisés avec le plus grand discernement. Ils ne sont pas dérangeants. D'ailleurs, ces dispositifs visuels remplacent l'attirail de Peter. Quelques lumières, quelques effets – sans oublier un ou deux nouveaux titres – et le public semble avoir déjà oublié qu'auparavant le chanteur de Genesis était connu pour se déguiser en centurion ou en Casey Junior.

On donne maintenant de gros concerts. Au Rainbow à Londres – qui aurait reçu quatre-vingt-mille demandes pour huit mille billets. Trois soirs à Earls Court. Au Madison Square Garden de New York. Nous allons pour la première fois au Brésil et jouons devant cent cinquante mille personnes, chacun de nous se voyant attribuer un garde du corps pour éviter tout enlèvement. C'est une expérience totalement nouvelle. On s'embrouille avec la police militaire, on manque de se faire aplatir par un camion sur une autoroute, on fait un bœuf avec les musiciens locaux dans les bars, on profite du luxe des maisons de disques juste à côté de la misère des favelas, on se frotte au vaudou. Un voyage passionnant et terrifiant. J'en rapporte des percussions traditionnelles brésiliennes (dont un *surdo*, un grand tambour basse qu'on porte en bandoulière et dont je jouerai un jour sur « Biko », de Peter). Et bien sûr un piranha empaillé.

Les mois défilent dans une sorte de brouillard. On termine la tournée *Wind & Wuthering* à la Olympiahalle de Munich le 3 juillet 1977, on fait une coupure en août et, en septembre, on attaque notre neuvième album. Ce mois-là, Simon fête son premier anniversaire.

La fan base de Genesis s'étoffe à vitesse grand V et à un rythme constant. On joue maintenant dans des stades et, professionnellement parlant, on ne pourrait pas rêver mieux. Mais à la maison, les choses ne s'arrangent pas du fait de mon absence permanente. Avec deux jeunes enfants à materner, Andy est obligée de rester à la maison et sa frustration est visible.

À cette même période, celle de Steve transparaît également. Au lieu de lui enlever de la pression, la sortie de son album solo lui en a ajouté. Il veut prendre en charge davantage de titres sur les albums de Genesis. Le malheur des uns faisant le bonheur des autres, la nouvelle configuration du groupe a ouvert des pistes d'écriture inattendues et, alors que je prends de plus en plus confiance en mes qualités d'auteur, Steve estime ne pas encore disposer de l'espace créatif qu'il mérite.

Cet été-là, nous sommes à Londres pour mixer *Seconds Out*, album enregistré en public lors de nos quatre concerts de juin au Palais des Sports de Paris. Je suis en voiture entre Queen Anne's Grove et Trident, quand j'aperçois Steve dans une rue de Notting Hill.

— Je t'emmène au studio, Steve ?

— Euh, non. Je t'appelle tout à l'heure.

En arrivant au studio, je raconte cet étrange échange.

– Ah, il ne t'a pas dit ? Il est parti, m'apprend Mike.

Steve devait être trop gêné pour m'en parler. Mais, je l'apprendrai plus tard, il voyait aussi en moi la seule personne capable de le faire changer d'avis.

Donc Steve s'en va. Encore un qui mord la poussière. Mais si on a pu survivre à la perte d'un chanteur, on pourra survivre à celle d'un guitariste. On repart sans faiblir, avec un Mike qui met les bouchées doubles à la basse *et* à la guitare.

À l'automne, retour à Hilvarenbeek et, à la fin de l'année, fin de l'enregistrement d'un autre album, ...*And Then There Were Three...* Genesis n'a jamais eu autant de succès. Notre trio est convaincant et je suis convaincant en chanteur. On a l'impression d'être au seuil d'une nouvelle dimension. Pour l'atteindre, il faudrait juste être présent sur le terrain. Oui, être encore plus présent qu'avant.

Les incendies domestiques ? Ils se calment, puis repartent de plus belle. Avec nos deux petits sur les bras, Andy souffre beaucoup d'être seule, vraiment beaucoup. Les rares fois où je passe un tant soit peu de temps à la maison, l'atmosphère est tendue. On se dispute au bout de quelques mots. On s'aime, bien entendu, mais parfois il est évident qu'on ne se supporte plus.

Dans un couple, il est essentiel que les deux partenaires soient complémentaires. Ce n'est pas notre cas. Je ne suis pas doué pour la suspicion ni, disons-le, la paranoïa. Tandis qu'Andy peut s'arrêter sur un regard de travers, une parole entendue, et les soumettre à un examen méticuleux, infini, épuisant. Comme ce genre d'attitude me fait souffrir, je rentre dans ma coquille.

D'ailleurs nous souffrons tous les deux. Je me retrouve écartelé. Je suis passé de batteur à rock star, mais, au fond, je demeure attaché à ma famille, je reste avant tout un père. Quand je regarde Simon dans son petit lit, je me dis : *Tu n'as pas idée de ce qu'il se passe.* Moi non plus, si j'y réfléchis. Je veux que mon fils et ma fille aient un père et une vie de famille normale. Mais, au train où vont les choses, nous allons tous au-devant de déconvenues. Le succès de Genesis conspire contre nous.

Moins de quatre ans se sont écoulés depuis que mon amour de jeunesse et moi avons repris contact à Vancouver. Pendant cette période, nous avons connu des bouleversements colossaux. Un déménagement par-dessus l'Atlantique, la fondation d'une famille, le départ d'un chanteur, la promotion d'un batteur, la transformation d'un groupe culte adulé par les étudiants en une sorte de phénomène rock international. Mon nouveau statut de chanteur de Genesis a dopé ma vie professionnelle dans des proportions que je n'aurais jamais imaginées. Mais il semble aussi précipiter la fin de ma vie personnelle.

Pour autant, ai-je des regrets ou de l'amertume par rapport à ce que le groupe est devenu, à ce qu'il a fait de moi ? Je mentirais en disant oui. Il n'y avait pas d'autre solution. Il fallait reprendre le flambeau.

9

Un divorce qui fait du bruit

*Ou : comment de multiples tournées américaines
ont eu raison de mon couple, lancé ma carrière solo
et accouché de « In The Air Tonight »*

Début 1978. Comme le titre de notre nouvel album l'annonce, nous nous retrouvons à trois. Tony Banks, Mike Rutherford et moi-même venons de boucler l'enregistrement de ...*And Then There Were Three...* et Tony Smith convoque une réunion. En général, on y discute de notre avenir et, en général, on se retrouve au QG du groupe à Londres pour exposer nos doléances en buvant du thé.

Les réunions de Genesis sont toujours des moments propices aux engueulades. Il suffit que Smith nous soumette une proposition pour que je démarre : « Combien de fois faudra-t-il te le dire, je n'ai aucune envie de faire... (insérer ici un nom de tournée, une obligation promotionnelle, un concert à *Top of the Pops*, etc.). Et d'ailleurs, contrairement à ce que dit ton planning, un mois, c'est quatre semaines, pas cinq, alors impossible de tout faire. » Après quoi, je cède.

Mais pour une fois, on est tous sur la même longueur d'onde (peut-être aussi parce que maintenant les risques de désaccord entre nous sont moindres) : Genesis ne passe pas assez sur les radios américaines. Pas assez pour dépasser les grandes métropoles : New York, Philadelphie, Chicago et Los Angeles. Et si on ne rayonne pas plus loin que ces villes-là, c'est parce qu'on n'est pas franchement rock'n'roll. On est des garçons sérieux, parfois à l'excès, anglais, intellos et complaisants à l'occasion, qui inciteraient plutôt notre public à l'inertie, à rester assis en nous regardant jouer.

Donc, si on veut se faire connaître dans le Sud et l'Amérique profonde, il faut changer de tactique. Sauter dans nos tennis, prendre la route et pénétrer au cœur du pays pour toucher les marchés dits « secondaire » et « tertiaire ».

Bref, pour briser les défenses de l'Amérique, il faut jouer partout. Bien entendu, on n'envisage pas une seule seconde que l'Amérique puisse nous briser. Ou, plus précisément, qu'elle puisse briser l'un d'entre nous et son couple.

En conséquence, Smith et Mike Farrell, notre agent perma- nent, nous concoctent une grosse tournée américaine. Plus une autre. Plus une autre. Bilan, on se retrouve avec trois tournées américaines rapprochées. Plus deux tournées européennes. Et une petite tournée japonaise. « OK », dis-je. Une fois de plus, je cède.

En rentrant, je mets Andy au courant. « Chérie, super nou- velle : Genesis a une occasion inouïe de vraiment percer aux États-Unis… » Pour moi, la logique professionnelle qui me contraint à passer le plus clair de l'année en tournée est inat- taquable. Et la logique affective, personnelle, conjugale dans tout ça ? Je ne m'étendrai pas là-dessus.

La réponse d'Andy, en substance : « Très bien, si tu fais ça, l'année prochaine à la même heure, on n'est plus ensemble. »

Que les autres aient leurs états d'âme, soit. J'ai les miens également : *si je fais ça, c'est pour gagner ma vie*. Et maintenant que je suis chanteur à plein temps, si je le fais, c'est aussi pour que mes collègues gagnent leur vie.

Je fais remarquer (avec diplomatie) à Andy que quand nous nous sommes mariés, elle savait que c'était mon métier. Que, pour gagner de l'argent, je devais m'absenter régulièrement, fréquemment. Je lui rappelle gentiment qu'elle a signé en connaissance de cause. Mais, grande nouvelle (allons au bout des choses), quand Genesis en aura fini de cette débauche de tournées, nous n'aurons pas à recommencer. Ce n'est pas parce qu'on sera partis presque toute une année qu'on fera ça toute notre vie. Il s'agit de faire franchir au groupe un nouveau cap, de s'implanter sur les marchés américains mineurs pour que notre vie soit plus facile.

Andy et moi venons d'acheter une maison, Old Croft, à Shalford près de Guildford dans le Surrey, un peu plus loin de Londres que prévu initialement. Nichée au bout de routes de campagne sinueuses, c'est presque la réplique de celle des parents de Peter. Je suis parti du bout de la ligne pour arriver au bout de la lande. Pourtant, à l'époque, je suis loin de rouler sur l'or. Comme *A Trick of the Tail*, paru deux ans plus tôt, a été le premier album à créditer nommément ses auteurs, je touche des droits à titre individuel. Mais, même avec…*And Then There Were Three…*, les compositions ne me rapportent pas énormément. Nous avons donc sur les bras un gros emprunt et des enfants en bas âge (Simon a un an et demi et Joely cinq).

Le fait que je participe à ces tournées s'explique aussi par une raison moins tangible, par un principe hérité de mon éducation. J'ai certes échappé à l'atroce perspective de travailler à la City, mais je reste le fils de mon père. Je suis celui qui remplit la marmite, qui subvient aux besoins de sa famille, et il faut que j'aille travailler pour la nourrir. Pas pour me payer une piscine en forme de guitare ni une Rolls couleur champagne. Mais tout simplement parce c'est mon rôle.

Je pars donc en tournée et Andy continue de s'occuper de la maison. Sa première mission : remettre Old Croft en état. En commençant par les peintures.

Coup de chance, un cousin d'Andy, Robin Martin – un type charmant avec qui je m'entends à merveille – est décorateur. Mais comme il ne peut pas tout faire lui-même, il emploie de la main-d'œuvre bon marché. Notamment un type, pur produit de l'enseignement privé, qui fume la pipe et se promène en pantoufles. Le peintre-décorateur typique, vous voyez le genre ?

Un marginal au chômage que Robin a engagé pour travailler dans notre tout nouveau nid.

Et voilà comment démarre cette liaison.

Et voilà que je l'apprends.

Et, hélas, je me rappelle avoir appris la nouvelle – lors d'une conversation téléphonique particulièrement houleuse – alors que j'étais en tournée. Mais, à moins de déserter et d'en supporter toutes les conséquences financières, je n'ai d'autre choix que de continuer la tournée en prenant mon mal en patience.

Je rentre à la maison, au courant de la déplorable tournure des événements, sachant aussi que je dois reprendre la route presque aussitôt. Et les tournées des années 1970 ne sont pas celles de maintenant : ni courriels, ni Skype, ni FaceTime, ni portables. L'époque du télégramme n'est alors pas si lointaine.

De sorte qu'à mon arrivée, une discussion sérieuse (euphémisme) s'impose. Nous tentons bien de dialoguer, mais sans résultat. Je sais qu'Andy ne voit pas les choses de cette manière, mais c'est vraiment ce dont je me souviens.

Un après-midi, je suis à la maison avec les enfants quand Andy m'appelle pour me dire : « Je ne rentre pas ce soir. Je dors ailleurs. » Et je sais avec qui.

La crise que je pique alors est terrible. Je donne un coup dans un mur et je fais un trou de la taille de mon poing. Si ça n'avait pas été un mur, ç'aurait été autre chose. J'en suis là. Quand elle rentre le lendemain matin, je suis blême. Je suis aussi très, très triste. Car maintenant je sais que c'est fini. Elle aborde le sujet avec beaucoup de détachement, avec cette façon bien à elle que je connais par cœur. Je ne peux m'empêcher de penser à ce qui s'est sans doute passé la nuit précédente. Elle ne paraît pas affectée par ce qu'elle a fait, ni par ce qu'elle va nécessairement déclencher. L'idée que ses actes me mettent hors de moi ne semble pas non plus la perturber. « Je t'avais prévenu que ça arriverait. C'est ta faute », a-t-elle l'air de me dire.

Sur un petit plateau près du téléphone, il y a des pièces de monnaie et, de peur de m'en prendre à un autre mur, je les balance à travers l'entrée. Je n'ai pas l'intention de m'en prendre physiquement à elle, mais je n'en suis pas loin.

Ces événements ne peuvent qu'affecter les enfants. Plus tard, j'entends Joely et Simon jouer au papa et à la maman dans la salle à manger. Simon arrive avec sa voiture à pédales. « Pourquoi tu reviens ? T'as rien à faire ici ! », lui lance Joely. La vérité sort de la bouche des enfants.

Pourtant, croyez-moi ou pas, je m'acharne encore à vouloir que ce manège – notre couple, notre famille, notre nouvelle maison, le groupe – continue de tourner. Mais pendant que je fais tourner une assiette au bout d'une pique, j'en vois une autre tomber par terre.

J'implore Andy : « Attends juste que je rentre pour de bon. On n'a plus que deux semaines de tournée. Attends, et on en parle à mon retour. »

« D'accord, j'attends », me dit Andy.

Au Japon, dans la dernière partie de la tournée, il n'y a pas que les assiettes qui tournent. Comme Mike Rutherford le racontera dans *The Living Years*, je ne vois pas grand-chose du pays car j'ai découvert le saké, même si je reste toujours assez lucide pour jouer. Je découvre aussi le décalage horaire de sept heures et ses effets amollissants sur le cerveau. Pour un Européen moyen, le Japon d'il y a quarante ans, c'est une autre planète où on ne reconnaît et on ne comprend rien. Tout est opaque : la langue, les coutumes, les règlements ; on se débat avec un décalage horaire qui empêche quasiment de contacter qui que ce soit à la maison. C'est extrêmement perturbant. De sorte que, noyé dans cette brume cauchemardesque, je me cramponne au saké.

De mon retour définitif fin 1978, je garde le souvenir marquant d'un restaurant de Bramley, un village du Surrey non loin d'Old Croft. Ce que la mémoire conserve des moments de crise est étrange. Je me rappelle avoir commandé un risotto. Je me rappelle avoir été incapable de le manger. Je me rappelle aussi qu'Andy m'a annoncé que tout était fini entre nous. Mais aussi qu'elle emmenait les enfants et repartait au Canada.

Dans mes rêves, je vois un Noël – cette fête pas si festive que ça – dans la grisaille, où Andy part pour Vancouver. Pas question pourtant de renoncer à mon couple sans livrer une dernière bataille. Je demande aux roadies de Genesis d'emballer les meubles d'Old Croft car, début 1979, je décide de la suivre là-bas. Je vais m'installer à Vancouver, acheter une maison et reconquérir ma femme.

Avant de partir pour le Canada, j'ai une discussion avec Tony, Mike et Smith au pub The Crown de Chiddingfold, Surrey : « Si on peut continuer à jouer même quand je serai là-bas, le groupe est encore viable. Mais Vancouver, c'est à huit mille kilomètres, à huit fuseaux horaires et à dix heures d'avion d'ici, alors je doute qu'on y arrive. Ce qui signifie, je pense, que je vais devoir quitter Genesis. »

Tony, Mike et Smith me demandent de ne pas m'emballer. Si j'ai besoin d'une permission exceptionnelle, je l'aurai.

Me voilà donc parti pour la côte ouest du Canada. Mais rien – l'expatriation, l'achat d'une maison, la cour assidue à mon épouse – n'y fait : quatre mois plus tard, la situation n'a pas évolué. C'est la fin de mon mariage.

∗ ∗ ∗

En avril 1979, je suis de retour à Shalford, la queue entre les jambes, les cartons encore fermés dans cette maison où j'ai à peine vécu. La peinture est presque fraîche sur les murs (la peinture appliquée par le type qui a couché avec ma femme). Les parquets et les briques qu'on a choisis – c'est le grand chic fin seventies – donnent à notre intérieur un air encore plus désolé. Tout est dépouillé jusqu'à l'os, moi compris.

Je traîne ma misère dans cette maison avec des cartons pour toute compagnie. J'aurais pu réintégrer tout de suite Genesis, mais Mike et Tony ont profité de mon congé sabbatico-conjugal pour entreprendre les albums solos dont ils rêvaient depuis longtemps. Courant 1979, ils partent tous deux pour Stockholm enregistrer aux Polar Studios d'ABBA. Ils n'avaient pas prévu que mon opération reconquête tournerait court. Moi non plus.

De peur de perdre complètement pied, je réinvestis peu à peu mon énergie dans toutes les aventures musicales qui passent à ma portée. Quelqu'un me recommande à l'auteur-compositeur-interprète anglais John Martyn, celui de *Solid Air*, album folk jazz fondateur sorti en 1973. John me demande de tenir la batterie sur celui qui deviendra *Grace & Danger*. À mesure qu'on se découvre, il s'aperçoit que je sais un peu chanter et j'ajoute des chœurs sur le superbe « Sweet Little Mystery ».

Lors de ces séances, je tombe amoureux de John et de sa musique. Notre entente musicale est parfaite – à tel point que, deux ans plus tard, j'ai produit son album suivant, *Glorious Fool*. Mais avant cela, *Grace & Danger* se révèle, pour beaucoup, l'une de ses meilleures œuvres. Hélas, Chris Blackwell, le patron de Island Records, en est moins sûr. Comme moi, John est empêtré dans un divorce, ce qui explique sûrement notre grande proximité. Mais, pour Blackwell, les chansons sont un peu trop directes. John et sa femme Beverley ont fait des disques ensemble pour Island, et Blackwell est très lié aux deux. Du coup, il ne souhaite pas sortir une série de morceaux où l'émotion est aussi à vif.

Grace & Danger finira par voir le jour, mais un an plus tard. Comme j'ai du temps à revendre, je pars en tournée avec John et la même bande que celle du disque. Je vis cette période comme une merveilleuse libération. Comme une cure de jouvence, surtout parce que le groupe est à des années-lumière d'un mastodonte comme Genesis. On s'amuse beaucoup, peut-être trop parfois. John est un solide buveur, l'histoire musicale l'a depuis largement attesté. Il est également friand d'autres substances qui peuvent le rendre extrêmement mais sympathiquement imprévisible. Dans ces cas-là, si on se trouve dans les parages, il suffit de s'éloigner. Mais pour ceux d'entre nous qui travaillent à son contact, il semble alors possédé par le démon de l'autodestruction et on a du mal à ne pas se laisser entraîner.

Durant cette période, John vient habiter et jouer chez moi à de multiples reprises et, à tour de rôle, on appelle nos futures ex respectives. Ça se termine invariablement par des cris et un lancer de téléphone.

Du coup, on ouvre une autre bouteille.

Cercle vicieux...

Je renoue aussi avec Peter Gabriel. Il a un contrat avec un groupe américain qui lui coûte une fortune. « Si jamais tu as besoin d'un batteur... », lui dis-je. Je finis par me rendre à Ashcombe House, sa maison du Somerset, et j'y reste environ un mois avec lui et d'autres musiciens. Ensemble, on se triture les méninges pour alimenter son troisième album et on donne plusieurs concerts : Aylesbury, Shepton Mallet, festival de Reading. Sur scène, je quitte la batterie pour le rejoindre au micro sur « Biko », « Mother of Violence » et « The Lamb Lies Down on Broadway ».

Vu l'intérêt des historiens pour les prétendues tensions entre le Genesis époque Gabriel et le Genesis époque Collins, je tiens à signaler qu'à ce moment-là je joue beaucoup avec Peter. C'est peut-être de la vanité de ma part, mais je suis le meilleur batteur qu'il connaisse. Il peut compter sur moi. Comme Peter est lui-même batteur, il est assez exigeant.

Notre relation va bien au-delà de la simple sphère musicale. Contrairement à ce que d'aucuns se plaisent à penser, il n'y jamais eu entre nous la moindre animosité. Nous sommes très amis. Mais comme on dit dans la presse à scandale, la vérité n'a pas sa place dans une bonne histoire. Après avoir quitté Genesis, il a pu faire part ici ou là de ses humeurs – « Je suis enfin débarrassé de ces cons » (je résume) –, mais il n'a rien contre aucun d'entre nous en particulier. Au sein de Genesis, j'avais avec lui des liens étroits. Il savait pouvoir trouver en moi un fidèle comparse pour les intermèdes comiques qui ponctuaient ses histoires. Contrairement à Tony Banks, je n'avais pas de passif avec lui. Peter a peut-être été content que ce soit moi qui prenne sa place, plutôt qu'un nouvel arrivant, dans leur groupe de lycéens. Il ne s'est jamais exprimé là-dessus, ni avant son départ ni après. Et a toujours donné l'impression de m'accepter comme son successeur. Certes, par rapport à sa bande de chartreux du privé, j'étais un petit plouc du public. Mais j'étais son petit plouc à lui.

À la fin de l'année 1979, on prolonge nos retrouvailles aux Townhouse Studios de Londres, où je joue sur quatre titres de son troisième album solo, avec Steve Lillywhite à la production et Hugh Padgham à la console. J'interviens notamment sur « Intruder », le morceau sur lequel on développe un son de batterie avec un effet de *gated reverb*. Mais j'y reviendrai.

Parallèlement, deux membres de Brand X, Peter Robinson et Robin Lumley, s'installent à Old Croft pour me soutenir moralement. Une décision, à y repenser, pas très sage car ce sont de bien plus gros fêtards que moi. Robin amène sa copine américaine, Vanessa, avec qui j'aurai une aventure (pour la plus grande joie de Robin, qui s'en était un peu lassé ; et le chic fin seventies, c'est aussi ça, ne l'oublions pas). Peter établit ses quartiers à un bout de la maison, Robin à l'autre, dans ce qui devait être la chambre d'un des enfants. J'emménage dans l'ex-future chambre principale. Seul. Jamais la suite parentale ne m'a paru aussi peu accueillante.

Avant sa première et courte tournée américaine, Brand X enregistre un album, *Product*, à Tittenhurst Park dans le Berkshire. C'était le pied-à-terre de John Lennon, rendu célèbre par le clip-vidéo de « Imagine » et « offert » ensuite à Ringo Starr. Toujours propriété de Ringo, il sert alors de studio. Un studio qui tourne vingt-quatre heures sur vingt-quatre quand Brand X s'y installe ; il y a le Brand X de jour et le Brand X de nuit. Je fais partie de l'équipe de jour. J'ai aussi mes habitudes au Queen Victoria, un pub de Shalford, chaque midi et presque chaque soir. Nick et Leslie Maskrey, les patrons, deviendront de grands amis et confidents qui me soutiendront dans les moments difficiles. Je finirai par y faire de longues pauses, parfois en compagnie d'Eric Clapton. Nous sommes voisins dans la campagne du Surrey, mais j'avais déjà fait sa connaissance plus tôt cette année-là, alors que j'étais en studio à Londres avec John Martyn.

Les présentations se sont déroulées ainsi : John a joué avec Eric et le connaît donc bien. Un jour de grande fatigue lors des séances d'enregistrement de *Grace & Danger*, il cherche un moyen pour, disons, illuminer sa journée et se dit qu'Eric pourrait le dépanner. John l'appelle et lui demande si on peut passer chez lui à Ewhurst, à deux pas d'Old Croft. Mais Eric a dû lui dire non – John est déjà du genre à s'incruster, mais là, en plus, il veut venir acheter de la dope avec moi, un parfait inconnu.

On se retrouve donc dans un pub de Guildford. Si Eric ne me connaît ni d'Ève ni d'Adam, je me retrouve pour ma part assis avec une pinte de Guinness face à un de mes dieux (moi, sifflant des bières au pub avec celui que j'idolâtrais au Marquee…). Par la suite, je crains qu'Eric ne m'ait malheureusement pris longtemps pour quelqu'un qui profite de John quand il achète de la came.

Fin 1979, Eric et moi sommes devenus très proches. Cette amitié a pris de l'ampleur après que j'ai été introduit à Hurtwood Edge, la maison d'Eric et de son épouse Pattie Boyd à Ewhurst, par le biais d'un de leurs amis, Steven Bishop, rencontré à L.A. sur une tournée de Genesis.

Pendant cette période de battement post-Andy, privé de toute distraction côté Genesis, je suis à Hurtwood Edge presque tous les jours et passe souvent la soirée là-bas. Je fais connaissance de tous les copains d'enfance d'Eric, de Ripley. On part souvent en bande à Tottenham voir jouer les Spurs et West Ham, même si Eric est un inconditionnel de West Brom.

Un dimanche mémorable, après une longue halte dans son pub attitré de Ripley, Eric est trop en vrac pour conduire. J'étais venu avec lui dans une de ses chères Ferrari et il s'agit maintenant de la ramener au bercail. Il s'assoit sur le siège passager, moi sur celui du conducteur. Je n'ai jamais conduit de Ferrari. Eric me dit qu'il va passer les vitesses et que je n'aurai qu'à appuyer sur l'embrayage, le frein et l'accélérateur et tourner

176

le volant. Mission délicate, même si je n'avais pas été le type interdit de conduite chez Genesis du temps de la Hillman Imp et de la Mini Traveller. Ça part très mal et je souffre pour la boîte de vitesses de haute précision de la Ferrari mais, tant bien que mal, on réussit à rentrer et, la voiture et moi, on respire.

D'autres fois, on joue au billard jusqu'au petit matin, en buvant et en riant, puis en riant et en buvant encore un peu. On prolonge mes journées de blues par des soirées blues au Queen Victoria. C'est le début d'une belle amitié qui, durant quelque temps, me servira aussi de bouée de secours. Pendant des années, Eric et moi serons appelés à jouer des rôles importants dans nos vies respectives, personnelles et professionnelles.

En un sens, je savoure cette liberté imprévue et imposée. Auparavant, je n'avais jamais « traîné » avec des collègues musicos. Jusque-là, ma carrière a consisté à compléter des groupes ; je n'en ai jamais monté un avec une bande de copains. Cette façon de se marrer avec des potes est nouvelle pour moi, mais je prends très vite le pli.

À Old Croft, c'est la fête, si on veut, au sens où on passe des nuits blanches, mais surtout à regarder *L'Hôtel en folie* en boucle. Il n'y a que moi et les gars de Brand X, assis en rond jusqu'au matin, dans cette maison au bout d'une allée de graviers du Surrey, où le plus proche habitant – un militaire en retraite, le général Ling – possède un charmant cottage. Il faut voir ses massifs. De vraies cartes postales. On se marre, on joue à la guerre avec des flingues en plastique, ce qui doit légèrement déconcerter notre ancien combattant de voisin.

Brand X fait de même sur le disque (la mention « fusillade et tronçonneuse » suit le nom de Robin sur la pochette de *Product*) et sur scène, où ils jouent aux cow-boys et aux Indiens version jazz. On donne des concerts légèrement allumés, très monty-pythonesques, avec des bruits de bêlements et d'aboiements. Brand X sera un excellent moyen de me protéger contre moi-même. Un peu. Un temps.

Mais cette vie de patachon avec les gars de Brand X, aussi drôle et utile soit-elle, n'a qu'un temps. J'aime trop travailler, faire de la musique. Je siffle donc la fin de la récré et tout le monde lève le camp. Et je me mets à écrire... enfin, je ne sais pas ce que j'écris. Pas encore.

* * *

Pendant ce temps, du côté du groupe... Quand Genesis est passé au Japon, on s'est tous vu offrir gratuitement les toutes nouvelles boîtes à rythme Roland fraîchement sorties de l'usine. La CR-78 est alors ce qui se fait de mieux en matière de technologie musicale. On me dit que c'est le son de demain. Pour moi, c'est un progrès par rapport à la version cabaret-bar, mais ça reste très limité. Mike et Tony en prennent chacun une. Mais moi qui suis batteur, qu'est-ce que je ferais d'une boîte à rythme, de cet avenir qui me relèguerait dans le passé ? « Merci, sans façon », je réponds.

Mais de retour au pays, on se dit tous les trois que ce serait intéressant pour Genesis que chacun puisse enregistrer ses projets de morceaux chez lui. C'est déjà un peu la mode, à la fin des années 1970, d'avoir son petit studio chez soi.

Notre fidèle roadie, Geoff Callingham, maître ès technique et enregistrement, se met en quête du meilleur home studio et on s'équipe tous. Et là, soudain, cette CR-78, il me la faut ! Je décide que la chambre principale – celle qui aurait dû être la suite parentale – va devenir mon studio. Cette reconversion me paraît judicieuse.

Je transporte à l'étage l'antique piano Collard & Collard à cordes parallèles de 1820 de ma grand-tante Daisy. J'ai aussi un Fender Rhodes et un synthétiseur Prophet 5. Il se trouve que le précédent propriétaire d'Old Croft était un ancien de la marine, un capitaine de forte corpulence. Un soir, je tombe sur lui au Queen Victoria (il a déménagé dans la rue d'à côté) et il m'apprend qu'il avait fait renforcer les solives du premier étage. Dans son cas, c'était pour installer une baignoire assez imposante ; dans le mien, il s'agira de supporter le poids du piano de Daisy – et celui de mon avenir, quelle que soit la forme qu'il prendra.

J'ai aussi une batterie qui tente de se faire une place à côté de la boîte à rythme dont j'ai dit que je ne voulais pas. Mais cette vieille et fidèle compagne se voit bientôt délaissée à mesure que croît mon affection pour la CR-78. Et si, tout compte fait, cette technologie à la mode ne m'envoyait pas aux oubliettes ?

Au cœur de mon studio improvisé, au cœur de ma maison sans maisonnée qui sonne creux, au cœur de ce verdoyant Surrey, je passe mon temps à jouer, dans tous les sens du terme. À bricoler. Sans grandes ambitions. Mes connaissances techniques s'arrêtent là où commence le manuel d'utilisation. Dès l'instant où je vois les aiguilles bouger et que j'ai du son en retour, je suis heureux. Ça veut dire que j'ai réussi à enregistrer quelque chose. À ce stade, le contenu importe peu.

Je programme des parties rythmiques assez simples et je fais ma petite cuisine sur le huit-pistes. Au retour du pub après déjeuner – après deux pintes maxi –, re-petite cuisine. Au bout d'un an, mes bidouillages prennent lentement forme. Ils n'en restent pas moins des bidouillages, des griffonnages. Rien n'est vraiment prêt ni fini.

Mais peu à peu, sans même que je m'en rende compte, les griffonnages deviennent des esquisses, les esquisses des silhouettes, les silhouettes des mini-portraits. Et les mini-portraits, des chansons.

Les textes ? Ils me viennent spontanément. Sans filtre. Comme en jazz, j'improvise, les paroles sortent toutes seules pendant l'enregistrement de la voix témoin. Les sons roulent dans ma bouche, deviennent syllabes, puis mots, puis séquences, puis phrases.

Un jour me tombe du ciel une jolie suite d'accords. Elle se situe à l'extrême opposé de « The Battle of Epping Forest ». À mesure que je tâtonne à travers les méandres de mon nouveau studio, que je bricole les sons sortis de mon imagination, me reviennent en tête d'anciens morceaux de Genesis comme celui-là, comme ceux de *The Lamb* : de la musique écrite sans savoir ce qu'il en sortirait, un peu trop fouillée.

Il n'y a jamais eu beaucoup d'« espace » dans la musique de Genesis. Or l'espace, c'est ma quête. Une chose est sûre, les morceaux que je risque d'enregistrer auront de quoi respirer. Cette composition embryonnaire, bâtie autour de cette jolie suite d'accords, illustre parfaitement ce que je cherche. Sans même y penser, j'ai bientôt un titre de travail inspiré par les paroles que j'ai trouvées : « In The Air Tonight ».

Ce morceau encore hésitant est un bon exemple de ce à quoi aspire l'auteur-compositeur encore assez novice que je suis. De quoi parle-t-il ? Aucune idée car, hormis peut-être un ou deux vers ou mots, il est totalement improvisé. J'ai gardé la feuille d'origine toute raturée, avec l'en-tête du décorateur – pas le deuxième, hein ; le premier, Robin Martin, celui qui a justement engagé le barbouilleur qui m'a cocufié. J'y ai écrit ce que je venais de chanter. « In The Air Tonight » est une production à 99,9 % spontanée. Les paroles me sont venues de nulle part, comme dans un rêve.

« If you told me you were drowning, I would not lend a hand[1] *»* : une phrase dictée par la rancœur, la déception, je le sais parfaitement. C'est ce que je ressens alors. *« Wipe off that grin, I know where you've been, it's all been a pack of lies*[2] *»* : je contre-attaque, je refuse d'abdiquer, je lui rends la monnaie de sa pièce.

Ce message est pour Andy. Chaque fois que je l'appelle à Vancouver, elle a du mal à m'entendre, au propre comme au figuré. Elle semble hors d'atteinte.

Je communique donc par chanson interposée. Quand Andy entendra ces paroles, elle se rendra compte à quel point je souffre, à quel point je l'aime, à quel point mes enfants me manquent, et alors elle comprendra. Et alors tout ira bien.

J'en ai d'autres de la même veine : « Please Don't Ask » et « Against All Odds » font partie des morceaux écrits à cette époque.

---

1. « Si tu me disais que tu te noies, je ne te tendrais pas la main. »
2. « Efface ce sourire, je sais où tu étais, ce ne sont que des mensonges. »

LABOUR PAYMENTS

NAME: ADDRESS:

Received from R. MARTIN (DECORATORS) in payment for labour

only the total sum of: £   ,

during the period: to   .

1

2   Signed:

3

4   Date:

5

6

7

8

9

10

11

12

[handwritten notes in right column, largely illegible:]

I can feel it coming in the air
I've been waiting for this moment
I can feel it in the air
the been waiting for the moment
I can feel it coming in
well i've been waiting
I can feel in the air
and the been waiting
I can feel it coming
well the been waiting
I can feel rain — the

[handwritten numbers in centre column:]
23
23
24
24
23
24 23
24
23
24 23
24 23
24

Et pourtant… je viens de lui dire que si elle se noyait, je ne lui tendrais pas la main. C'est une période de hauts et de bas. Ce que j'écris découle des conversations qu'on a au téléphone, ou qu'on a essayé d'avoir.

Les esquisses de morceaux que j'accumule lentement tout au long de 1979 ne répondent à aucun schéma précis, tout comme l'idée de « premier album solo » reste abstraite et lointaine. Mes émotions et mes intentions varient d'un jour à l'autre. Un jour, Andy peut vraiment me mettre hors de moi en me raccrochant sans arrêt au nez – et ce soir-là, dans mon studio, je vais être d'une humeur massacrante. Mais le lendemain, je pourrai écrire quelque chose comme « You Know What I Mean ». Dans un registre plus plaintif, sincère, brisé, démuni.

De l'émotion brute naît une vérité instinctive. Le texte et le message de « In The Air Tonight » – j'en prendrai conscience plus tard – sont largement supérieurs à la somme de leurs parties. « *I've been waiting for this moment all my life, oh Lord…*[1] » Tout ici est subliminal, inconscient. Ces paroles s'accordent à la musique. Les couplets suivent une sorte de scénario, mais il n'y a pas forcément de lien entre eux et ma colère. Ces paroles ont été disséquées par des tas de gens à maintes reprises. Un type m'a donné la thèse qu'il a faite à l'université ; il a compté le nombre de fois où j'avais employé le mot *the*. D'autres évoquent des théories du complot autour d'une véritable noyade dont j'aurais été témoin.

Que signifie « In The Air Tonight » ? Elle signifie que je continue de vivre, ou que j'essaie.

---

1. « J'ai attendu cet instant toute ma vie, si tu savais… »

10

Face Value, valeur sûre

Ou : comment certains airs bricolés dans ma chambre finiront par se vendre plutôt bien

Que vont penser Tony et Mike de mes créations maison ? Dois-je leur donner la possibilité d'utiliser « In The Air Tonight » sur l'album de Genesis qui, en 1980, deviendra *Duke* ? Dois-je, en somme, leur dévoiler mes recherches personnelles ?

Rien n'est encore décidé. Mon contrat d'écriture pour 1979 est rempli. Les morceaux sont loin d'être enregistrés en bonne et due forme, mais les démos sont prêtes. Et après une année où chacun de nous a œuvré dans son coin, Mike et Tony ont bouclé leurs premiers albums solo, respectivement *Smallcreep's Day* et *A Curious Feeling,* et sont impatients de s'attaquer au prochain projet du groupe. Ce qui me va tout à fait – à l'époque, je n'envisage pas encore cette série de nouvelles compositions comme un « album ». Mais, pour moi, une chose est sûre : ces morceaux nés sur les décombres d'une union conjugale en ruine sont les plus personnels que j'aie jamais écrits. De sorte que, quand on commence à travailler sur *Duke* au moment où les années 1970 tirent leur révérence, je me montre protecteur envers eux.

Je propose de transférer les séances d'écritures de ce nouvel album dans la seconde grande chambre d'Old Croft, ce que

Tony et Mike acceptent sans broncher. En termes de compositions collégiales, les tiroirs sont vides. À part quelques bribes, le meilleur de la production de Mike et Tony est passé dans leurs disques solo. Toutefois, cette parenthèse a été bénéfique pour Genesis en nous permettant de souffler, d'évacuer la pression. Avant, quand Tony arrivait avec un morceau déjà ficelé, il avait tendance à passer en force : « C'est une chanson que j'ai écrite, donc je veux que Genesis la fasse. » Ce n'était pas dit comme ça, mais c'était l'idée.

On se met donc d'accord pour que chacun garde, en vue d'un futur projet solo, ce qu'il aura finalisé de son côté. Les idées incomplètes mais prometteuses, elles, seront présentées au groupe.

Mike apporte deux compositions d'une grande force, « Man of Our Times » et « Alone Tonight », de même que Tony avec « Cul-de-Sac » et « Heathaze ». Je leur fais écouter une demi-douzaine de mes démos et ils me disent : « Ces deux-là, "Misunderstanding" et "Please Don't Ask", sont super. » Dans la première, ils perçoivent comme des effluves des Beach Boys, un groupe qu'ils aiment bien. Dans la seconde, très personnelle, j'ai repris le ton adopté par David Ackles pour « Down River », celui d'une conversation. Pour moi, il était improbable que le groupe la retienne, tant elle est intime et différente de ce que Genesis a fait jusque-là.

La main sur le cœur, je ne me souviens pas leur avoir caché « In The Air Tonight ». Et pour cause : à l'époque, je ne lui trouve rien de spécial, je ne considère pas cette chanson spécialement comme une perle rare – à mes yeux, mes compositions de 1979 sont toutes des perles rares. Pour être franc, je veux toutes les garder pour moi car j'ai des idées très précises sur la façon dont elles doivent sonner. Mais en même temps, comme je ne suis pas encore certain de faire un disque solo, ce prochain album de Genesis pourrait bien être ma seule chance de sortir ces titres.

Mais je sais aussi que je risque de perdre définitivement le côté aéré de ce morceau. Car dès qu'on apporte des idées de composition au groupe, Tony et Mike se précipitent pour y ajouter les leurs. Et même si la minutie, la maniaquerie de « The Battle of Epping Forest » sont loin derrière nous, elles ne le sont pas encore assez pour que je leur dise : « Faites ce que vous voulez avec "In The Air Tonight". »

Pour autant, quitte à me répéter, je ne me rappelle pas l'avoir gardée par-devers moi. Je pense leur avoir fait écouter tout ce que j'avais, à part peut-être « Against All Odds » car, à mon sens, ce n'était qu'une face B. Dans mon souvenir, ils ont donc choisi de ne pas choisir « In The Air Tonight ». Mike ne se souvient de rien, que la réponse ait été positive ou négative, mais Tony assure ne jamais l'avoir entendue – sinon, il l'aurait interceptée pour qu'elle figure sur *Duke*.

On n'aura donc jamais le fin mot de cette histoire.

Mais s'il y a bien une chose que je n'ai pas oubliée : Tony disait souvent que mes chansons n'avaient que trois accords et qu'elles ne pouvaient donc pas prétendre être « genesi-sées ». À ce compte-là, sans la batterie et les ornements, « In The Air Tonight » se résume à une partie de boîte à rythme et trois accords. Il est donc très probable qu'elle ait échappé à Tony.

Fin 1979, nous quittons Old Croft pour Stockholm et les Polar Studios. Nos compositions pour *Duke* sont vraiment fortes et, en matière d'écriture, je suis en phase d'apprentissage intensif. Je n'écris « convenablement » que depuis un an. En dehors d'avoir proposé « Misunderstanding » et « Please Don't Ask », mon rôle au sein de Genesis reste ce qu'il était. Ces titres plaisent à Tony et Mike, mais j'ai l'impression que, pour eux, je suis d'abord l'arrangeur du groupe. Malgré tout, je gagne en confiance, j'avance doucement.

Mike a trouvé un riff de guitare lent en 13/8, une mesure bizarroïde, que je lui suggère d'accélérer. Ce qui donnera « Turn It On Again ». J'utilise la CR-78 sur « Duchess » et c'est la première fois que cet engin nous sert en studio. Je m'en suis servi pour mes maquettes et, après avoir passé un an avec lui dans ma chambre, je sais ce qu'il a dans le ventre. Il ne faut pas lui en demander beaucoup, mais, sur « Duchess », il fait des merveilles.

À un moment donné, « Behind The Lines », « Duchess », « Guide Vocal », « Turn It On Again », « Duke's Travels » et « Duke's End » sont habilement réunis sous la forme d'un unique morceau de trente minutes autour d'un personnage nommé Albert, que l'on voit sur la pochette de l'album dessinée par l'illustrateur français Lionel Koechlin. Mais sachant qu'un monolithe de cette longueur ne pourra qu'être comparé à « Supper's Ready », on préfère s'abstenir. On a changé de décennie et les « suites » occupant toute une face d'album sont peut-être moins prisées qu'avant. Du passé, faisons donc table rase.

Duke correspond à la percée commerciale du groupe, en particulier en Allemagne. L'album déclenche là-bas une Genesis-mania, prolongée par une Phil Collins-mania. Les ventes sont aussi très bonnes en Grande-Bretagne, mais l'album se fait démolir dans *Melody Maker* et j'ai droit en quelques occasions au titre de « Boulet de la semaine » dans la presse musicale.

Pourquoi ? À cause du trio *Melody Maker-NME-Sounds* et de son vieux réflexe de se méfier de tout gros succès – en arguant un nivellement par le bas pour plaire au plus grand nombre. De plus, le rock progressif est en passe de devenir indésirable dans des journaux gourmands de musique indé, de post-punk et de new wave. Étant le chanteur de Genesis, je m'expose à leur courroux. Cela dit, je fais amende honorable en reconnaissant qu'il est parfaitement possible que, avec ce succès, j'aie pu faire preuve de suffisance sans le vouloir.

Quand l'album sort, le 28 mars 1980, la tournée de *Duke* a déjà commencé. Lors du deuxième de nos trois concerts au Hammersmith Odeon, Eric Clapton – qui y assiste sur les conseils de Pattie – se rend enfin compte que je sais faire autre chose que jouer au billard, boire des coups et massacrer les boîtes de vitesse des Ferrari. Il découvre que je suis musicien comme lui, une révélation qui, je l'apprendrai plus tard, le surprend un peu. On parcourt le Royaume-Uni de long en large jusque début mai, on s'interrompt une semaine, puis on reprend au Canada pour une partie nord-américaine qui s'étire jusqu'à la fin juin.

Le troisième concert canadien a lieu à Vancouver et, une fois sur place, j'en profite pour appeler Andy. Le divorce traîne en longueur, mais la flamme que j'entretiens pour elle n'est pas encore tout à fait éteinte et mes enfants me manquent terriblement. Je me dis que c'est peut-être le moment de se réconcilier. Le groupe reste environ trois jours en ville et je suis accueilli chez sa mère. Mme Bertorelli et moi avons toujours été proches et je l'adore, avec ou sans sa fille.

Dans une ultime et optimiste tentative de reconquête, je réserve une nuit au Delta Inn de Vancouver, j'y invite Andy, je mets dans le lecteur ma compile de titres irrésistibles – « Fool (If You Think It's Over) » de Chris Rea et la ribambelle de chansons d'amour que je connais –, j'ouvre le champagne et j'offre des roses. Le romantique qui sommeille en moi se dit : *Ça ne peut que marcher.* Car qui peut nier, à défaut d'autre chose, le pouvoir de ces intemporelles et merveilleuses chansons d'amour et de rupture ?

L'effet produit est nul.

* * *

De retour au Royaume-Uni en cet été 1980, je reprends les chansons écrites l'année précédente. Le temps est venu de mettre mes enregistrements au diapason de mon cœur.

La façon dont je réalise l'album qui va devenir mon premier opus solo donnera le ton à tout ce que je ferai par la suite : enregistrement des voix à la maison ; improvisations vocales ; réécoute et écriture de ce que j'ai chanté – ou de ce que j'ai cru vouloir chanter. Quand je relis mes notes, il arrive que tout soit presque déjà en place ou que tout soit à jeter. Une chanson se construit, lentement ou rapidement. On peut la sentir venir dans l'air du soir. Mais c'est rare. À compter de ce jour, je procéderai ainsi pour tous mes disques.

Avant de parler d'album, il me faut douze ou treize titres, les mettre sur une cassette à faire écouter à quelqu'un. Finalement, un jour, Tony Smith écoute mes démos, sur le lecteur de la Mini, ainsi qu'Ahmet Ertegun, le patron d'Atlantic Records, notre maison de disques américaine. En fait, je dévoile mes travaux personnels à Ahmet avant le début de la tournée de *Duke* – mais uniquement parce que, manque de chance, c'est moi que Genesis a désigné pour lui faire découvrir *Duke* dans son pied-à-terre londonien.

On boit quelques verres et même un peu plus. Ahmet demande de mes nouvelles – il est au courant de mon divorce imminent –, je lui dis que ça va et que d'ailleurs j'ai composé quelques trucs…

Je n'avais pas vraiment prévu de lui passer quoi que ce soit de mon cru. Mais j'ai toujours une cassette dans la voiture pour pouvoir écouter mes maquettes et trouver de nouvelles idées. Bref, Ahmet écoute les démos et déclare avec un enthousiasme teinté d'empathie : « TU TIENS UN DISQUE, LÀ ! » Oublié, tout à coup, le nouvel album de Genesis. « Phil, tu DOIS en faire un disque. Si je peux t'aider, je le ferai. Mais il faut en faire un disque ! »

Ouah. C'est extrêmement important pour moi d'entendre ce monsieur, pour qui j'ai un respect infini, prononcer ces paroles. Lui qui a découvert Aretha Franklin, Ray Charles, Otis Redding estime que, pour moi aussi, ça peut marcher. Lui qui a produit nombre de disques chers à mon cœur apprécie ce que je fais. Je ne peux guère en demander plus.

Et j'ai besoin de ce soutien. Cette séparation m'a laminé et je me dis que je suis un pauvre type… J'avais annoncé à mes camarades que j'allais à Vancouver pour recoller les morceaux et je suis rentré bredouille. Ensuite, Tony et Mike sont partis pour de nouvelles aventures musicales en solo tandis que j'ai renfilé ce costume étriqué de batteur chantant.

Donc, oui, je ne suis pas vraiment fier de moi. Et voilà qu'un des plus grands pontes de l'histoire du disque est séduit par ce que je fais dans mon coin. Grâce aux encouragements d'Ahmet, je me décide à enregistrer mon premier album solo dès que j'en aurai fini avec les obligations de *Duke*.

Je suis bien conscient de l'ironie ultime de la situation : si je n'avais pas été fracassé par l'explosion de mon couple, mes débuts dans la composition en solitaire auraient eu une tout autre allure. Ç'aurait sûrement ressemblé à du Brand X, à du jazz instrumental à la Weather Report. Si ce n'était pas si triste, ce serait drôle.

Nénamoins, les morceaux que j'ai écrits ne sont pas tous sinistres. « This Must Be Love » (« *Happiness is something I never thought I'd feel again / but now I know / it's you that I've been looking for*[1] ») et « Thunder And Lightning » (« *They say thunder / and they say lightning / it will never strike twice / but if that's true / then why can't you tell me / how come this feels so nice*[2] ? ») restituent mon parcours personnel. Ce sont les chansons de Jill.

Je rencontre Jill Tavelman à la fin du mois de mai 1980 à Los Angeles, après un concert de la tournée de *Duke* au Greek Theatre. Comme Tony Smith est en plein divorce lui aussi, nous sommes l'un et l'autre de tout nouveaux célibataires. En général, après les concerts, je ne sors jamais avec les organisateurs, mais là, pour une fois, on part en ville ensemble.

Ce soir-là, on décide tous les deux d'innover : on demande à la limousine de nous laisser au Rainbow Room sur Sunset Boulevard. C'est une institution de la scène rock de L.A., le repaire des techniciens de tournée plus que celui des groupes. C'est aussi un endroit pour draguer les filles. Les deux sont sans doute liés.

On se glisse dans un box et on étanche notre soif post-scénique. J'étire mes bras derrière la tête quand, soudain, une paire de mains saisit les miennes. Je me retourne et découvre une fille, cheveux courts, très mignonne, genre Fée Clochette.

---

1. « Jamais je n'aurais cru recroiser le bonheur / mais maintenant je le sais / c'est toi que je cherchais. »

2. « On dit que le tonnerre / on dit que la foudre/ne frappent jamais deux fois / mais si c'est vrai / comment se fait-il, dis-moi, / que je me sente si bien ? »

Elle a l'air réjoui. Et elle est avec une amie. Très vite, on se retrouve tous à la même table.

Nous sautons tous les quatre dans la limousine, direction L'Hermitage, l'hôtel du moment à L.A. Je ne comprends pas trop ce qui se passe, toujours est-il qu'un peu plus tard dans la soirée je me retrouve au lit avec Jill et sa copine. Ça ne m'est jamais arrivé avant, ni depuis. Je précise qu'il n'est pas question de galipettes. Je me demande surtout ce qu'il faut faire quand elles sont deux. Pour d'autres, ce serait le paradis. Pas pour moi. La gêne, sans doute. En fait, le (encore assez) jeune Phil Collins est mort de trac.

Originaire de Beverly Hills, Jill est une fille de vingt-quatre ans cultivée, qui a des goûts musicaux affirmés (entre autres pour Iggy Pop). Je m'aperçois qu'elle n'est pas comme les autres, qu'elle mérite mieux qu'une étreinte à la va-vite. On se revoit plusieurs fois et, avant mon départ de L.A., Jill passe à l'hôtel pour me dire au revoir. Elle m'offre un livre de Steve Martin, *Cruel Shoes*. Elle sait que je suis un grand fan de lui. Je découvre qu'elle a pour parrain Groucho Marx. Je ne sais pas trop quoi penser d'elle.

Je l'invite à me rejoindre sur la tournée et, cinq jours plus tard, elle atterrit à Atlanta. Le problème, c'est qu'au Hyatt Regency il y a un autre Collins et que c'est la clé de sa chambre qu'on donne à Jill. C'est un honnête musicien – un joueur de cornemuse écossaise qui est là avec son clan pour se produire en grande tenue des Highlands – et, quand elle arrive dans sa chambre, il est sous la douche. En entendant une voix féminine, il redevient tout fringant, pensant que ça fait partie des clauses en petits caractères du contrat. Il s'en faut d'un cheveu que la pudeur ne soit offensée, ce qui, du coup, empêche Jill d'élucider le mystère qui turlupine la plupart des Américains : que portent les Écossais sous leur kilt ?

Brusquement, il semblerait que nous formions un couple. Je réagis à ce nouveau statut d'une façon qui, chez moi, est en passe de devenir une seconde nature : je dédie à Jill des chansons, accouchant avec une aisance béate de « This Must

Be Love » et « Thunder And Lightning ». On se parle régulièrement au téléphone et, quelques mois plus tard, quand je reviens à L.A. enregistrer des parties de cor pour mon futur album solo, Jill passe au studio. Elle est accompagnée de sa mère et elle nous présente. Par la suite, Jane, sa chère maman, lui dira : « Tu sais, chérie, l'amour est aveugle. » Ça fait un peu mal, mais je tournerai le compliment à mon avantage : cette phrase réapparaîtra dans le texte d'une chanson, « Only You Know And I Know » sur *No Jacket Required*, sorti en 1985.

Je fais la liste de ceux avec qui je souhaite collaborer sur ce projet encore vague d'album solo non jazz : Eric Clapton, David Crosby, la section de cuivres de Earth, Wind & Fire, Stephen Bishop (qui me renverra l'ascenseur en m'offrant « Separate Lives »), l'arrangeur de cordes Arif Mardin, le bassiste de jazz Alphonso Johnson. Toutes mes idoles, en fait.

C'est facile de travailler avec Eric. Comme la maison qu'il partage avec Pattie à Ewhurst n'est qu'à un quart d'heure de Shalford, je passe souvent la nuit chez eux. Pattie a un petit béguin pour moi et j'ai toujours eu un faible pour elle, depuis que mes yeux se sont posés la première fois sur elle en collégienne dans *A Hard Day's Night*. À tel point qu'un soir de Saint-Sylvestre, Eric explique en rigolant à Mick Fleetwood que, pendant qu'il est sur la route, je me tape Pattie – et, par-dessus le marché, Jenny (la sœur de Pattie), ex-épouse de Mick. Celui-ci se marre, mais moi, évidemment, je suis gêné, d'autant que Joely et Simon sont à côté de moi.

Du coup, je passe tout mon temps là-bas. On picole et il faut parfois mettre Eric au lit, mais ça ne va jamais plus loin. Voilà le genre d'homme – et le genre de buveur – qu'il est. Il frôle la limite. Moi, je suis trop raisonnable. Je laisse la limite aux autres.

Sur cet album solo toujours sans titre, Eric joue sur deux plages que je lui ai réservées, « If Leaving Me Is Easy » et « The Roof Is Leaking », mais je suis le seul à savoir qu'il est sur la première. Un soir, il vient me voir. On a baissé les lumières et bu quelques coups de trop – Eric est un inconditionnel du brandy-gingembre et on a déjà fait un tour au pub. C'est notre mode opératoire habituel.

Je lui fais écouter « If Leaving Me Is Easy », mais il faut savoir qu'Eric ne joue que quand il sent qu'il peut apporter quelque chose. Il se lance, mais prudemment. J'en attendais plus, mais il me dit : « J'avais pas envie de jouer, j'avais pas envie de tout abîmer. »

Même si je compte produire ces morceaux moi-même en tirant avantage de mon inexpérience, je sais que je vais avoir besoin d'un producteur assistant et d'un ingénieur du son. Je m'en vais donc trouver Hugh Padgham. Hugh est bassiste, mais c'est un passionné de batterie et on a inventé ensemble un son original sur « Intruder », le morceau de Peter. Avec le recul, je comprends aujourd'hui que ces quelques jours passés à travailler sur le troisième album de Peter aux Townhouse Studios en 1979 ont changé ma vie.

« Je n'ai pas le courage de tout réenregistrer, dis-je à Hugh. J'y ai mis beaucoup d'émotion et j'aime bien la façon dont ça sonne. Du coup, je voudrais utiliser mes maquettes. » On copie donc mes huit pistes sur du 16-pistes, le dernier cri à l'époque, et, tout au long de l'hiver 1980-1981, on s'attelle au réenregistrement à Townhouse.

On s'amuse un peu avec « In The Air Tonight », mais à ce moment-là, il n'y a pas encore la grosse relance de batterie ni la *gated reverb*, de fait. Il n'y a que moi, qui interviens sur les derniers refrains. Je suppose qu'on va en rester là.

Je vais alors m'asseoir dans la salle réverbérante du studio. On peut moduler le degré de réverbération souhaité pendant l'enregistrement en tirant de lourds rideaux qui étouffent les sons. Et en mettant les micros dans les coins supérieurs de la pièce, on peut aussi donner à la batterie un son beaucoup plus vivant. Mais pour « In The Air Tonight », on se dit : « Si on essayait le son qu'on avait avec Pete... » Mais le résultat obtenu est loin d'être aussi radical que sur « Intruder ». On a beau mettre les micros à la même place pour tenter d'avoir le même son, on obtient toujours autre chose. Autre jour, autre résultat.

Quant à cette fameuse relance, on m'en parle tout le temps. Un moment marquant dans l'histoire de la percussion, de la production, du *ba-doum, ba-doum ba-doum ba-doum doum-doum*. Imaginez des phoques qui vous aboient ça la prochaine fois que vous irez au zoo. Ça rendrait pas mal, et je suis certain que le gorille de la pub Cadbury de 2007 serait d'accord avec moi.

Mais revenons à Townhouse, à l'aube des années 1980. Une chose est sûre, je ne dis jamais : « Je sais ce qui va marcher ! » Je joue, c'est tout. Je réécoute. J'aime. Voilà. Je n'y connais rien. Souvenons-nous que, pour moi, à l'époque, « Against All Odds » est digne d'une face B.

Mais je me rends vite compte que personne n'a jamais entendu un jeu de batterie comme celui-là, aussi puissant que celui-là, qui produit ce genre de son. Au-delà de ça, côté lyrique, le morceau a un je-ne-sais-quoi que personne ne comprend vraiment. Même pas moi. Peut-être parce que je ne suis pas auteur-compositeur – pas encore, pas vraiment. C'est une chanson qui échappe aux limites de la composition traditionnelle.

Un morceau simple, fantomatique, aéré, un cri du cœur. À aucun moment, ça ne devrait être un single.

Il faut que je trouve un titre à cet album. Comme il est évident que la plupart des morceaux sont autobiographiques, je pense à *Exposure*. Ou à *Interiors*. Ça irait pas mal. Mais je me rappelle alors que *Exposure* est un album de Robert Fripp, celui, en plus, sur lequel j'ai joué. Et que *Interiors* est un film de Woody Allen. Mais je tiens quand même à ce titre. Cela dit, choisir *Interiors*, n'est-ce pas risquer de flatter notre ami le peintre-décorateur ?

Pour la pochette, j'aurais voulu qu'on voie l'intérieur de ma tête à travers les orbites. Que se passe-t-il sous un crâne ? C'est pour ça, et non pour je ne sais quelle raison égoïste, que c'est un gros plan. Et, bien entendu, en noir et blanc. Cette image de pochette souligne à son tour l'idée de titre que j'ai désormais : *Face Value*[1].

En effet, c'est un disque extrêmement personnel, je me suis impliqué dans sa création à tous les niveaux et je peux répondre du moindre de mes choix. Mais avant tout, il faut choisir le label qui va le sortir – et qui n'aura aucun lien avec Genesis –, quitte à laisser tomber Tony Stratton-Smith, notre patron de Charisma et mon vieux pote, celui qui, une trépidante décennie plus tôt, m'avait chaudement conseillé d'aller voir Genesis.

Je lui annonce la mauvaise nouvelle dans sa chambre de L'Hermitage lors d'un tête-à-tête triste et arrosé. Il est à L.A. car l'équipe de Monty Python joue au Hollywood Bowl, et John Cleese passe lui dire bonjour. Scène digne de *L'Hôtel en folie*, John arborant un maillot de hockey des Pittsburgh Penguins. « Désolé… Désolé… Je ne savais pas que tu étais occupé… je repasserai plus tard », bredouille Cleese. Le whisky de notre entrevue ne fait pas bon ménage avec la téquila de notre déjeuner mexicain. Et le cigare de Strat m'achève. Sur le trottoir, je suis malade comme un perroquet de Norvège. Punition peut-être méritée pour avoir lâché mon ancien bienfaiteur.

Mais bon, il faut avancer. Tony Smith fait le tour du Royaume-Uni pour placer *Face Value* et Virgin se montre extrêmement enthousiaste. Je signe sur la ligne en pointillé du contrat de Richard Branson, également producteur de *Tubular Bells* et *Never Mind The Bollocks*. Entre les deux, il doit y avoir de la place pour moi. Pour un observateur moyen, ce sera un Phil Collins inédit.

J'assiste au montage et au mastering. J'écris à la main tout ce qui doit l'être : la liste des titres, les crédits sur la pochette, jusqu'aux mentions légales sur l'étiquette du disque. J'obtiens de la maison de disque des étiquettes vierges à placer au centre du vinyle et j'écris en suivant bien les bords. Si je manque de

---

1. Expression signifiant littéralement « valeur du visage », mais désignant aussi, entre autres, la valeur nominale d'une monnaie.

place, je recommence. Si j'ai trop de place, je recommence. Je suis attentif aux détails. C'est mon premier album solo. Et peut-être mon dernier. Pour lui, je vais tout donner et il contiendra tout de moi.

Je n'en attends pas grand-chose, sinon rien. Dans mon entourage, ceux qui ont écouté *Face Value* réagissent tous comme Ahmet : « Ouaaah ! » Mais ils ne sont pas objectifs. Et je vois bien que, sur le plan critique ou commercial, aucun d'entre eux n'espère quoi que ce soit. Aux États-Unis, le label ne veut même pas sortir « In The Air Tonight » comme premier single. Ils optent pour « I Missed Again ».

Je vais à New York où je rencontre Ahmet pour réfléchir avec lui à la façon dont nous allons promouvoir cet objet inclassable. Je suis resté chez Atlantic pour la sortie américaine, en grande partie pour Ahmet. Il m'aime, moi et ma musique, et conservera cet enthousiasme jusqu'à son dernier souffle. Au fil des années, quand je me ferai attaquer de toutes parts, il sera toujours là pour m'encourager et me rassurer. Dès qu'un nouvel artiste entrera dans son bureau, Ahmet lui fera écouter « In The Air Tonight » en disant : « Voilà ce que j'attends de toi. »

La question que je pose à Ahmet et à son équipe : comment m'ouvrir des portes qui sont fermées à Genesis ? Après tout, pour « I Missed Again », les premiers retours des auditeurs que les programmateurs des radios américaines ont reçus sont prometteurs, du genre : « Ah, ça bouge pas mal ! »

Je me dis qu'il n'y a aucune raison pour que cet album ne séduise pas les fans de R&B. On y entend les cuivres de Earth, Wind & Fire, tout de même !

Je convoque donc une réunion avec Henry Allen, en charge de la musique noire dans la maison.

— Écoute, j'aimerais bien que ce disque soit envoyé aux stations R&B, lui dis-je.

— Ouais… mais ils ne te passeront pas. Parce que tu es blanc.

— D'accord, mais ils ne le sauront pas si tu ne me mets pas sur la pochette. Tu annonces ça comme « Phil Collins et les cuivres de EWF ». Ou même « Les cuivres de EWF et Phil Collins ». Je m'en fous, mais quelque chose me dit que j'ai mes chances.

– Non. Ils le sauront !

Cette démarcation raciale est pour moi un choc. On n'est plus dans les années 1950 ou 1960. On est dans les années 1980. Mais j'apprendrai bientôt que les vieux préjugés persistent. En 1984, avant de traverser l'Atlantique pour enregistrer son album *Chinese Wall* que je produirai, Philip Bailey, de Earth, Wind & Fire, rencontrera Frankie Crocker, célèbre programmateur, et Larkin Arnold, chef de la division R&B chez CBS. Et tous deux lui tiendront ce discours : « Tu vas à Londres travailler avec Phil Collins ? Très bien, mais ne reviens pas avec un album blanc. »

Fin octobre 1980, je propose à Jill d'emménager en Angleterre et, quand arrive 1981, nous sommes installés à Old Croft. Elle a sacrifié sa dernière année de fac, où elle étudiait pour enseigner dans le secondaire, afin de venir vivre avec moi.

Face Value sort le 9 février 1981, peu après mon trentième anniversaire. Je ne fais pas de tournée solo. C'est trop tôt, j'attends d'avoir un répertoire plus étoffé. Et puis, une tournée *tout seul*, c'est une perspective un peu paralysante.

Pendant ce temps, Genesis a pris le taureau par les cornes et décidé d'acquérir son propre studio-QG. Nous achetons une adorable maison style Tudor à Chiddingfold, séduits surtout par l'immense garage pour plusieurs voitures situé dans le jardin. On pourra en faire la salle d'enregistrement d'un complexe baptisé The Farm. Pendant les travaux, on s'installe dans le séjour bas de plafond de la maison pour entamer l'écriture de ce qui deviendra le onzième album studio de Genesis, *Abacab*.

Au cours de la préparation d'*Abacab*, les nouvelles du succès inattendu de *Face Value* commencent à filtrer. Ce qui crée un léger malaise. Un jour, j'arrive tout guilleret, et sincèrement éberlué : « C'est dingue, "In The Air Tonight" est numéro un aux Pays-Bas ! » Mieux encore, le morceau fait un carton partout dans le monde. Les ventes de *Face Value* ne faiblissent pas. Dans *Genesis : Together and Apart*, le documentaire de la BBC sorti en 2014, Tony Banks résume en une formule la position du groupe : « On avait envie que Phil réussisse, mais pas à ce point-là. »

Là, au seuil des années 1980, j'entrevois déjà comment les choses pourraient évoluer au sein du groupe. Dans ma tête, mes camarades se disent : « Bon, ça y est : Phil va partir. » Personne n'en parle ouvertement, mais Tony Smith me glisse d'un air entendu : « Je crois que Genesis, c'est vraiment bon pour toi. » Encore un chanteur qui quitte Genesis ? En perdre un, c'est de la négligence ; en perdre deux… Genesis ne se remettrait sans doute pas d'un nouveau schisme.

Smith, en excellent manager qu'il est, a raison. Et il aura raison très longtemps. Chacune de mes carrières, en solo et en groupe, renforce l'autre.

Et puis, bien évidemment, ce succès imprévu en solitaire me réjouit. Jusque-là, j'ai œuvré au sein de Genesis en me considérant constamment comme une pièce rapportée. Je me rends compte, des années plus tard, que j'ai sous-estimé l'opinion du groupe à mon sujet ; je la découvrirai en lisant le livre de Mike : « Si Phil avait une idée, on l'écoutait. » Pour M. Pas-sûr-de-lui, c'est une révélation. Jamais nous n'avions ce genre de discussion. L'intime et la sincérité affective n'avaient pas leur place dans nos conversations.

En matière d'écriture, j'ai longtemps fait profil bas au sein de Genesis : « J'ai trouvé cette mélodie, elle est pas trop nulle ? » Mais à travers mes chansons – et elles tombent dru à l'orée des années 1980 –, je commence à faire mes preuves. « Misunderstanding », le premier morceau complet que je compose pour le groupe, est le troisième single de *Duke*. Et deviendra notre plus gros hit international.

Face Value continue de bien marcher. Il est numéro un au Royaume-Uni, ce qui nous impressionne tous, nous qui avons toujours rêvé d'une place de numéro un pour Genesis…

Tony et Mike sont-ils jaloux ? Pas que je sache. Et ce sens de l'humour – « On avait envie que Phil réussisse, mais pas à ce point-là. » – résume bien notre façon d'être entre nous. Personne ne doit être au-dessus des autres.

Moi (ébahi) :

– Putain ! « In The Air » va être numéro un dans toute l'Europe !

Tony (dédaigneux) :

– Mouais… Avec seulement trois accords…

Moi (hargneux) :

– QUATRE, S'IL TE PLAÎT !

Et que pense Andy de me voir exhiber notre linge sale devant des centaines de millions de gens à travers le monde ? Disons que, comme elle n'est pas du genre à acheter *Sounds* ou *Rolling Stone*, elle n'a pas forcément lu d'exégèse de mes textes. Ce qui ne m'empêche pas d'expliquer aux journalistes, et à tous ceux qui me posent la question, de quoi cet album retourne. J'apparais ensuite dans *Top of the Pops* avec, à côté de moi, un seau de peinture.

Au sujet de ce seau de peinture : « In The Air Tonight » sort en single au Royaume-Uni le 5 janvier 1981. En une semaine, il est numéro trente-six et je vais passer à la BBC, dans le hit-parade hebdomadaire qui fédère toute une nation (les temps ont changé). Comment interpréter cette chanson ? Je ne suis toujours pas à l'aise debout devant un micro, surtout à la télé. Du coup, je vais me mettre aux claviers. Mon technicien, factotum et roadie Steve « Pud » Jones me dit :

– Je vais te trouver un support pour le synthé.

– Non, je trouve que ça fait un peu Duran Duran. Apporte-moi plutôt un établi Black & Decker. Ça ira bien.

– OK. Et la boîte à rythme, on la met sur quoi ?

– Heu… Une caisse en bois ?

Et le seau de peinture, alors ? De répétition en répétition, les producteurs de *Top of the Pops* cherchent désespérément à rendre cette caisse présentable. Alors Pud y ajoute sans arrêt des accessoires.

« Un pot de peinture… ? »

Donc oui, c'est vrai, cette (tristement) célèbre apparition dans *Top of the Pops* était bien placée sous le signe du bricolage. Mais rien à voir avec le fait qu'Andy ait fricoté avec un décorateur. Cette prestation et ce pot de peinture reviendront me hanter périodiquement.

Pendant que je traîne dans les studios de la BBC, je discute avec le présentateur de la semaine, Dave Lee Travis, DJ sur Radio 1.

— Ouh, ça va faire très mal ! m'assure-t-il après avoir assisté à une des répétitions de « In The Air Tonight ».

— Tu crois ?

— Sûr et certain ! La semaine prochaine, tu es numéro trois.

En effet. Puis numéro deux. Avec de bonnes chances de finir numéro un. C'est alors que John Lennon est assassiné, ce qui fait redescendre tout le monde sur terre. Rien ne sera plus jamais comme avant. Une de mes idoles s'en est allée.

11

« Vous êtes sur le répondeur de Phil, je suis sûrement occupé »

Ou : les années impériales.
Encore des tubes, des tournées, des collaborations,
peut-être plus que de raison. Désolé.

Où étiez-vous quand MTV a commencé à émettre le 1er août 1981 ? Que faisiez-vous trois jours plus tôt, quand le prince Charles a épousé lady Diana Spencer en la cathédrale Saint-Paul ?

Tout au long des années 1980, mes vidéos et moi, que ce soit en solo ou avec Genesis, allons faire partie du quotidien de cette nouvelle chaîne de télévision révolutionnaire. Et je serai plus ou moins l'animateur préféré de Charles et Lady Di. Pas pour des mariages ou des bar-mitsva, mais pour plusieurs fêtes d'anniversaires royaux, dont une où j'ai joué des chansons involontairement malvenues, car très inspirées par le divorce, à une époque où le couple héritier de la couronne est en fait un trio. Malgré la place de choix qu'occupent dans ma vie ces deux pôles – anti-establishment et establishment, si vous préférez –, je peine à me souvenir en détail des lieux que je fréquentais et de ce que je faisais en cet été 1981... ainsi qu'à divers moments de la demi-décennie suivante.

203

Je ne peux pas invoquer les premiers assauts de la sénilité – à ce moment-là, six mois après la sortie de *Face Value*, je suis un fringant trentenaire – ni les polissonneries du rock'n roll. C'est simplement, je pense, dû au fait que je suis alors trop occupé pour me souvenir de tout des années plus tard. Et je vais l'être encore plus. Au point de ne même pas m'en rendre compte. Je sais juste qu'à ma grande surprise, le cumul des mandats d'artiste solo et de chanteur de Genesis est plus contraignant que je ne le pensais ; et que ce que quiconque pensait, peut-être. Car, avant ou après moi, rares sont les artistes à avoir connu une immense réussite en solo et, parallèlement, une immense réussite avec un groupe.

Comme si ça ne suffisait pas, j'embrasse avec enthousiasme une troisième carrière, celle de producteur de disques. Le succès du groupe engendre le succès en solo, lequel engendre une ruée pour me soutirer un peu de la « magie » qu'on me prête. Aucun vieux dans le lot ; uniquement des propositions que je serais idiot de refuser, car provenant d'artistes que je considère comme des amis et-ou des idoles : Eric Clapton, John Martyn, Frida de ABBA, Philip Bailey : tous me demandent de produire leur nouvel album ou, comme Robert Plant, des conseils en termes d'enregistrement en studio.

Entre-temps, je prends une part de plus en plus active dans le Prince's Trust. Cet engagement implique d'assister à des soirées, de jouer pour divers membres de la maison des Windsor ou de les rencontrer. Une occupation qui n'a rien de déplaisant, mais qui donne de moi l'image d'un laquais conservateur, « monarchophile » et lèche-bottes. Mon vieux copain Charles me conseille de ne pas prêter attention à ces esprits chagrins – ou de lui en toucher un mot, qu'il se fera un plaisir de transmettre à sa maman pour qu'elle ordonne : « Qu'on leur coupe la tête ! »

Trahison sociale ou pas, je me consacre entièrement à l'œuvre engagée par le Prince's Trust. Cette organisation caritative a été fondée fin 1976 par Charles, préoccupé par les émeutes urbaines qui traduisaient alors un désarroi croissant parmi la jeunesse britannique. À ses débuts, le Trust profite souvent de concerts ou de premières de films pour lever des fonds. Conscient qu'un spectacle pop ou rock peut faire office de passerelle vers un public d'adolescents et de jeunes adultes, Charles m'invite à en devenir membre.

L'un de ces concerts sera celui de Michael Jackson au stade de Wembley en 1988. Charles et diverses huiles du Trust ont pris place dans la loge royale, et je suis moi-même assis derrière Son Altesse royale aux côtés d'autres roturiers privilégiés. Vers le milieu du concert, le prince se tourne vers moi :

– J'aimerais quelque chose dans ce goût-là pour ma soirée. Vous pourriez vous en occuper ?

Légèrement stupéfait, je réponds mécaniquement :

– Oui, sir, je vais voir ce que je peux faire.

Me voici promu organisateur de la fête du quarantième anniversaire du prince Charles, d'inspiration jacksonienne, avec pour mission d'engager les saltimbanques. Son Altesse souhaite-t-elle qu'on fasse le *moonwalk* et qu'on s'attrape l'entre-jambes ?

J'appelle un des tourneurs de Genesis, Steve Hedges, qui m'envoie des cassettes d'artistes susceptibles de faire l'affaire. Les groupes de reprises capables de jouer correctement « Beat It », je les sélectionne d'office. Mon choix se porte finalement sur les Royal Blues. Ils ont un bon son, connaissent tous les tubes du moment et puis leur nom fera plaisir au Palais. Par la suite, ils m'apprendront qu'ils ont déjà joué pour le vingt et unième anniversaire de Charles. Jusqu'ici, tout va bien.

La soirée doit se tenir au palais de Buckingham et, environ un mois avant, je suis convoqué à une répétition générale des festivités. Je fais la connaissance de l'écuyer de Charles ainsi que de Nigel, leader des Royal Blues lesté d'un porte-documents.

Nous discutons tactique. Le jour J, je serai l'attraction « surprise ». Je ne ferai donc pas partie du comité d'accueil, ce qui est une déception : je n'aurai pas l'occasion de m'incliner devant la reine mère ou la reine tout court, ni de leur demander si elles préfèrent Genesis avec Peter ou moi au chant.

Arrive l'heure royale, arrive l'invité surprise : propulsé sur la piste après être resté terré dans une antichambre de Buckingham, je suis aussitôt frappé par la présence des plus beaux spécimens de la royauté paneuropéenne. Le moindre souverain continental digne de sa couronne semble être là. Diana trône au centre, Elton et Fergie papotent diadèmes sur le côté de la petite scène, et le prince Charles est quelque part, mais pas tout à fait au bras de son épouse.

J'ai convié le guitariste Daryl Stuermer à m'accompagner pour avoir l'air un peu plus professionnel et nous avons répété un set composé de tous les titres que je suis capable de jouer en effectif aussi réduit. Malheureusement, il s'agit, pour la plupart, de mes chansons les plus tristes et les plus gangrenées par la rupture. Pas de quoi faire danser le public dans les allées. Même à ce stade terminal de leur vie de couple, et malgré mon assez grande proximité avec leur premier cercle, je suis sans doute la seule personne présente à Buckingham ce soir-là à ignorer que Charles et lady Di sont à la veille de la séparation.

Avant de rentrer chez moi, je commets deux autres péchés capitaux. Le premier est de m'approcher de la reine et de me présenter, alors qu'on doit attendre que la reine s'approche de nous. Je lui donne aussi du « votre Altesse » au lieu de « votre Majesté ». Aucun de ces faux pas ne semble la troubler et elle se montre fort sympathique, parlant de moi comme de l'« ami » de son fils, ce qui me ravit au dernier degré. Je suis sur le point de lui demander son avis sur l'emploi d'une mesure à 9/8 dans « Supper's Ready » quand un hallebardier s'interpose.

Au moment où je gagne enfin la sortie, refoulé vers un endroit nommé « la Tour », je vois la reine et le prince Philip se déhancher au son de « Rock Around the Clock ». Une image que je ne suis pas près d'oublier.

Mes techniciens, eux, restent jusqu'à ce que le petit déjeuner soit servi sur les traditionnels chariots aux alentours de 1 h 30. Les mains prises par leurs assiettes chargées de saucisses et de haricots, ils cherchent un endroit où s'asseoir. Avisant trois sièges libres, ils s'y installent pour s'apercevoir presque aussitôt que le quatrième est occupé par Sa Majesté la reine Elizabeth II… « Asseyez-vous ! Asseyez-vous ! », leur ordonne-t-elle. Et tout ce petit monde de se régaler d'un bon vieux petit déjeuner à l'anglaise.

Je recroiserai la princesse Diana lors du déjeuner de son trentième anniversaire au Savoy en juillet 1991. Là encore, j'assure l'animation et, là encore, je choisis un répertoire totalement inadapté, notamment « Doesn't Anybody Stay Together Anymore[1] ». Je m'assois à sa table et lui demande un autographe, nouvelle entorse majeure au royal protocole. Mais à cette époque-là, nous nous voyons assez régulièrement aux spectacles du Prince's Trust et lors de manifestations apparentées.

Pour être clair, et sans être en rien impliqué dans leur ménage à trois, je suis suffisamment proche de Diana pour recueillir quelques confidences. Un jour, accompagné de mon assistant de longue date Danny Gillen, je sors de chez mon dentiste de Harley Street après une lourde intervention, quand une BMW s'arrête à ma hauteur et que la vitre descend. C'est Diana, et j'aperçois au volant un jeune homme aux allures d'officier en qui je reconnais James Hewitt.

« Que faites-vous ici, Phil ? », me demande-t-elle avec un sourire. Puis, comme si de rien n'était : « Je viens de subir une coloscopie. C'est formidable. Vous devriez essayer. »

Avec Danny, on se regarde. « T'as entendu ce que j'ai entendu ? »

* * *

Retour en 1981. Cette année, qui a démarré avec le succès inattendu de mon premier disque solo, se termine avec l'album de Genesis *Abacab*, alors au sommet des ventes ; il mélange un peu les genres, puisqu'il offre des morceaux souvent plus courts, plus nerveux et moins chargés en synthé qu'avant. Je

---

1. « Pourquoi les couples ne durent-ils plus ? »

viens d'entrer dans la trentaine, mais mon goût inaltérable pour le changement et pour l'aventure est intact. Et il n'est pas près de se ternir.

Le début de 1982 apporte encore plus de nouveautés, encore plus de projets stimulants. Anni-Frid Lyngstad, du groupe ABBA, superbe dans son immense manteau de fourrure, me rend visite à The Farm. Elle aussi sort d'un divorce, d'avec Benny Andersson. Sa vie personnelle étant en miettes, et l'avenir de son groupe tout aussi incertain, elle a envie d'un album solo. J'ai l'impression qu'elle a supporté si longtemps le fardeau oppressant du phénomène ABBA, et celui des auteurs-compositeurs Björn Ulvaeus et Benny, qu'elle cherche à décompresser et à voler de ses propres ailes.

De tout cela, elle me parle peu lors de notre entrevue à The Farm, se contentant de me dire qu'elle m'a choisi pour l'aider à mener à bien son projet. Comme elle semble avoir écouté *Face Value* en boucle, elle est convaincue que je la comprends, que j'ai de l'empathie pour ce qu'elle vit.

Ce que je confirme en lui précisant aussi que j'adore son manteau de fourrure.

Instantanément flatté par son enthousiasme pour mon travail, j'accepte de retourner une nouvelle fois aux Polar Studios de Stockholm pour produire son album solo. J'ai mis sur pied une équipe d'élite : Daryl à la guitare, Mo Foster à la basse, Peter Robinson aux claviers et les Phenix Horns de Earth, Wind & Fire. Jill nous rendra aussi visite à quelques reprises durant les huit semaines d'enregistrement-mixage, mais refusera de rester sur place. La Suède, c'est bien joli, mais Stockholm n'est pas l'endroit le plus passionnant qui soit pour un séjour prolongé. Jill aime bien voyager avec moi, mais sans plus.

Assis dans le studio, Frida et moi choisissons les chansons, mais certaines d'entre elles lui tiennent très à cœur et il n'y a pas à discuter. Après avoir lancé un appel mondial à contribution, les managers d'ABBA ont constitué une sélection éclectique parmi les centaines de morceaux reçus. J'ai glissé dans le lot une chanson de mon copain Stephen Bishop et, de son côté,

Frida a choisi un titre de Bryan Ferry ; un autre coécrit par Giorgio Moroder pour l'album de Donna Summer paru l'année précédente ; un poème de Dorothy Parker mis en musique par celui qui découvrira Roxette ; une chanson qui a représenté le Royaume-Uni au concours Eurovision de la chanson 1980, et un réarrangement de mon « You Know What I Mean » de *Face Value*. Ça, c'est du *smörgåsbord* !

Un jour, pendant qu'on enregistre à Polar, on reçoit la visite de Benny et Björn. Léger moment d'embarras, pour employer un euphémisme. Ils ne sont évidemment pas très partageurs. Frida est assez fragile – elle est encore marquée par son divorce –, eux ont produit toute sa carrière d'adulte et voilà que, professionnellement parlant, elle a un nouvel homme dans sa vie. Un homme qui la produit lui aussi, qui joue de la batterie, chante avec elle et lui donne un son infiniment plus rock que celui d'ABBA. Au fait, pourquoi l'album s'intitule-t-il *Something's Going On*[1] ? Personne ne sait encore qu'ABBA ne passera pas l'année, mais déjà les dés sont jetés.

C'est peut-être pour ça que Stig Anderson, manager du groupe et propriétaire de Polar Music, se conduit avec nous comme un malotru. L'album terminé, il nous invite tous à dîner chez lui. Quand on arrive, il est complètement saoul. On écoute *Something's Going On* et, à la fin, il grogne : « C'est tout ? »

Frida fond en larmes et on a tous envie de le frapper. En plus, on est venus en force : toute l'équipe de tournée de Genesis est là, dont le musculeux Geoff Banks, surnommé à juste titre « Bison ». Tout le monde est tombé sous le charme de cette grande dame et a envie de la protéger. Des esprits plus modérés, plus sobres, moins scandinaves ont finalement gain de cause et nous quittons les lieux, mais la réaction de Stig a plombé notre soirée.

Something's Going On se vendra bien et le single « I Know There's Something Going On » deviendra un hit un peu partout dans le monde (et une source de samples privilégiée pour

---

1. « Il se trame quelque chose ? »

209

les artistes hip-hop). Mais je m'aperçois vite que le monde de la production a ses particularismes. Être artiste solo autoproduit, c'est peut-être la meilleure solution qui soit, après tout.

De retour à Old Croft au printemps 1982, le téléphone sonne. « Salut Phil, c'est Robert Plant. » Bien que je sois un fan de toujours de Plant et de Led Zeppelin depuis leur tout premier concert londonien au Marquee, Robert et moi ne nous sommes jamais rencontrés.

Led Zeppelin s'est séparé fin 1980, après la mort de John Bonham. Une tragédie survenue seulement deux ans après le décès d'une autre de mes idoles de jeunesse, son confrère Keith Moon. Peu de temps après la mort de Moonie, j'étais avec Pete Townshend aux studios Oceanic de Twickenham pour l'aider à enregistrer un de ses poulains, Raphael Rudd, brillant pianiste et harpiste new-yorkais.

À l'époque, Pete tourne dans les clubs de Londres avec Steve Strange, le vadrouilleur Nouveau Romantique. À force de faire la fête la nuit et de récupérer le jour, il n'est pas en grande forme. Quand j'arrive au studio, Pete dort encore. Mais dès qu'il est debout, je lui saute dessus :

— Qui va tenir la batterie des Who maintenant ? Parce que j'adorerais que ce soit moi.

— Mince alors, on vient juste de demander à Kenney Jones…

L'offre était sérieuse et je suis un peu dépité. J'aurais quitté Genesis pour rejoindre Pete, Roger Daltrey et John Entwistle. Les Who, quoi ! J'ai grandi avec ce groupe. J'adorais leur énergie et je sais que j'aurais fait l'affaire, que ça aurait pu marcher.

L'occasion de jouer avec une brochette de mes idoles d'enfance me passe sous le nez, mais voilà que Robert Plant m'en offre une autre. Il veut m'inviter sur son premier album solo et m'envoie une série de maquettes où, à la batterie, Jason Bonham est extraordinaire. On croirait entendre son père.

Jason et moi nous sommes croisés à plusieurs reprises lors de concerts de Genesis du côté des Midlands. Il était ado et fan de moi. Plus tard, Jason me racontera que son père lui avait fait écouter « Turn It On Again », sorti peu avant sa mort, en lui demandant d'essayer de le jouer. Jamais je n'aurais pensé que John ait même entendu parler de mes qualités de batteur.

Je saisis l'occasion de marcher sur les traces d'un Bonham, sinon de deux. Je passe quelques semaines aux Rockfield Studios au pays de Galles, où je joue sur six des huit pistes de l'album que Robert intitulera *Pictures At Eleven*. On rit beaucoup entre les prises. Il y a là une bande de joyeux drilles et je fais à nouveau partie d'un groupe, même si c'est pour peu de temps.

Les musiciens de Robert sont de solides gaillards, tous originaires de Birmingham et en rien intimidés par l'aura de Led Zep. Robert cherche à se réinventer, ce que je peux comprendre.

De retour dans le Surrey, j'entreprends mon deuxième album. Je n'ai pas beaucoup de matériau : l'année précédente, j'ai enchaîné *Face Value*, l'enregistrement d'*Abacab*, la production du *Glorious Fool* de John Martyn, la tournée *Abacab* et enfin l'album de Frida et celui de Robert. Je n'ai pas eu une minute à moi pour réfléchir ou écrire quoi que ce soit.

C'est à cette période que je m'occupe de la procédure de divorce d'avec Andy. Ou plutôt qu'elle s'occupe de moi. Les lettres des avocats semblent arriver avec une pesante régularité. On me réclame une part de tel et tel magot — magots qui n'existent pas. Certes, *Face Value* a beaucoup impressionné et s'est beaucoup vendu, mais je devrai encore patienter un bon moment avant que les maisons de disques et d'édition, du fait de leur modèle économique, ne me reversent des droits d'auteur.

Pendant un moment, Andy revient à Londres avec Joely et Simon et loue une maison à Ealing. Son nouveau compagnon canadien l'accompagne. Je m'entends bien avec lui (il faut être à ma place pour le croire), beaucoup mieux en tout cas qu'avec Andy. Simon et Joely, les pauvres, semblent presque poussés sur le pas de la porte pour m'accueillir quand je viens les chercher.

J'essaie de garder mon sang-froid, mais j'avoue qu'à cause de mon caractère impulsif, le ton monte souvent. Ces éclats de voix résonneront dans les oreilles de mes enfants pendant de longues années.

La situation est frustrante, me rend fou – elle n'est pas près, hélas, de se dénouer –, mais elle m'inspire aussi. Bientôt naissent des morceaux comme « I Don't Care Anymore », « I Cannot Believe It's True », « Why Can't It Wait 'Til Morning » et « Do You Know, Do You Care[1] ? ». Je veux à tout prix éviter de faire un deuxième « album de divorce », mais comme j'écris plus avec le cœur qu'avec la tête, dans l'immédiat je n'ai pas le choix.

L'autre émotion que je dois gérer, c'est ma propre angoisse : je dois écrire le tome deux d'un album solo qui n'était pas voué à être un album, encore moins un succès. La marche est peut-être trop haute pour moi. Je n'avais pas prévu de deuxième disque.

Pas plus, semble-t-il, que le public. Au Royaume-Uni, « Thru These Walls », sorti en octobre 1982 comme premier single de mon nouvel album solo *Hello, I Must Be Going!* se traîne au cinquante-sixième rang des charts. Aux États-Unis, c'est encore pire puisque le label d'Ahmet, mon fidèle soutien, ne juge même pas utile de le sortir. De mon côté, aucun affolement, mais un peu de déception et une pointe de résignation.

Heureusement, Motown me sauve la mise, comme elle l'a fait si souvent dans ma jeunesse – les artistes de ce label ont été la bande-son de mon adolescence, celle qui filtrait à travers les *setlists* de The Action. En guise d'hommage, j'ajoute sur *Hello, I Must Be Going!* une reprise de « You Can't Hurry Love ». Ce titre, je le vois comme une chanson oubliée des Supremes, un morceau qui cacherait son jeu ; d'autres, comme « You Keep Me Hangin' On » et « Stop in the Name of Love », me semblaient joués plus souvent et plus prisés.

Grâce à un clip dans lequel je me démultiplie en chanteur sautillant (eh oui, même sur une seule vidéo, on me voit partout), « You Can't Hurry Love » se hisse en un claquement de

---

1. « Ça ne m'intéresse plus », « Je ne peux pas y croire », « Ça ne peut pas attendre demain ? », « Sais-tu, comprends-tu ? »

doigts à la première place au Royaume-Uni. C'est le seul tube de l'album (il sera numéro dix aux États-Unis), mais il contribue à propulser le disque en tête des ventes au Royaume-Uni. Le désastre a été évité. Quoique… Je suis ravi, mais une pensée me taraude : *une chanson que j'ai écrite n'est sortie nulle part en premier single de l'album, alors que cette reprise ultrapop de la Motown a fini numéro un. Mes compositions ne vaudraient-elles plus rien ?*

En août, avant la sortie de *Hello…*, Genesis part deux mois aux États-Unis et en Europe. Il s'agit d'une tournée de promotion d'un album live, *Three Sides Live*, que *Rolling Stone* salue ainsi : « Si à une époque Genesis a représenté le art-rock dans ce qu'il avait de plus niaisement spectaculaire, le groupe montre aujourd'hui combien ce genre musical peut être fin et puissant. » Sur la tournée, on tâche de réduire au maximum la dose d'art-rock niais et, pour ma part, je fais tout pour rester fin et attrayant.

Fins et attrayants, on essaie encore de l'être par un samedi détrempé de l'automne 1982, malgré le doublement de notre effectif et la météo britannique qui s'acharne à doucher les enthousiasmes.

Le 2 octobre, au National Bowl de Milton Keynes, notre trio est renforcé, pour un set de quatorze morceaux, par Peter et Steve, revenu tardivement d'Amérique du Sud. Pour la première fois depuis 1975, Genesis retrouve, le temps d'une soirée, sa composition « classique », renforcée par Daryl Stuermer et, à la batterie, Chester Thompson.

En fait de retrouvailles, celles-ci sont bizarres, mais c'est pour la bonne cause : il s'agit d'un concert de solidarité organisé dans l'urgence pour répondre à un concours de circonstances exceptionnel. L'été précédent, Peter a organisé le premier festival de WOMAD (World of Music, Art and Dance), l'association qu'il a créée deux ans plus tôt. Avec une affiche logiquement éclectique réunissant Peter, Echo & The Bunnymen, Prince Nico Mbarga, star de la vie mondaine nigériane, et The Drummers of Burundi[1], dont le nom se passe d'explications, ce fut un succès critique, mais un désastre financier. Peter est menacé de mort par des créanciers. Comme il l'expliquera par la suite : « Quand les choses ont mal tourné, on a vu en moi le seul pigeon à plumer et, du coup, j'ai récolté les emmerdes, beaucoup d'attaques, d'appels malveillants. »

Toujours unis comme des frères sept ans après son départ, on retrousse nos manches pour lui donner un coup de main, et le Bowl se remplit de quarante-sept mille fans pour un concert mémorable. Talk Talk et John Martyn ont tiré le mauvais numéro et doivent faire notre première partie, tandis que la pluie incessante s'évertue à nous gâcher la journée. On a répété durant quelques après-midi à peine lors du récent passage de Genesis au Hammersmith Odeon, la sélection de morceaux s'inspire forcément de l'époque Peter et le projet semble meilleur en théorie qu'en pratique.

Quand Peter affirme vouloir sortir d'un cercueil sur l'intro de « Back in New York City », on éclate de rire. Du Pete tout craché, avec son humour noir typique, mais je ne suis pas sûr que le public va adhérer. Dans l'ensemble, pourtant, il s'y retrouve, et la critique aussi : « On était sans doute loin des critères de qualité de Genesis et de Gabriel, mais c'était un moment à ne pas manquer » – *Sounds* ; « Des retrouvailles qui ne se reproduiront probablement plus. L'événement rock de l'année » – *Melody Maker*. Le plus important, c'est d'avoir évité à notre pote la prison, voire pire, et prolongé la durée de vie du WOMAD en vue d'un nouveau festival. Celui-ci deviendra la plus grosse manifestation de l'année sur le calendrier musical mondial.

Après Milton Keynes, je passe juste assez de temps chez moi pour voir « Thru These Walls » se ramasser lamentablement en single, après quoi mon deuxième album solo sort en novembre. Dans l'immédiat, pour paraphraser le titre, il faut vraiment que je me sauve : je pars aussitôt pour ma première tournée solo qui courra jusqu'en février 1983.

---

1. Les Tambours du Burundi.

Voilà ce qui arrive, je m'en rends compte, quand on joue à la fois dans un groupe et en solo. On n'a pas le temps de s'arrêter pour profiter de la vie, ou pour regretter ses erreurs et les corriger.

En revanche, on a le temps d'avoir le trac et de se faire du mauvais sang. Je tourne avec Genesis depuis 1970 et donc, douze ans plus tard, j'éprouve le besoin de monter un autre grand groupe pour éviter l'angoisse d'être en quelque sorte livré à moi-même. Je convoque les Phenix Horns, Daryl à la guitare, Mo à la basse, Chester à la batterie et Peter, de Brand X, aux claviers. Notre répertoire est tout aussi solide. J'ai deux albums dans lesquels je peux puiser des titres. Les tubes restent des tubes et les chansons qui n'en sont pas sont transfigurées par la scène. « I Don't Care Anymore », par exemple, devient un énorme morceau scénique.

J'ai l'impression d'être immédiatement opérationnel en tant qu'artiste solo. Je n'ai jamais manqué de confiance en moi, mais je me sens de plus en plus à l'aise sur scène où je dirige depuis le micro tout en occupant le plateau. Curieusement, je peux toucher les fans de Genesis qui ont acheté *The Lamb Lies Down on Broadway* et les fans de pop qui ont acheté « You Can't Hurry Love » du sémillant Phil Collins. Je peux aussi donner de ma personne dans les rappels : chaque soir, on termine par une version de « People Get Ready » de Curtis Mayfield et de « …And So To F… » de Brand X, qui est assez géniale avec les cuivres et qui, sur la réédition de 2016 de *Hello, I Must Be Going!*, reçoit un hommage longtemps attendu. Et chacun rentre chez soi satisfait.

Mais, pour être franc, c'est l'époque la plus floue de ma vie et mes souvenirs restent vagues. Est-ce parce que c'est celle où je décolle véritablement et que je commence, à ce moment-là, à sérieusement aligner les kilomètres en solo sur le sol américain ? La tournée *Hello* ne compte que six dates en Europe, dont quatre à Londres, les autres – en décembre, janvier et février –, étant toutes en Amérique du Nord.

Ou ma mémoire est-elle incertaine parce que mes impressions envers cet album le sont aussi ? Au fond, *Hello, I Must Be Going!*, ne me correspond pas pleinement, même si je sais que certains morceaux comptent beaucoup pour les fans. Je n'ai pas de souvenirs marquants de son écriture ni même de son enregistrement.

Cela dit, je sais ce que ma carrière doit à ce deuxième album : une première nomination aux Brit Awards (artiste masculin britannique) et aux Grammy Awards (meilleur chanteur rock) pour « I Don't Care Anymore ».

Mais mon art et mon âme, que lui doivent-ils ? Pas grand-chose. J'ai le blues du deuxième album solo.

De retour chez moi au début du printemps 1983, je reprends contact avec Robert Plant. De nouveau, je me rends à Rockfield, de nouveau j'enregistre six des huit pistes de ce qui deviendra *The Principle of Moments*, son deuxième opus solo. Cette fois, Robert se décide à partir en tournée, un périple de six semaines à travers l'Amérique du Nord. Si j'aimerais l'accompagner ? Tu parles ! Après mon boulot – *mes* boulots – de dingo, redevenir un simple batteur assis derrière tout le monde serait pour moi comme un retour aux sources. Et le faire pour l'ex-chanteur de Led Zeppelin est un honneur que je serais fou de refuser. Puisqu'il s'agit d'un emploi de musicien aux antipodes de mon nouveau rôle de pop-star, je m'empresse de signer des deux baguettes. C'est aussi l'approfondissement d'une merveilleuse relation. Certaines personnes, les rock-stars en particulier, vont et viennent dans la vie, mais Robert est resté un grand ami.

Durant cette période, non seulement je ne suis jamais à la maison, mais je pars dans de multiples directions. Au cours de ces aventures, Jill m'accompagne beaucoup – elle adore la tournée de Plant, c'est son style de musique –, mais pas toujours et sans doute pas assez. Mais entre nous l'entente est intacte. Et l'amour toujours au rendez-vous.

De retour au pays brièvement en mai 1983, je retrouve Mike et Tony à The Farm. Après toutes mes pérégrinations, ça fait du bien de se revoir. Au moment où nous lançons le futur douzième album de Genesis, lequel portera notre nom, nous savourons le luxe de pouvoir à la fois prendre notre temps et improviser, maintenant que notre studio est pleinement opérationnel. En s'amusant avec un nouveau jouet, Mike découvre un son âpre, rythmé, qu'il décrit ainsi : « J'ai programmé ça avec la toute première grosse boîte à rythme Linn. Et j'ai fait un truc que les Américains ne feraient jamais : je l'ai fait passer dans mon ampli de guitare, un petit, et j'ai poussé le son jusqu'à ce qu'il fasse des bonds sur la chaise. Les Anglais sont forts pour prendre un son et le déglinguer. C'en est un parfait exemple. Le son est pourri, mais superbe. »

Il n'a pas tort. Et ça fonctionne d'emblée. On en tombe tous amoureux ; inspiré, j'imite de mon mieux John Lennon, et pique au passage le rire dément de Grandmaster Flash and the Furious Five sur « The Message ».

Ce qui va donner « Mama », le principal single de l'album *Genesis*. Notre plus gros hit en terre britannique, à la fois bien de son temps et intemporel, et un increvable classique en concert. Il sera suivi de « That's All », dont l'écriture débute par un motif de piano de Tony et qui est notre premier titre à intégrer le Top 10 américain. Sorti en octobre 1983, l'album est encore numéro un au Royaume-Uni et se vend à quatre millions d'exemplaires aux États-Unis : c'est d'assez loin notre meilleur score. À ce moment-là, tout nous sourit. Ma carrière et celle de Genesis prennent sans cesse de l'ampleur. Elles se renforcent mutuellement et notre répertoire touche un auditoire toujours plus large.

Quand février 1984 arrive, je me montre un peu gourmand. Avant même que Genesis n'ait terminé sa série de cinq dates au NEC de Birmingham, les dernières d'une tournée de quatre mois surtout centrée sur l'Amérique du Nord, j'ai sorti un nouveau single solo aux États-Unis. Sur mes terres, au moins, je reste raisonnable : « Against All Odds (Take a Look at Me Now) » ne sortira pas au Royaume-Uni avant la fin de la tournée, fin mars.

Enfin, quand je dis « j'ai sorti »… L'idée que l'artiste ait un quelconque droit de regard sur les dates de sortie, des singles entre autres, est l'une des plus grandes illusions sur le monde musical. S'il ne tenait qu'à moi, je ne me mêlerais même pas de choisir les titres à sortir en single. D'une part, je ne suis pas sûr d'être très doué pour cet exercice – souvenez-vous qu'en enregistrant *Face Value* j'étais passé à côté de « Against All Odds » que j'estimais digne seulement d'une face B. Même chose, un an plus tard, pour *Hello, I Must Be Going!* Bilan : il a été mon premier numéro un aux États-Unis, et m'a valu mon premier Grammy et ma première nomination aux Oscars…

D'autre part, en 1983-1984, j'ai tant d'autres projets en cours que je ne songe pas une seconde à l'incidence de cette date de sortie sur le calendrier de la tournée, à l'impact de cette décision solitaire sur ma responsabilité au sein du groupe. J'ai la tête dans le guidon et je pédale.

La belle histoire de « Against All Odds » est la suivante : en décembre 1982, sur ma première tournée solo, Taylor Hackford – le futur M. Helen Mirren – vient me trouver à Chicago. Il est le réalisateur de *Officier et gentleman*, un des grands films de l'année. Hackford cherche une chanson pour son nouveau long-métrage, alors en tournage, un thriller romantique assez noir. Je lui explique que je suis incapable d'écrire sur la route, mais que j'ai sous la main un morceau inachevé dont le titre est provisoire, « How Can You Sit There ». Cette maquette ferait-elle l'affaire ?

Hackford adore. Je n'ai pas lu le scénario, mais lui estime que les paroles collent parfaitement au thème musical principal de ce film encore en production. Je me débrouille pour en réaliser un enregistrement correct : piano et orchestre à New York sous la direction du légendaire Arif Mardin (qui a travaillé avec tout le monde, d'Aretha Franklin à Queen), puis batterie et voix chez Music Grinder à L.A. Arif est un homme charmant et un producteur remarquable, capable d'obtenir des résultats incroyables sans le moindre effort. Je suis ravi de travailler avec lui, j'ai envie de frapper un grand coup et, à force de gentillesse, il parvient à tirer de moi une prestation vocale convaincante.

J'ai déjà la plupart des paroles clés, notamment le vers « *take a look at me now* ». Mais Hackford me rappelle que le titre de son film est *Against All Odds*[1] et j'ajoute les mots « *against the odds* » pour y faire allusion. Mais Hackford, en homme pointilleux, insiste pour que le titre, et le texte, soient bien « Against *All* Odds ».

Le réalisateur est enchanté du résultat final et je n'en suis moi-même pas mécontent. En un laps de temps réduit, j'ai l'impression de m'être fait la réputation d'un compositeur apte à cristalliser les tourments émotionnels. Il y a le Phil Collins versant Genesis, mais pour de plus en plus de gens, il y a également le Phil Collins auteur de « In The Air Tonight » et de « Don't Let Him Steal Your Heart Away », capable d'écrire des morceaux aérés, mais aussi animés d'un élan théâtral et cinématographique.

La chanson est forte, bien plus que le film. Aujourd'hui, elle est considérée comme l'exemple type de la *power ballad* des années 1980, expression d'une décennie où tout était démesuré : les coiffures, les émotions davantage, et les épaulettes encore plus. Barry Manilow l'a reprise sur son album *The Greatest Songs of the Eighties* – et Bazza sait de quoi il parle.

« *How can I just let you walk away / just let you leave without a trace / when I stand here taking every breath with you / you're the only one who really knew me at all...*[2] » Pourquoi ces paroles et cette chanson sont-elles si fortes ? Simplement parce qu'elles ont été écrites alors que mon conflit avec Andy était à son paroxysme et que, bon gré mal gré, j'ai dû l'analyser ; je suis tenté de dire que c'est une bonne chanson de rupture, empreinte d'une résonnance et d'une empathie universelles. Les gens ont

---

1. Le titre français de ce film est *Contre toute attente*.
2. « Comment puis-je te laisser me quitter / te laisser partir sans laisser de trace / alors que je suis là à respirer au même rythme que toi / tu es la seule à savoir qui je suis vraiment... »

horreur des ruptures, mais adorent les chansons de rupture. « Against All Odds » traite des peines de cœur et c'est un des titres les plus souvent cités par ceux qui m'écrivent pour me dire que ma musique les a beaucoup aidés à surmonter un chagrin d'amour. Et la partie vocale est puissante : percutante, brute, vraie. Grâce à Arif, j'ai passé une belle journée dans ce studio de L.A. Je ne me souviens pas avoir souffert le martyre en piochant au fond de moi, dans la cabine d'enregistrement, et pourtant cette voix est bien sortie de quelque part. La chanson la réclamait, alors je suis allé la chercher.

L'ayant chantée des années sur scène, je ne dirais pas qu'elle fait à chaque fois remonter des souvenirs douloureux. Si je souffrais autant soir après soir, je serais fou à lier. Sur scène, je m'attache juste à bien la chanter : à garder le ton, à ne pas me tromper dans les paroles. Ce n'est pas toujours le cas. « *How can I just let me walk away / when all I can do is watch me leave*[1] » : ça, je l'ai chanté plus d'une fois, ce qui, en matière de bourde, est assez colossal.

Un an après sa sortie, « Against All Odds » est en course pour l'Oscar de la meilleure chanson originale. Normalement, l'artiste nommé chante la chanson nommée. Mais 1985 est l'année où l'Académie a décidé de changer la formule : les chansons seront interprétées par d'autres que leurs créateurs.

La controverse démarre doucement : par un message de mon label ou de mon équipe adressé à l'Académie, faisant part de notre intention de nous arrêter à L.A., sur la route de notre tournée australienne, pour interpréter la chanson en direct. Bientôt, c'est l'escalade et les courriers fusent d'un côté comme de l'autre. L'un est d'ailleurs adressé à « M. Paul Collins ». Ahmet Ertegun finit par écrire à Gregory Peck, à l'époque président de l'Académie. L'affaire se traite désormais en haut lieu. Aussi loin que je m'en souvienne, j'ai toujours regardé cette cérémonie et je suis un cinéphile fervent. J'ai le privilège

---

1. « Comment puis-je me laisser te quitter / Quand je ne peux que me regarder partir. »

de faire partie du groupe restreint des nominés et n'ai aucune intention de contrarier qui que ce soit en m'invitant à chanter cette chanson. Mais soudain je me retrouve malgré moi au centre d'une crise des Oscars.

L'Académie fait chanter « Against All Odds » en play-back à une danseuse. Pour être honnête, ce n'est pas n'importe quelle danseuse âgée, mais la très expérimentée Ann Reinking, ex-compagne du maître chorégraphe Bob Fosse. N'empêche que le résultat est pitoyable.

Quand j'arrive finalement à L.A., je tombe des nues car on dirait que ces lettres, c'est moi qui les ai écrites. Je me rends à la soirée et la profession tout entière est au courant de l'histoire. Dès que Mme Reinking entre en scène, tout le monde se retourne vers moi pour guetter ma réaction. Je suis simplement gêné par ce qu'elle fait subir à ma chanson et par l'idée qu'ils se font de mes revendications. C'est Stevie Wonder qui est récompensé, pour « I Just Called to Say I Love You ». Mais, au moins, « Against All Odds » remporte le Grammy 1985 du meilleur chanteur pop.

Cela dit, je ne savais même pas qu'elle était en lice pour un Grammy. Je ne l'ai appris qu'en recevant le prix par la poste. « Qu'est-ce que c'est ? Un autre paquet pour Paul Collins ? »

12

« Vous êtes sur le répondeur de Phil, je suis sûrement occupé » II

Ou : pied au plancher, pour changer

Revenons douze mois en arrière, la période qui a suivi la tournée *Mama* en février 1984 et ma campagne de promotion de « Against All Odds ».

Simon et Joely deviennent des enfants géniaux en grandissant. Ce qui ne m'empêche pas, en bon bourreau de travail que je suis, d'être sur le dos de Simon pendant les vacances scolaires pour qu'il fasse ses devoirs de maths. Pour l'encourager, je lui ai installé un bureau d'écolier à l'ancienne dans sa chambre. Il est assis là, dos à la fenêtre, concentré sur ses problèmes pendant que dehors le soleil brille. Désolé, petit, je pensais agir en père responsable. Mais sois tranquille, les maths, ça sert toujours dans la vie.

Jill et moi, nous nous installons dans une vie de famille agréable et elle est à fond derrière moi dans mes projets multiples et parfois simultanés. Néanmoins, je le reconnais, ils deviennent un peu lourds à assumer.

Car entre mai 1984 et la fin de l'année, je vais : produire *Chinese Wall*, l'album de Philip Bailey aux Townhouse Studios de Londres ; produire *Behind the Sun*, d'Eric Clapton, à Montserrat ; composer et enregistrer l'essentiel de mon troisième

223

album, *No Jacket Required* ; participer à l'enregistrement de *Do They Know It's Christmas?* du Band Aid.

Pourquoi Philip Bailey veut-il que je produise son album ? Il semblerait que je sois l'homme de la situation, et les cuivres de Earth, Wind & Fire lui ont parlé de leur collaboration avec moi. Philip et moi, on s'est déjà rencontrés quelques fois et, fort heureusement, cette sombre histoire où les responsables de EWF m'avaient pris pour le dealer du groupe est derrière nous.

À l'époque, j'étais à New York et EWF jouait au Madison Square Garden. *Face Value* n'étant pas encore sorti, je n'étais pas encore « Phil Collins ». Mais comme j'avais travaillé avec les Phenix Horns sur l'album, ils m'avaient invité au concert. Je m'étais arrangé pour les rencontrer avant, dans le hall du Parker Meridien sur la 56e Rue.

Le premier que je croise est Monte White, régisseur de la tournée et frère du leader, Maurice. Bientôt, les autres arrivent et tout le monde s'engouffre dans les limousines. Apparaissent enfin les Phenix Horns qui cherchent la voiture qu'on leur a attribuée. Entre-temps, Monte s'est mis en tête que cet Anglais sournois qui rôde autour du groupe fournit de la dope à sa section de cuivres. Il avertit Don Myrick, saxophoniste et chef de pupitre, que personne d'autre que les cuivres ne doit se trouver dans la voiture. Mais une fois Monte parti, Don insiste pour que j'embarque quand même, ce que je fais, quoiqu'un peu mal à l'aise : les frères White ont la réputation de tenir leur équipage d'une main de fer.

À notre arrivée au Madison Square Garden, en haut de la rampe intérieure, Monte nous attend, une liste à la main. Il me fusille du regard : je n'ai pas de laissez-passer et je ne devrais en aucun cas me trouver dans la limousine des Horns. Abandonné au seuil des coulisses, je me sens soudain très seul. Par chance, les techniciens et le vigile me reconnaissent pour m'avoir vu dans Genesis et m'accueillent à la cafétéria. Aujourd'hui encore, nous nous témoignons respect et affection mutuels.

Parenthèse refermée : au début de l'été 1984, Philip Bailey débarque de Los Angeles. Il s'installe au Bramley Grange, petit hôtel de campagne du somnolent village de Bramley dans le Surrey, tout près de chez moi. Pour Philip, la vie à la campagne est une expérience inédite, paradisiaque, même s'il se révèle impossible de mener à bien notre projet, c'est-à-dire coécrire des morceaux, car trop de monde y met son grain de sel.

Finalement, on ne parvient à composer qu'une seule chanson – et encore, à la toute fin des séances. On se jette à l'eau et on improvise. Phil fixe le cap et je pars sur une histoire de *choosy lover* – « amant difficile » –, ce qui deviendra le titre de travail. En fin de soirée, on fait une prise, brute et énergique, histoire de garder une trace. Le lendemain matin, on écoute, ça nous plaît et ce sera quasiment la version définitive. J'écris les paroles, on change le titre pour « Easy Lover », et on le sort comme un duo entre deux Philip. Le single sera numéro deux aux États-Unis, derrière « I Want to Know What Love Is », des Foreigner. Et numéro un au Royaume-Uni, au moment où j'assiste, la mort dans l'âme, à l'interprétation de « Against All Odds » par Mme Reinking à la cérémonie des Oscars 1985.

Avant la sortie de *Chinese Wall*, je suis déjà reparti sur autre chose : Eric m'a demandé de produire son nouvel album. Il semble que Tom Dowd, producteur légendaire, lui ait suggéré d'ajouter une touche de « patine Phil Collins » à son prochain disque, sans savoir qu'on était copains. Eric décide donc de se passer d'intermédiaire et de venir me voir directement. Franchement, je ne me doutais absolument pas qu'il me respectait au point de me confier son nouvel album. Avant même de savoir qu'on enregistrera à Montserrat, je me déclare partant. Comme disait le vieux graffiti des sixties, *Clapton is God*, même si c'est ton voisin et que tu bois des coups avec lui. Et même si j'avais eu une boule de cristal et prédit les problèmes qui m'attendaient, j'aurais dit oui.

Money and Cigarettes, le précédent disque d'Eric sorti en 1983, m'avait laissé sur ma faim. Sa musique commençait tout juste à trouver son assise. Pour moi, elle manquait de feu. Je fais donc valoir à Eric l'intérêt d'avoir un petit studio chez soi, un endroit où composer. Convaincu, il équipe Hurtwood

Edge de la même installation que la mienne. Je pense qu'il n'y a jamais touché. Car je crois qu'à ce moment-là cette notion lui est un peu étrangère, qu'elle est un peu compliquée pour qu'il se l'approprie. Lui, il veut juste jouer, tandis que moi, je voudrais qu'il s'exprime, qu'il ne se contente pas de reprises.

Les AIR Studios de Montserrat sont, comme on peut l'imaginer, idylliques. Créé en 1979 par George Martin, ce lieu superbe perché sur une colline donne sur l'océan et le volcan en sommeil de la Soufrière – qui se réveillera en 1997 et détruira une bonne partie de l'île, dont le studio. C'est une grande émotion que de se retrouver dans ce paradis pour produire le disque d'un ami avec son groupe de légendes.

Car nous accompagnent l'adorable Jamie Oldaker à la batterie et, au piano, Chris Stainton, figure emblématique du Grease Band de Joe Cocker. Ainsi que Donald « Duck » Dunn, bassiste de la maison Stax, dont le jeu et la personnalité rendront ce séjour encore plus souriant et exceptionnel. Ce type est une vraie légende puisqu'il faisait partie du premier Booker T. & the MG's qui a accompagné Otis Redding à Monterey, Sam & Dave, Eddie Floyd et tant d'autres. J'ai alors l'habitude de voir les bassistes voyager avec plusieurs instruments (ce que je considère comme la version musicos du syndrome du phallus manquant). Je lui demande pourquoi lui n'a qu'une seule basse. « J'en avais une autre, me répond-il avec son accent traînant du Sud, mais elle est partie avec Otis », allusion à l'accident d'avion de 1967 dans lequel Otis Redding a péri. Il précise qu'il n'a jamais changé les cordes. Ah, c'était le bon temps…

Avant qu'on s'envole pour notre île, Eric a fixé les règles. *Primo* : pas de femmes ; du coup, Jill est restée à la maison. Cela dit, au cours de l'enregistrement, lui aura une liaison avec Yvonne, la responsable du studio, avec qui il aura une petite fille, Ruth.

Secundo : pas de drogue. Ce qui me va tout à fait. Mais, au bout de quelques jours, Eric croit (à tort) que je lui cache des choses, ce qui déclenche une minifronde des artistes envers le producteur. Les esprits s'échauffent quelque peu, je m'explique avec Eric et j'en ressors lavé de toute accusation de narcotrafic.

Je suis l'exemple de ce dernier au sens où je produis ses morceaux avec bienveillance – morceaux qui ne regorgent d'ailleurs pas d'interminables solos de guitare. À Hurtwood Edge, on a beaucoup parlé écriture et je l'ai encouragé à écrire davantage. Mais il apparaît que les interminables solos de guitare, c'est précisément ce que son nouveau label – plombé par la mévente de *Money and Cigarettes* – attend. Ni l'artiste ni le producteur n'ont eu l'info. Enfin, l'artiste peut-être, mais il ne l'a pas transmise au producteur.

L'album « terminé » est remis à la maison de disques… qui le refuse. Ils passent une corde autour du cou d'Eric et le traînent jusqu'à L.A., où il enregistre de nouveaux titres écrits par Jerry Lynn Williams, auteur-compositeur-interprète texan. Lenny Waronker (président du label américain d'Eric) veille au grain et se charge de la production additionnelle.

C'est la première fois que je subis l'ingérence d'une maison de disques et j'en suis encore meurtri. Ce n'est que plus tard dans l'année, encore marqué par l'accusation d'incompétence à l'encontre d'Eric et de moi-même, que je comprendrai qu'Eric devait avoir la tête ailleurs pour s'être laissé dicter aussi durement une ligne créatrice par son label. J'ai beau être proche d'Eric et Pattie, j'ignore alors qu'ils se séparent. À mes yeux, ils formaient le couple idéal. Un jour, avant la remise de l'album, Eric m'appelle : « J'ai écrit une chanson à mettre sur le disque. Elle s'appelle "Behind the Sun" ».

Il passe à Old Croft avec une guitare et me la chante. Je suis épaté. C'est fabuleux, de toute évidence profondément personnel et douloureux.

— Comment va-t-on l'enregistrer ? lui demandé-je. Les séances sont terminées ; l'album est bouclé, tout le monde est rentré chez soi.

— On va faire ça maintenant, me répond Eric.

Tout à coup, je ne suis plus son producteur, ni le chanteur de Genesis ni une star en solo. Je ne suis même plus son pote.

227

Je suis redevenu un gamin, l'ado de quinze ans hirsute qui, en 1966, en attendant son bus devant The Attic à Hounslow, a entendu Cream faire trembler les murs. Aujourd'hui, Eric Clapton veut enregistrer dans mon home studio assez rudimentaire. C'est un morceau magnifique et il tient à en faire la chanson-titre de l'album, alors il ne faut pas que je me plante.

Il joue une fois ou deux la partie de guitare et je l'enregistre. Les aiguilles bougent, c'est bon signe. Au tour de la voix. Là encore, je vois les aiguilles s'agiter et je suis soulagé. Ça fonctionne, c'est déjà ça. Il faut savoir que d'habitude je fais ça tout seul, pour moi, et que s'il y a un peu de déchet, ce n'est pas bien grave. Mais là, je suis avec Eric, visiblement en plein maelstrom émotionnel, et en ma qualité d'ami-producteur, je veux l'aider à sortir le meilleur album possible. Reste à mixer tout ça. Il n'y a que lui et sa guitare, mais pour l'ambiance, j'ajoute un peu de synthé, juste quelques nappes de cordes. Old Croft n'est certainement pas un bon studio de mixage, mais ce qu'Eric entend lui plaît. Sur l'album, ce morceau ferme la marche, telle une coda, une méditation sur la fin du couple qu'il forme avec Pattie : « *My love has gone behind the sun*[1]... »

C'est une façon élégante de terminer un disque, une jolie pirouette. Tout cela se passe après l'épisode traumatique de L.A. et j'éprouve un doux sentiment de justice. Des années plus tard, Eric expliquera à *Mojo* que, aussi loin qu'il s'en souvienne, il n'a jamais mieux joué que sur « Just Like a Prisoner », un de nos morceaux de Montserrat. Je suis fier d'y avoir contribué.

Après avoir achevé *Behind the Sun*, je commence à réfléchir à mon troisième album solo. Tout au long de 1981, je vais explorer des pistes et enregistrer mes petites maquettes. Je sais ce que je veux : sortir de la case « chansons d'amour » dans laquelle je me suis enfermé. J'ai envie d'un album dansant. Du moins, d'un album avec des tempos rapides.

Je programme une piste de boîte à rythme sur laquelle j'improvise. Le mot « sussudio », avec son rythme chaloupé,

---

1. « Mon amour est parti derrière le soleil... »

me tombe de je ne sais où. Si on m'avait donné une pièce chaque fois qu'on m'a demandé le sens de ce mot, je serais riche. Comme je ne trouve rien de mieux à scander que ce « sussudio », je le garde et brode autour. Avant de demander à David Frank de The System, un duo électro-synthé-pop new-yorkais que j'aime bien, de faire de ma démo de « sussudio » un morceau dansant.

Mais on ne se refait pas : j'ai aussi composé une série de chansons sentimentales : « Inside Out », « One More Night », « Doesn't Anybody Stay Together Any More », cette dernière suite à la fin de la relation entre Eric et Pattie et aux ruptures vécues par bon nombre de mes amis. Jill et moi, au moins, sommes unis dans le bonheur ; pour rien au monde je ne voudrais revivre ce genre de traumatisme.

Le titre du nouvel album, *No Jacket Required*[1], est inspiré par plusieurs anecdotes. Un soir, Jill et moi, en vacances dans un hôtel de Caneel Bay sur Saint John dans les îles Vierges américaines, allons dîner au restaurant en plein air de l'établissement. Arrivés devant le maître d'hôtel, celui-ci informe gravement monsieur que monsieur doit passer une veste.

« Je n'ai pas de veste, mon ami. Je suis en vacances. Dans les Caraïbes ! »

Devant nous se trouve un couple de vacanciers dont le mari se retourne en levant le sourcil : « Veste de rigueur ! », plaisante Reuben Addams, médecin à Dallas. Je n'oublierai pas la formule, ni Reuben et sa tout aussi charmante épouse Lindalyn.

À la même époque, sur la tournée *Principles of Moments* de Robert Plant, nous logeons à l'Ambassador East de Chicago. Percy porte un costume WilliWear très criard à carreaux et moi une veste en cuir toute neuve et un jean. On descend prendre un verre au bar de l'hôtel et le barman informe gravement monsieur que monsieur doit passer une veste.

— Mais je porte une veste !

— Une vraie veste, monsieur… Pas en cuir.

---

1. « Veste à la rigueur ».

Percy Plant, lui, est habillé comme un clown mais on ne lui dit rien. Tandis que moi, j'ai une veste en cuir de créateur (très mode, je tiens à le dire) et je fais tache.

Cette consigne de la « veste de rigueur » semblait me poursuivre. Comme j'ai toujours détesté ce qui est guindé et snob, *No Jacket Required* est devenu le titre de mon album et, en effet, une philosophie.

En faisant le tour des talk-shows américains pour la promo de l'album, je raconte l'histoire de l'hôtel de Chicago à David Letterman et à Johnny Carson. Le directeur de l'Ambassador East finira par m'écrire pour me demander de cesser de parler de leur stupide code vestimentaire. Je peux venir chez eux quand je veux, avec ce que je veux sur le dos, mais de grâce, que j'arrête de parler d'eux. Il m'enverra aussi une veste, avec comme motif des espèces d'éclaboussures de peinture multicolore, pour bien me montrer qu'ils ne se prennent pas trop au sérieux. Je me demande si elle plairait à Robert.

* * *

Je suis en plein enregistrement de *No Jacket Required* aux Townhouse Studios quand Bob Geldof m'appelle. On ne s'est jamais rencontrés, mais il va droit au but :

— Tu as vu les infos ?

— Non, je suis resté ici à travailler.

Quand on est en studio, on est comme coupé du monde ; on est « dans les bois », comme disait Quincy Jones. Geldof me parle du sujet de Michael Buerk sur la famine en Éthiopie aux infos de la BBC. Puis il m'expose son projet d'enregistrer un single caritatif avec une pléiade de stars.

— Il faut faire quelque chose, et comme j'ai besoin d'un batteur connu, j'ai tout de suite pensé à toi.

Il me cite Midge Ure, George Michael, et c'est à peu près tout. À peine quelques jours plus tard, le dimanche 25 novembre 1984, je me retrouve aux SARM Studios – les anciens studios Island sur Basing Street à Notting Hill où Genesis a enregistré

Foxtrot et *Selling England* et mixé *The Lamb* – avec le gratin de la scène pop britannique du milieu des années 1980.

Scène éprouvante pour les nerfs. Tout le Top 40 est là, chacun avec son tube en laisse, de Spandau Ballet à Bananarama en passant par Status Quo, U2, Sting et Culture Club. Le plus gros de la chanson est déjà en boîte et il ne reste que les voix et moi à enregistrer. Je suis obligé de pondre une partie de batterie dans l'instant, pendant que la fine fleur des pages illustrées de *Smash Hits* tournicote autour de moi, m'observe et-ou se maquille (et je ne parle que des hommes). Mais il arrive parfois que le trac vous fasse élever votre niveau de jeu. En regardant autour de moi, je perçois un chaleureux sentiment d'admiration chez les musiciens présents. C'est gratifiant, mais angoissant aussi car on ne m'a pas dit ce qu'on attendait de moi. Geldof se contente d'un : « Tu commences ici et tu joues ce que tu veux. » J'enregistre donc ma piste de batterie et j'entends des applaudissements.

— Impeccable ! me dit Midge que j'ai rejoint dans la cabine.
— J'ai envie de le refaire.
— Non, pas besoin.
— Bon, d'accord…

Et voilà, en une seule prise.

Je fais la connaissance de Bono et discute avec Sting. Entre l'ex-agent de Police et moi, ça colle tout de suite. Me rappelant que j'ai un album à finir, je lui demande s'il ne pourrait pas me donner un coup de main pour les voix. Il finira par faire les chœurs sur « Long Long Way To Go » et « Take Me Home », rejoint par Helen Terry et Peter Gabriel.

No Jacket Required sort le 25 janvier 1985, une semaine avant mon trente-quatrième anniversaire. Pourquoi ce teint rouge sur la pochette ? Parce que c'est un album ardent, de boîte de nuit, survitaminé. Et les perles de sueur sur mon front ? Certaines sont vraies, d'autres en glycérine. Les chansons et les sentiments sont authentiques, mais pour la pochette, je l'avoue, il a fallu ruser un peu pour me donner cet air surchauffé et surmené. Était-ce bien utile ? Depuis trois ans, je n'avais pratiquement pas arrêté…

L'album frappe fort d'entrée. Quand « Sussudio » sort, je me retrouve en tête des classements singles *et* albums aux États-Unis, mais aussi au Royaume-Uni – encore que, chez moi, ce soit « Easy Lover » le numéro un des singles (une chanson qui n'est même pas sur le disque). *No Jacket Required* va rester au sommet pendant sept semaines aux États-Unis et se vendre là-bas à plus de douze millions d'exemplaires. À ce jour, il en est à vingt-cinq millions dans le monde entier.

Je le sais uniquement parce que j'ai regardé sur Wikipedia. Pendant des années, enfermé dans l'œil du cyclone, je me fichais pas mal de ma place dans les classements et des chiffres de ventes. Je courais pour ne pas tomber.

Durant ces années je suis partout, tout le temps, je monopolise les ondes, MTV et les charts, jusqu'à ces foutus Oscars. Quoi qu'on fasse, qu'on allume la télé ou la radio, on tombe sur moi. Si on est indulgent ? J'écris beaucoup de tubes. Si on est pragmatique ? On aimerait moins m'entendre, ma musique et moi.

La tournée de *No Jacket Required* démarre au Theatre Royal de Nottingham le 11 février 1985. Accompagné par un groupe que je surnomme le « Hot Tub Club », je donne quatre-vingt-trois concerts en cinq mois dans le monde entier. Nombre d'entre eux au Royal Albert Hall de Londres et ailleurs au Royaume-Uni, puis dans le reste de l'Europe, en Australie, au Japon, ensuite une grosse série aux États-Unis – trois soirs à l'Universal Amphitheatre de L.A. et deux au Madison Square Garden –, le tout jusqu'à l'été 1985.

Ça ne vous suffit pas ? Aucun problème car un autre projet se dessine, un autre single, un autre inévitable hit signé Phil Collins.

Stephen Bishop est un grand ami doublé d'un grand auteur-compositeur, et j'enregistre une version acoustique de son « Separate Lives » pour *No Jacket Required*, mais elle cadre mal avec l'album. Je la garde quand même sous le coude et, un beau jour, Doug Morris d'Atlantic m'appelle : « Ça t'intéresserait

d'enregistrer "Separate Lives" en duo avec Marilyn Martin ? »
Je ne la connais pas, mais Doug étant président d'Atlantic
Records, je me fie à son jugement. Cette chanson sera celle du
nouveau film de Taylor Hackford, *Soleil de nuit*. Au plus fort
de la guerre froide, ce télescopage entre ballet et espionnage ne
peut faire que du bien.

« Separate Lives » devient lui aussi numéro un aux États-
Unis, ce qui signifie qu'en 1985 j'ai plus de tubes numéro
un là-bas que n'importe qui, et Stephen est nommé pour les
Oscars. Durant cette même saison des prix, *No Jacket Required*
rafle trois Grammy Awards et je remporte moi-même mes premiers Brit Awards : ceux du meilleur album britannique et du
meilleur artiste masculin. Mais avant même que ces cérémonies
n'aient eu lieu au début de l'année 1986, je suis de retour dans
l'orbite Genesis à la fin de 1985 pour les besoins du futur album
Invisible Touch. Nous voilà repartis.

✳ ✳ ✳

Auparavant, pendant la coupure de l'été 1985, je reçois
un appel du bureau : les auteurs de *Deux flics à Miami* voudraient que j'apparaisse dans un épisode de cette série américaine policière et populaire. Ils s'étaient servis de « In The Air
Tonight » pour leur pilote et en avaient été très satisfaits – au
point que, pour beaucoup, c'était devenu le générique de la
série. D'ailleurs Fred Lyle, son producteur musical, a souvent
utilisé mes chansons.

Un certain nombre de musiciens y ont déjà fait des apparitions – Glenn Frey et Frank Zappa, pour ne citer qu'eux – et
je me dis que ça peut être rigolo. Mais quand ils m'envoient
le scénario, l'effroi me glace : en fait de brève apparition, je
suis présent à chaque page et presque dans chaque scène. Mon
personnage s'appelle « Phil the Shill ». J'ignore ce qu'est un *shill*,
mais il est clair que le rôle a été écrit sur mesure pour moi. Je
découvre ensuite qu'il s'agit d'un escroc prêt à tout pour de
l'argent. Je ne comprends pas pourquoi ils ont pensé à moi.

Je les appelle pour leur dire que je n'ai pas tourné depuis des années, que je ne suis pas sûr d'y parvenir. John Nicolella, le réalisateur, écarte mes doutes d'un revers de main : « Allez viens, ça se passera bien. On va bien s'amuser. »

J'obtempère et, en effet, on s'amuse bien. Don Johnson est aux petits soins avec moi, et ma partenaire est Kyra Sedgwick, l'épouse de Kevin Bacon. Même Jill a un rôle dans une scène de fête. En dix jours, tout est bouclé et je suis rentré à la maison pour l'été.

Quand j'y repense, je ne peux pas croire que je réussissais à mener toutes ces expériences de front, que tout me réussissait, que le spectre de mes projets était aussi large. Si on fait le calcul aujourd'hui, en simples valeurs chiffrées, j'étais l'une des plus grosses pop-stars de la planète. Mais à l'époque, ce n'est pas ce que je ressens. *No Jacket Required* est resté numéro un aussi longtemps que ça ? J'ai du mal à y croire.

On me décrit toujours comme un boulimique de travail, ce que je nie avec véhémence (au risque de devenir tout rouge et d'avoir le front dégoulinant de glycérine). Non, c'est juste qu'on me fait des offres qu'il m'est impossible de refuser.

Je ne produis pas Duran Duran, je ne fais pas de duo avec Boy George, je ne pars pas en tournée avec Cyndi Lauper. Je ne cours pas après un nouveau passage dans *Top of the Pops* ni après un zéro de plus sur mon relevé bancaire. Robert, Eric, John, Philip, Frida : ce sont des gens avec qui j'ai grandi, que j'admire et-ou qui portent bien le manteau de fourrure. Des gens qui sont pour moi des idoles et de vrais artistes. Travailler avec eux est un honneur. Ces raisons-là me suffisent.

Néanmoins, je comprends que, dans l'esprit de certains, je puisse représenter les années 1980 triomphantes. Mais je ne parade pas sur des yachts, dans des Ferrari ni dans des *penthouses*. On me fait de mauvais procès, mais à qui n'en fait-on pas à l'époque ? Et le Patrick Bateman de Bret Easton Ellis a beau voir en moi tout ce que la musique de cette décennie vertigineuse et tapageuse a produit de plus beau, ça ne compte pas, c'est un psychopathe.

L'une des choses les plus appréciables à l'époque est que Jill puisse voyager et partager tous ces bons moments avec moi, ce qui ne fait que renforcer notre relation. Jamais elle ne se plaint de mon volume de travail. Le plus souvent, Joely et Simon restent bien au chaud chez leur mère à Vancouver et je vais les voir dès que je peux. Comme ils ont toujours l'air heureux, je le suis aussi ; mais il y a tant de moments importants que je regrette de ne pas pouvoir passer avec eux. C'est incroyable, quand j'y repense. Si le succès a une face cachée, c'est bien celle-là.

* * *

Que faisiez-vous le 8 août 1984, en pleins jeux Olympiques de Los Angeles, ceux qui furent gâchés par le boycott du bloc de l'Est, réponse lui-même au boycott des Jeux de Moscou de 1980 lancé par les Américains ?

Moi, je sais avec certitude ce que je faisais : j'épousais Jill Tavelman. Ce jour-là, la jolie mariée porte une belle robe blanche, le marié un élégant costume noir. Mes témoins sont Eric et Tony Smith, et ceux de la mariée sont son amie Megan Taylor et Pattie. Le mariage, célébré à la mairie de Guildford, est suivi d'une bénédiction à l'église de la paroisse. Simon et Joely font office de placeur et de demoiselle d'honneur.

La réception a lieu dans le jardin d'Old Croft où un groupe de rêve joue jusque tard dans la nuit : Eric Clapton, Gary Brooker, Robert Plant, Stephen Bishop, Ronnie, Daryl, Chester – tous de bons amis venus apporter leur contribution. Même l'arrivée imprévue du plombier – les toilettes du rez-de-chaussée sont bouchées – ne gâche pas l'ambiance.

Nous passons notre lune de miel en mer Égée, sur un yacht, à longer les côtes grecques et turques. Ma vie professionnelle est à son firmament, ma vie personnelle aussi.

Et que faisiez-vous le jour du Live Aid, le 13 juillet 1985 ? Là aussi, je peux répondre…

13

Le Live Aid,
mon rôle dans ce naufrage

Ou : je trime, mais je frime aussi

Robert Plant et moi nous croisons au Mandalay Four Seasons de Dallas. Je suis en train de répéter la tournée de *No Jacket Required*. Nous évoquons les bons souvenirs, l'enregistrement de ses albums solo, les tournées, et la fois où, à Chicago, ma veste en cuir hors de prix était contraire au code vestimentaire de l'hôtel alors que son horreur de costume bariolé avait passé le barrage sans encombre.

On commence alors à entendre parler d'un événement organisé par Bob Geldof, un genre de « juke-box planétaire », une suite au Band Aid sous la forme de deux mégashows truffés de stars, qui auraient lieu le même jour au Royaume-Uni et aux États-Unis. Quand j'ai lu ça, je me suis dit : *Ça ne se fera jamais. Trop délirant.* Nous sommes en 1985, aux tout débuts de la retransmission en direct de concerts à la télé, et en produire deux simultanément de part et d'autre de l'Atlantique me paraît tout simplement trop ambitieux.

Comme je n'ai rien entendu de la bouche de l'inarrêtable M. Geldof – qui n'est pourtant pas homme à faire des cachotteries –, j'en ai conclu qu'il s'agissait d'une rumeur, ou que je n'en ferai pas partie. Pour être franc, j'ai assez à faire ailleurs.

Depuis sa sortie en début d'année, *No Jacket Required* fait un malheur.

Quand soudain Geldof donne des conférences de presse en déclarant qu'Untel et Untel en seront – sans les avoir réellement consultés. Après quoi il saute sur son téléphone : « Bono y sera, donc tu y seras aussi ? » Ou, plutôt, en Geldof dans le texte : « Putain, Bono y sera, putain faut que t'y sois, putain ! » C'est ainsi que me parvient, dans les grandes lignes, la proposition de contribuer dans la mesure de mes modestes moyens à ce juke-box planétaire.

À Dallas, Robert me demande :

– Tu le fais, le show que Geldof est en train de monter ?

– Ouais, je pense. Mais je n'en sais pas plus.

– Ah ! me répond Robert. Et tu peux me mettre sur le coup ?

– Tu n'as pas besoin de moi pour ça : tu t'appelles Robert Plant, quand même ! Appelle Bill Graham ! lui dis-je en l'orientant vers le légendaire promoteur de concerts américain – c'est lui qui organise celui de Geldof à Philadelphie, le tout aussi légendaire Harvey Goldsmith se chargeant de celui de Londres.

– Ah non, impossible d'appeler Bill. On n'est pas au mieux avec lui. Il nous déteste.

Me revient alors à l'esprit l'« incident d'Oakland » : la tristement célèbre bagarre qui a eu lieu dans les coulisses d'un concert de Led Zeppelin en 1977, où l'un des gars de Graham s'était fait malmener par une partie de l'équipe du groupe. Ça, c'était le côté obscur de Led Zeppelin, pas celui infiniment plus lumineux de Robert Plant.

– Je suis sûr que ça va marcher, que Bill va être d'accord, l'assuré-je d'un ton aussi engageant que possible.

– Toi, moi et Jimmy, on pourrait faire un truc ensemble, suggère alors Robert.

Pour moi, cette proposition a le mérite (a) de la simplicité, (b) de la sagesse. Je cours partout, j'ai joué avec tout le monde, pris part à des projets avec Robert, Eric et même Adam Ant (en produisant et jouant de la batterie sur son single « Puss'n

Boots » de l'album *Strip* paru en 1983). J'y serai déjà sous mon propre nom, mais rien ne m'empêche de jouer aussi avec d'autres. Alors, pourquoi pas ?

Les syllabes « Led » et « Zep » ne sont à aucun moment prononcées. Il n'est pas question de ressusciter Led Zeppelin, qui n'a pas émis le moindre riff depuis la mort de John Bonham cinq ans plus tôt. Pas de retrouvailles. Rien. Donc inutile de s'en faire toute une montagne, et inutile de répéter. Pas besoin. Il n'y aura que Planty et moi, qui nous connaissons par cœur, et Jimmy Page qui viendra avec sa guitare, pour l'effet de surprise. Que peut-il nous arriver ?

Comme quoi d'inoffensives petites graines peuvent générer, un jour de juke-box planétaire, de gigantesques floraisons d'incompréhension.

Peu après Dallas, je suis en tournée quelque part aux États-Unis et je reçois un coup de fil à mon hôtel. C'est Sting.

— Tu fais le concert de Geldof, Phil ?

— Oui, j'y serai.

— Tu veux qu'on fasse quelque chose ensemble ?

Après lui avoir demandé de faire des chœurs sur *No Jacket Required* suite à notre rencontre pendant l'enregistrement avec le Band Aid, je lui avais rendu la pareille en travaillant sur des maquettes de son premier album post-Police, *The Dream of the Blue Turtles*, sorti lui aussi en cet été 1985. Maintenant qu'il a rompu avec son passé et qu'il est sur le point de se lancer en solo, Sting n'a aucune envie de retrouver ses anciens camarades dans l'immédiat, quelles que soient les dimensions du juke-box, ni envie d'y aller seul. Je le comprends.

— Bien sûr, Sting, pourquoi pas ? On fera quelques-unes des tiennes et quelques-unes des miennes.

Là encore, la proposition me paraît raisonnable et, tout aussi important, faisable.

Au printemps et au début de l'été, chacun est en tournée de son côté. La mienne, aux États-Unis, se termine une semaine avant le concert de Geldof – désormais baptisé Live Aid – et je retrouve Jill à la maison. Par téléphone, on se met d'accord avec Sting pour répéter chez moi. Flanqué de Trudie Styler, son épouse, il arrive remonté à bloc.

Nous avons une piscine. C'est une piscine à l'anglaise, découverte, nous sommes en juillet et il n'est pas exclu qu'il fasse beau. Cela dit, ce n'est pas la Côte d'Azur et l'eau est à peine chauffée. Mais pour me montrer accueillant, et me souvenant de la gentillesse de Mme Gabriel le jour où j'étais venu auditionner pour Genesis, je leur propose : « Si vous voulez piquer une tête... »

Sting ne se le fait pas dire deux fois. Sans même attraper un maillot de bain, voilà qu'il tombe le pantalon, rajuste un peu son caleçon et se glisse dans l'eau, fluide comme une loutre, presque sans une éclaboussure. Jill tente de détourner les yeux, mais sans y parvenir tout à fait. Après avoir fait quelques longueurs en souplesse, il ressort, se sèche et, en un instant, retrouve son allure impeccable. Petit con. J'envisage brièvement de me mettre au yoga, mais par bonheur le bon sens l'emporte.

On s'assoit au piano dans le salon. Je lui rafraîchis la mémoire au sujet des morceaux qu'on va faire ensemble : « Long Long Way To Go », qu'il a chanté sur *No Jacket Required*, et « Against All Odds » dont je réussis à concocter une version passable pour piano solo. Ensuite, on fait « Every Breath You Take ». Comme je ne me souviens pas des paroles, Sting me les souffle et je les note.

Pendant ce temps, dans la galaxie Plant-Page, les choses ont évolué. Harvey Goldsmith et Bill Graham sont entrés dans la danse. De « Toi, moi et Jimmy, on pourrait faire un truc ensemble », on est passés à « La Renaissance du Plus Grand Groupe de Rock de l'Histoire ». Un changement dont je ne sais rigoureusement rien. Robert ne m'ayant pas appelé, j'ignore que John Paul Jones sera aussi de la partie. Soudain, c'est LED ZEPPELIN qui redécolle !

Juste pour pimenter l'affaire, une autre conversation a eu lieu en parallèle. On me dit : « Ce serait bien si tu pouvais faire autre chose pendant le Live Aid, Phil. Tu aurais une idée ? »

Un Noël en famille : papa, oncle Reg, oncle Len, moi, maman, Carole et Clive dans un hôtel de Brighton. Même si nous passions souvent les fêtes chez Reg et Len, il nous arrivait parfois de prendre le repas de Noël dans ce lieu très agréable. C'est troublant que je prenne la pose avec cette bouteille de whisky vide à la main, quand on sait ce qui est arrivé par la suite… Mais tout va pour le mieux désormais.

Moi en Artful Dodger en 1964, au New Theatre de St Martin's Lane dans le scintillant West End londonien. Je me rappelle, aujourd'hui encore, tous les noms (de gauche à droite) : debout, Michael Harfleet (avec qui je suis toujours en contact), Ralph Ryan, Arthur Wild, moi, Jack Wild, Beryl Corsan, Jimmy Thomas et Christopher Cooper. *Oliver!* était un spectacle fantastique, et quand j'ai eu à écrire la version Broadway de *Tarzan*, je me suis servi de tout ce que j'y avais appris pour me perfectionner.

Ronnie Caryl et moi, au milieu des années 1960, dans un Photomaton. Je me souviens très bien de ce manteau afghan – je le portais tous les jours, il était devenu tellement sale qu'il aurait pu tenir tout seul. On le voit dans une vidéo des Flaming Youth tournée en Hollande.

Dans mon habitat naturel à la fin des années 1970. Cette photo a pu être prise alors que je jouais avec Brand X ou Genesis ; quoi qu'il en soit, je sais que j'étais au meilleur de ma forme. Pas de « classe internationale » comme le prétendraient certains, mais très bon. Même si je ne suis pas très objectif.

Moi et Peter Gabriel, attendant que quelque chose se passe à la Una Billings School for Dance dans le quartier de Shepherd's Bush, dans l'Ouest de Londres. Nous écrivions *Selling England by the Pound*. Je suis assis sur la grosse caisse de la batterie de Peter, sans doute le meilleur usage que l'on puisse en faire. De toute évidence, nous étions épuisés. On écrivait entre les concerts à travers le pays. C'était bien beau, ces moments magiques pendant ces séances d'écriture, mais durant ces temps morts, la fatigue s'installait.

Le photographe Armando Gallo a cru à Genesis dès le début, et il est encore un ami à ce jour. Je crois qu'il a pris cette photo à Woolwich, dans la banlieue de Londres, quand nous répétions là-bas. Nous semblons sans doute plus abattus que nous ne l'étions véritablement, mais on ne sait jamais.

Moi, Andrea et la très jeune Joely, à Headley Grange, vers 1974.

Un père heureux : une de mes photos préférées de moi et Joely, alors âgée de quatre ans. J'ai adopté Joely quand je me suis remis avec Andy en 1974. Elle était pour moi, et le sera toujours, comme ma propre fille. C'est une femme extraordinaire maintenant, heureuse en ménage, et qui m'a donné une délicieuse petite-fille, Zoe.

Simon est mon fils aîné, et nous sommes très proches. Mais le convaincre de manger n'était pas toujours facile ! Je crois que cette photo a été prise pendant une tournée, à Paris en 1978, vers la fin de mon mariage avec Andy.

Avec Miles Davis à une petite fête privée après les Grammys en 1986. Il me dit à quel point il aime ma chanson « Separate Lives » – je n'avais pas le cœur de lui avouer que je ne l'avais pas écrite moi-même. Derrière nous se trouve Doug Morris, à cette époque président d'Atlantic Records, qui discute avec Graham Nash. Miles était une légende vivante, et il était là, me parlant à *moi*.

Tony Smith et Genesis, en coulisses à Milton Keynes en 1982. Tony fêtait ses dix ans en tant que manager de Genesis. Une barbe impressionnante, n'est-ce pas ? De gauche à droite : Steve, Peter, TS, Mike, moi, Tony et Daryl. Étaient aussi présents mes enfants Simon et Joely, Kate Rutherford et Ben Banks (tout à droite). Milton Keynes en octobre : il n'y a que Genesis pour jouer en extérieur en Angleterre, et en cette saison. Bien sûr, il pleuvait des cordes – devant la scène, c'était un vrai bain de boue. Mais les fans de Genesis sont les plus dévoués du monde, et cette célébration trempée a tout de même eu lieu.

Avec Jill au bureau d'état civil, dans le comté de Surrey le 4 août 1984, le jour de notre mariage. La nuit précédente, j'avais dormi chez Eric et Pattie, et Pattie avait refusé de me laisser partir sans repasser ma chemise de mariage. Les plis ne me dérangeaient pas, Pattie beaucoup plus...

Avec Bob Geldof en coulisses du Live Aid, en 1985. Cette photo a été prise par le légendaire David Bailey. Il me semble que je n'avais pas encore joué à ce moment-là, donc c'était avant toute cette folie. Même Bob a l'air relativement détendu. Il n'a jamais cessé de me remercier pour ce que j'ai fait lors du Live Aid. J'étais l'un des premiers à m'engager auprès de Band Aid, et toujours prêt à faire ce qu'il me demandait.

À côté de la piscine des AIR Studios à Montserrat. Je produisais ce qui deviendrait *Behind the Sun*, l'album d'Eric. Sting nous a rendu visite parce qu'il était en vacances dans le coin, et Stephen Bishop est venu parce qu'il nous savait tous là-bas. On a enregistré l'une de ses chansons, « Leaving the Hall Light On », pour son album à venir. Le morceau nous a réunis tous les quatre, un groupe plutôt pas mal. Sting a même chanté un couplet.

Les gros durs : Lionel Richie, Michael Jackson, Quincy Jones et moi aux Grammys de 1986.
Je venais d'interpréter « Sussudio » sur scène, et Michael s'était penché vers moi pour me
demander qui avait arrangé les cuivres. Lui, Lionel et Q étaient sur le point de remporter un
Grammy pour « We Are The World ». Lionel est un bon ami, tout comme Q évidemment, qui
est devenu un collaborateur sous divers aspects.

J'essaye d'apprendre la batterie
à Son Altesse Royale le Prince
Charles, durant une semaine
organisée par le Prince's Trust à
Caister, dans le comté de Norfolk.
Heureusement, cet essai s'est
révélé infructueux et j'ai conservé
mon job. Le dernier jour de cet
événement annuel, le prince allait
à la rencontre de tous les jeunes
présents cette semaine-là, afin de
voir ce qu'ils y avaient appris. Il y
avait toujours quelques musiciens
parmi eux, et je prenais part aux
ateliers musicaux pour préparer
un petit concert marquant la fin
de la visite de Son Altesse Royale.
C'était chaque fois un succès, car
aucun des enfants ne pensait qu'il
se déplacerait vraiment, et encore
moins qu'il participerait !

Je réponds en toute franchise : « En fait, je préférerais juste accompagner quelqu'un à la batterie ». Ça, j'ai l'habitude. Me glisser sur le tabouret, dans le rôle, je sais faire. Je n'ai pas à me soucier de ma voix.

— Eric et Robert, ils jouent où ? demandé-je à Harvey Goldsmith.

— Eric est aux États-Unis. Robert aussi.

Ah, d'accord, me dis-je. Moi ici et eux là-bas, ça ne va pas aller.

— Mais je rentre tout juste d'une longue tournée aux États-Unis et je n'ai pas envie d'y retourner tout de suite. En plus, je me suis engagé pour jouer avec Sting à Wembley.

Intervient alors l'étude de faisabilité. Goldsmith sort, jette un œil à la logistique et annonce à Tony Smith : « Avec le Concorde, c'est possible d'être à Philadelphie avant la fin du show. Phil peut faire son truc avec Sting à Wembley, traverser l'Atlantique et finir la journée sur scène avec Eric et Robert. »

À ces mots, je me dis : *Jouer avec tous mes potes, super ! Si c'est possible, j'y vais.*

Avec Eric, je n'ai pas d'inquiétude. On a fait *Behind The Sun*, j'ai souvent joué avec lui, et je connais son batteur, Jamie Oldaker. Ça, ça roule.

Puis, changement de programme : j'apprends finalement que Robert et Jimmy veulent répéter.

S'il y a bien une chose dont je n'ai pas envie, c'est de répéter, d'autant que ça ne pourrait se faire qu'aux États-Unis. Or je sors tout juste d'une tournée de deux mois et, cet été, je veux passer un peu de temps avec mes enfants. De toute façon, les morceaux, je les connais. J'étais au premier concert de Led Zeppelin. Je suis fan, alors...

J'apprends ensuite qu'ils ont recruté Tony Thompson, l'ancien batteur de Chic, mais Robert tient à ma présence. Je me demande si c'est parce qu'il ne veut pas me laisser tomber ou parce que Goldsmith l'a rallié à son idée de me faire jouer aux deux concerts. Je n'en sais rien ; je n'ai jamais posé la question. Ce que je sais, c'est que je ne veux toujours pas répéter, même si je comprends parfaitement qu'avec un tel enjeu Robert puisse avoir envie d'un petit filage. J'aurais peut-être vu les choses différemment si je n'avais pas sous-estimé les proportions que prendrait la reformation de Led Zeppelin.

Quoi qu'il en soit, je dis à Robert : « Vous répétez, tu me donnes les titres et je les bosserai dans l'avion en écoutant les morceaux sur mon Walkman. »

∗ ∗ ∗

Le 13 juillet 1985, jour du Live Aid. Je me réveille à Loxwood, notre nouvelle demeure dans le Sussex de l'Ouest.

Il fait très beau. Le pays tout entier – le monde entier, même – attend cet événement historique. Pendant des mois, les préparatifs ont fait la une des journaux à travers la planète, mais, pour nous, ce début de journée ressemble à celui de millions de parents : par des problèmes de garde d'enfants.

Jill et moi avons décidé de confier Joely et Simon à ma mère. Plus de trente ans après, Joely m'en veut encore. Simon a huit ans, mais Joely en a douze-presque-treize, et le Live Aid et tous ces grands noms, c'est totalement son truc. De mon côté, je prévois un cauchemar logistique : la journée va être longue, avec des tas de déplacements et d'obligations, des engagements qui ne tiendraient pas dans les soutes du Concorde, et elle se terminera quand je m'effondrerai dans un hôtel new-yorkais à 5 heures du matin, heure anglaise, presque vingt-quatre heures après avoir quitté le Sussex. Je ne suis pas sûr de pouvoir être à la fois un papa disponible et le batteur transatlantique d'un juke-box planétaire.

Sans aucun égard pour la bouderie adolescente format XXL de Joely, nous la laissons, elle et son frère, chez ma mère et Barbara Speake à Ealing, et fonçons vers Wembley. Tout Londres est dehors et fait la fête dans les rues dans une formidable ambiance de carnaval.

Derrière la scène se trouvent des loges faites d'une multitude de caravanes disposées par groupes. Sans trop savoir pourquoi

– les cheveux, peut-être ? –, on m'a collé avec des Nouveaux Romantiques – Howard Jones, Nik Kershaw – et avec Sting. Avant notre passage, Andy Kershaw, le monsieur *world music* de la BBC, vient nous interviewer, manifestement à reculons. Des années plus tard, il racontera dans le documentaire de la chaîne sur le Live Aid qu'il aurait préféré de bons clients comme McCartney, Queen ou les Who. Ceux-là auraient été un peu plus marrants, un peu plus crédibles. Au lieu de quoi, il hérite de boulets.

Après quelques discussions de dernière minute, Sting et moi montons sur scène vers 14 heures. Notre entrée déclenche une immense clameur. Noel Edmonds, le présentateur, signale que dès la fin du set, je sauterai dans un Concorde direction Philadelphie, pour y jouer dans la foulée. Nouvelles acclamations.

Je me fais un sang d'encre. Il y a la question de la logistique : va-t-on réussir à avoir cet avion ? Et il y a l'impératif immédiat de ne pas se planter sous les yeux d'un milliard de téléspectateurs.

Juste avant d'entrer en scène, Sting me glisse incidemment : « Au fait, parfois, j'arrange un peu les paroles… » Après, je me revois juste au piano en train de chanter, les yeux rivés sur ma feuille, lui à l'autre bout de la scène de Wembley qui débite ses « *every breath… every move… every bond* ». Et pendant que moi, je chante les bonnes paroles, ce petit con me refait le coup de l'improvisation en caleçon (c'est une image, hein !). Devant les télés, des millions de voix hurlent : « Ferme-la, Collins ! Tu chantes pas les bonnes paroles ! T'aurais dû répéter ! »

Si seulement c'était le dernier de mes problèmes du jour.

La scène est blanche, le soleil éclatant et la chaleur sur le plateau épouvantable. Je transpire tellement que, sur « Against All Odds », mon doigt dérape sur une touche du piano et que je fais une belle fausse note (j'entends presque les quatre-vingt mille personnes sursauter), un « pain » relayé en mondovision qui, avec le loupé sur les paroles de « Every Breath », me fait déjà un peu passer pour un amateur.

Mais on se retrouve en coulisses avant même d'avoir eu le temps de s'en apercevoir. S'ensuit une espèce de temps mort – on a beau être pressés de traverser l'Atlantique, il faut encore attendre quasiment une heure avant que Noel Edmonds et son hélico viennent me chercher pour m'emmener à Heathrow. Même Geldof ne peut rien faire pour secouer les aiguilleurs du ciel.

On m'avait rassuré, je ne partirais pas pour Philadelphie en solo – je ne voulais surtout pas donner l'impression d'être le seul à frimer avec mon double concert. Pas d'inquiétude, m'avait-on dit : Duran Duran serait aussi du voyage.

Mais pour une raison inconnue, voilà maintenant que Duran Duran ne joue plus que du côté américain. Brusquement, je me retrouve tout seul, ce qui change la donne. Dans l'aristocratie rock et pop du Live Aid, on est tous égaux, mais certains plus que d'autres. Jill et moi partons en voiture rejoindre l'hélicoptère tapi dans un pré voisin. Naturellement, aucune des étapes de cette odyssée n'échappe à la télévision. « Et voici Phil Collins, tout sourire, encore en costume de scène, encore en sueur, et déjà en partance pour Philadelphie. Quel homme ! »

Embarquement, décollage, saut de puce jusqu'à Heathrow et atterrissage au pied du Concorde – toujours sous l'œil des caméras.

Comme il s'agit d'un vol régulier, l'avion est rempli de passagers qui attendent gentiment de décoller, mais soudain ces braves gens en sueur s'agitent. La plupart sont au courant de ce qui se passe car la nouvelle était dans tous les journaux et certains se poussent du coude en chuchotant : « Je le voyais pas si petit que ça ! »

D'autres, semble-t-il, ne comprennent pas ce qui se passe. En gagnant mon siège, j'aperçois Cher vers le milieu de l'allée. Visiblement, elle n'a pas la moindre idée de ce qui provoque cette agitation. En tenue de ville, ce n'est pas la Cher qu'on connaît. Elle me voit arriver avec, dans mon sillage, une nuée de journalistes et de photographes.

Devant elle, je suis un peu ébloui. Ouah, *Cher !* Moi, je me fiche pas mal qu'elle n'ait pas ses peintures de guerre, ce qui, visiblement, n'est pas son cas. Pendant que je sors mon gros Walkman des années 1980 et mes cassettes de Led Zeppelin, elle se dirige vers les toilettes. Et avant qu'on ait décollé, elle réapparaît telle qu'en elle-même, en Cher et en os.

Pendant le vol, elle vient me voir.

— Salut, Phil, qu'est-ce qu'il se passe ?

— Euh, tu n'es pas au courant du gros concert du Live Aid ? L'espèce de juke-box planétaire, Wembley, Philadelphie, un milliard de téléspectateurs dans le monde… ? Là, on va au concert américain.

— Ah ! me répond Cher. Et tu peux me mettre sur le coup ?

Encore ? me dis-je. *J'ai une tête d'agent artistique ou quoi ?*

Comme pour Robert, je lui dis qu'elle n'a pas besoin de moi. Elle s'appelle Cher, quand même ! Je suis sûr qu'il n'y aura aucun problème.

Aujourd'hui, des rumeurs circulent au sujet de ce vol en Concorde. Il paraîtrait, entre autres, que j'étais défoncé à la cocaïne, ma version à moi du Mile-High Club – vous savez, ces gens qui s'amusent à faire des galipettes en plein vol. Mais si je n'avais pas été dans mon état normal, jamais je n'aurais pu faire tout ce que j'avais à faire sur ce Live Aid. Néanmoins, je comprends comment cette légende a pu naître : c'est le monde des rock-stars ! C'étaient les années 1980 ! C'était la décennie qui voulait ça. Mais, à l'époque, je travaille tout le temps et si je travaille tout le temps, ce n'est pas parce que je m'explose le ciboulot.

Quand ma responsabilité est en jeu, je sais garder les mains propres. Surtout en ce 13 juillet 1985, jour J parmi les jours J. Je n'ai même pas touché au champagne offert dans l'avion. C'est peut-être Cher qui me l'a piqué.

Au milieu du vol, il est prévu que je donne mes impressions sur la radio de bord de l'appareil. Je me dirige donc vers le cockpit. Les pilotes, visiblement d'élite, me préviennent : « Normalement, on n'a pas le droit, alors ne le répétez à personne… » Je ne me peux m'empêcher de penser : *Mais ce que je vais dire, le monde entier va l'entendre !* Manifestement, le commandant de bord lui-même n'avait pas tout à fait pigé la mécanique interne du juke-box planétaire.

Dans le studio télé à Londres, les présentateurs de la BBC entretiennent l'attente :

— Et maintenant, nous rejoignons en direct Phil Collins dans le poste de pilotage du Concorde ! Comment ça va, Phil ? Quelles sont vos impressions ?

— Tout va bien, on est à mi-parcours…

Les invités présents dans le studio, Billy Connolly, Andrew Ridgeley de Wham ! et Pamela Stephenson sont perplexes. Tout ce qu'ils entendent, c'est un grésillement assourdi et des parasites. Connolly est sceptique : « Ça pourrait être n'importe qui ! Il pourrait être n'importe où ! »

À peine le temps de m'en rendre compte qu'on se pose. À JFK, prise en charge à la porte du Concorde, pas de formalités douanières, transfert vers un autre hélico et direction le stade JFK de Philadelphie. Il faut à peu près autant de temps pour faire New York-Philadelphie que pour traverser l'Atlantique.

À mon arrivée, je tombe en coulisses sur mon ami Steve « Pud » Jones, mon fidèle bras droit. Il me dit que, côté batterie, tout est OK. Je passe vite fait dans la loge d'Eric et je sens bien que, dans le groupe, tout le monde me prend à mots couverts pour un petit frimeur. Mais en découvrant la liste des morceaux, je me dis que ça va aller tout seul. Je déborde d'adrénaline, d'envie d'en découdre. C'est trop tard pour reculer, maintenant.

Je me fais alors accoster par Kenny Kragen, le manager de Lionel Richie. Il est responsable du finale, la chanson de USA for Africa, « We Are The World », écrite par Lionel.

— Phil, tu en chanterais bien un vers ?

— Euh, ce serait à quelle heure ?

— C'est juste un vers, pas grand-chose.

— Bon, d'accord, tu peux compter sur moi.

Je prends alors le chemin de la caravane de Led Zeppelin. Il n'y a pas de tête de bouc au-dessus de la porte, mais, avant même d'arriver, je vois les nuages noirs s'amonceler.

Je m'explique. Tout seul, Robert est un garçon charmant. Mais dès qu'il s'agit de Led Zeppelin, s'enclenche en lui une étrange réaction chimique. Avec de mauvais relents d'alchimie. Tout devient très sombre – sulfureux même. Je vois tout de suite que Jimmy est, disons, crispé. Nerveux. Ce n'est que plus tard, en regardant le clip, que je le verrai baver sur scène – de la vraie salive. Et comme il tient à peine debout en jouant, je me dis que c'est peut-être un effet voulu. Keith Richards le fait et c'est très beau à voir. Jimmy, lui, ressemble à un bébé girafe.

Mais ces joyeusetés sont encore devant nous. Dans l'immédiat, on me présente John Paul Jones, moins bavard qu'une huître. Puis Tony Thompson. Qui se montre très cool avec moi. Cool au sens de frais, de froid même. Je lui parle des pièges à éviter quand deux batteurs jouent ensemble. Pour l'avoir fait pendant des années avec Genesis et mon propre groupe, je ne sais que trop bien que ça peut partir salement en vrille. Le secret, et j'ai souffert pour l'apprendre, est de faire simple.

Mais le regard de Tony me signifie qu'il n'a que faire des « tuyaux » d'un parachuté fraîchement descendu de son Concorde.

Je commence à comprendre : ces gars-là ont bien bossé pour préparer le Live Aid et Tony répète avec eux depuis au moins une semaine. L'affaire est d'importance pour toutes les parties, sauf pour moi qui, peut-être par naïveté, n'a pas tout à fait saisi les enjeux de ce show.

Le regard de Jimmy se pose alors sur moi.

– Au fait… me dit-il mi-dans les vapes, mi-bougon, tu sais ce qu'on joue ?

– Euh, oui. Le seul passage que je maîtrise moyennement, c'est la partie de guitare flamenco avant le solo de « Stairway to Heaven ».

– Alors, ça fait comment ?

– Comme ça, je crois…

– Mais non, pas du tout ! me rétorque M. Page, avec un sourire narquois.

En moi-même, je me dis : *Allez, sois sympa ! Ne me dis pas comment ça fait pas. Dis-moi plutôt comment ça fait !*

J'ai l'impression d'avoir raté un examen. D'entendre Jimmy se parler à lui-même : « On a vraiment besoin de ce type ? On a vraiment besoin qu'il joue avec nous ? » Je me fais l'effet du gars qui s'est incrusté dans une soirée.

Je regarde Robert et je m'interroge : *Tu lui as dit ? Tu as dit à quelqu'un pourquoi j'étais ici ? Je suis ici parce que tu m'as demandé de te brancher sur ce putain de concert, et ensuite tu m'as dit :* « Peut-être que toi, moi et Jimmy, on pourrait faire un truc ensemble ? » *C'est pour ça que je suis là ! Je ne suis pas venu pour jouer avec Led Zeppelin ! Je suis venu pour jouer avec un ami qui vient de se retransformer en chanteur de Led Zeppelin, un animal très différent de celui qui m'a invité.*

Pour les parties chantées de Robert, il faut être en forme, surtout pour faire ce qu'il fait, tous ces aigus. Or, pour moi, c'est évident, il n'est pas en forme. Et puis il y a ce reproche sous-jacent de Page. D'accord, j'ai été le batteur de Robert, j'ai joué avec lui en tournée. Mais là, c'est pas pareil. *C'est le Zeppelin.* Et on ne touche pas au Zeppelin.

Me voilà otage des relations interpersonnelles de Led Zeppelin, un enchevêtrement constamment délétère et dysfonctionnel qui perdure aujourd'hui encore. Je n'ai d'autre choix que de chasser mes doutes d'un haussement d'épaules et de me retrousser les manches.

Le set d'Eric se déroule dans la bonne humeur et sans le moindre accroc. Avec Jamie, son batteur, on prend garde à ne pas se marcher sur les pieds et le résultat est magnifique. Ensuite, avant le passage du vrai-faux Led Zep, je dois rejouer mes deux chansons de Wembley. Je m'en sors bien, avec tout juste une amorce de dérapage due à mes mains moites.

Arrivent alors les retrouvailles fatales.

D'entrée, je sens que c'est mal barré. D'où je suis, je n'entends pas bien Robert, mais j'en entends assez pour comprendre qu'il n'est pas au mieux. Jimmy idem. Je ne me souviens pas d'avoir joué « Rock and Roll » et pourtant les preuves sont bien là. En revanche, je me rappelle avoir entendu un nombre incalculable de fois ce que Robert appelle avec dédain du « tricotage » : un jeu de batterie tape-à-l'œil. Et si vous retrouvez la vidéo (le clan Zeppelin a tout fait pour l'effacer des livres d'histoire), vous me verrez faire semblant, jouer en l'air, me mettre en retrait par peur d'une collision ferroviaire. Si j'avais su qu'on serait deux batteurs à jouer, je me serais retiré de l'opération bien avant de prendre le chemin de Philadelphie.

Sur scène, je ne quitte pas Tony Thompson des yeux. Je suis rivé à lui, bien obligé de le suivre car il a pris les commandes d'une main de plomb et choisi de ne pas suivre mes conseils. J'essaie d'imaginer ce qu'il se dit : « C'est le début d'une nouvelle carrière. John Bonham n'est plus là. Ils vont chercher quelqu'un d'autre. Ça pourrait être le début d'une reformation de Led Zeppelin. Et je n'ai pas envie d'avoir ce connard d'Anglais dans les pattes. »

Je ne le juge pas, paix à son âme. Thompson était un excellent batteur. Mais la situation était très inconfortable et si j'avais pu quitter cette scène je l'aurais fait, au milieu de « Stairway... », si ce n'est avant. Mais imaginez l'effet produit ! Se barrer en pleine Renaissance ! Mais il se prend pour qui, Collins ? Pour le coup, Geldof aurait pu s'en donner à cœur joie, question jurons.

Au bout de ce qui me paraît une éternité, on en termine enfin. Je me dis : *Mon Dieu, que c'était nul ! Vivement que tout ça soit fini.*

Il y aura un autre moment pénible. Alan Hunter, le monsieur clips de MTV, attend le groupe en coulisses pour une interview. Le front encore en sueur, le mauvais goût encore en bouche, on se rassemble devant cette caravane de malheur. Depuis le studio, quelqu'un fait le lancement : « En cette journée de retrouvailles, les plus attendues étaient sans doute celles de Led Zeppelin. Sans plus tarder, une interview du groupe fraîchement reformé... »

Hunter commence à poser des questions et on s'aperçoit vite que personne ne le prend au sérieux. Robert et Jimmy font les difficiles, donnent des réponses vagues, prétentieuses, à des questions simples ; John Paul Jones est plus huître que jamais.

J'ai de la peine pour Hunter. Il est en direct, face à un public international qui attend en retenant son souffle, et ces mecs-là se paient sa tête. Je tente donc de venir à son secours en proposant des réponses. Des réponses à des questions auxquelles je ne suis pas vraiment qualifié pour répondre.

Hors caméra, Hunter est probablement harcelé de consignes : « C'est pas Collins qu'il faut faire parler ! » Pour ma part, je me dis : *Mais c'est quoi, ce bordel ? Pourquoi Robert et Jimmy sont comme ça ? Ce type leur pose juste des questions. Sur scène, c'était déjà la débâcle, mais alors l'interview, ça va être le pompon.*

Le mal est fait, et Led Zeppelin refusera que son passage scénique figure sur le DVD officiel du Live Aid. Car, évidemment, ils ont honte. Et je vais m'apercevoir que celui qu'on accuse de cette bérézina, c'est toujours moi. Impensable que saint Led Zep y soit pour quelque chose. Le fautif, c'est celui qui est arrivé en Concorde sans avoir répété. C'est lui le coupable. Le petit frimeur.

Retour en coulisses. J'envisage de lever le camp. À présent, Eric s'est enfermé dans la caravane de Bob Dylan avec Ronnie Wood et Keith Richards – autre phalange à ne pas avoir été à son avantage ce jour-là. Je suis content de ne pas avoir assisté à ce massacre (encore qu'il aurait pu me consoler un peu). *À quoi ça a servi, tout ça ?* me dis-je. J'ai joué avec des tas de mauvais musiciens, mais jamais je n'ai vécu une chose pareille.

Crevé, profondément abattu, comme si on venait de me débrancher, je me rappelle soudain : *Mince, il faut encore que je chante* « We Are The World » *avec Lionel Richie et Harry Belafonte !*

Je dis à Kenny Kragen que j'en suis incapable. Il est certain que, de là où je suis, parmi les débris d'un Led Zeppelin fracassé, nous sommes très loin d'« être le monde »… Je veux partir d'ici, et prendre le dernier hélico pour New York.

Tony Smith, Jill et moi nous hissons péniblement à bord. L'appareil se pose sur l'héliport du West Side de Manhattan et nous laisse dans un terrain vague, au bord de l'eau. Après tout ce qui nous est arrivé aujourd'hui – Wembley, Heathrow, Concorde, aéroport JFK, stade JFK, quatre passages sur scène, dont un catastrophique, retour en ville en hélico –, on débarque en plein désert : *pas de voiture*. Personne n'a prévu de chauffeur pour venir nous chercher. Pas de taxis non plus. Aucun dans ce secteur à cette heure de la nuit. Pile au moment où je me disais que la situation ne pouvait pas être pire...

On finit par en dégoter un qui nous conduit à l'hôtel. J'allume la télé pour assister à l'agonie du concert de Philadelphie. Et qui vois-je sur scène ?

Cher.

Final fou d'une journée folle. Non seulement on l'a laissée entrer, mais on lui a donné un micro. Et elle chante « We Are The World ». Peut-être ma partie de texte, d'ailleurs...

Le lendemain, retour en Concorde, et on récupère les enfants – qui finissaient tout juste de planter des épingles dans une poupée à mon effigie. On réintègre nos pénates dans le Sussex de l'Ouest le dimanche 14 juillet 1985. Il n'y a que nous quatre, Jill, Joely, Simon et moi, et c'est le début des grandes vacances. « Qu'est-ce que vous avez envie de faire ? On sort les Lego ? »

Les vrais défis commencent.

14

Braquage à l'anglaise

*Ou : j'œuvre à notre bonheur familial
tout en remplissant les stades (collectivement),
je décroche un premier rôle et deviens une vedette
du grand écran (brièvement),
et je mets l'héritier du trône dans l'embarras
(involontairement)*

Papa est rentré ! En cet été 1985 post-Live Aid, je m'applique à redevenir père de famille. En général, j'ai Simon et Joely pour les grandes vacances ; comme ils vivent le reste de l'année à Vancouver et que j'ai toujours à faire quelque part, ces mois d'été où nous pouvons nous retrouver sont sacrés. Même si Joely, Simon et moi nous parlons régulièrement, chacune de leur visite réserve des surprises. Leurs personnalités s'affirment, ils sont plus attentifs à la mode et à leurs coupes de cheveux et, bien sûr, ils grandissent.

J'ai fait beaucoup de vidéos d'eux à cette époque et c'est fascinant de voir leur accent changer. Joely en particulier est passée progressivement d'un anglais très comme-il-faut à quelque chose d'intermédiaire avec l'américain. Tous deux deviennent de charmants jeunes gens avec de bonnes manières, même si, bien sûr, ces changements apportent leur lot de problèmes – des problèmes que j'aurais aimé partager si j'avais pu être là. Eux comme moi souffrons de plus en plus de la distance géographique qui nous sépare.

Nous habitons maintenant Lakers Lodge à Loxwood, dans le Sussex de l'Ouest. Nous avons décidé de quitter Old Croft pendant que j'enregistrais *No Jacket Required* à Londres. C'est surtout Jill qui s'est chargée de nous trouver un nouveau toit pendant que j'étais retenu en studio. Rien à voir quand même avec ma mère, qui avait acheté une nouvelle maison et y avait installé toute la famille en une seule journée, le temps que mon père parte au travail et en revienne. Encore que...

Lakers Lodge est une bâtisse du début du XVIIIe siècle qui s'appelait alors Beggars Bush. Édifice classé, il s'agit d'une vaste et ancienne maison géorgienne de construction robuste avec près de cinq hectares de terrain et un jardin clos à la française. Par la suite, nous ferons creuser un étang, ce qui me permettra de faire avec mes enfants ce que mon père faisait avec moi : des ronds dans l'eau. Cette maison fut le centre névralgique de la région pendant la Seconde Guerre mondiale – j'ai des photos de la Home Guard s'exerçant au maniement des armes sur la pelouse.

À la propriété est attaché un personnel restreint, un couple d'âge mûr, Len et Joyce Buck qui vivent là depuis vingt-cinq ans. Len est un taciturne, un jardinier de la vieille école, fier à juste titre de ses talents, qui sait exactement quand récolter et quand semer. Joyce tient la maison et les rênes du ménage.

Le propriétaire précédent leur avait dit qu'on se passerait de leurs services après la vente, mais je ne voulais pas de cette maison sans eux. Ils sont d'un dévouement sans pareil et nous aident, Jill et moi, à nous acclimater. Au fil des années, nous nous intégrons avec plaisir à la vie de la commune. Chaque Noël, nous organisons une grande fête à laquelle tout le village est invité ; nous avons nos habitudes au charmant pub des Cricketers ; et je fais partie de l'équipe de « célébrités » qui, certains dimanches, joue au cricket sur la place. Les gens du coin sont tous devenus des amis et, des années plus tard, ils se déplaceront en masse pour assister à mon cinquantième anniversaire à Zermatt, en Suisse.

Août marque aussi notre premier anniversaire de mariage, raison de plus pour se réchauffer le cœur à l'ombre du foyer. Ces quatre dernières années, tandis que je bondissais de projet en projet, de pays en pays et de collaboration en collaboration, Jill m'a souvent accompagné. Elle trouvait cette vie itinérante plutôt excitante, mais pas forcément surprenante compte tenu de ses origines proches du monde du spectacle : son père était gérant d'une boutique de vêtements pour hommes et confectionnait des costumes pour le Tout-Hollywood, et sa mère était actrice et danseuse. Quand j'ai enregistré un fragment de « Over the Rainbow » en guise de petite coda à *Face Value* et que, soudain, je ne me suis plus souvenu des paroles, Jill a appelé sa mère qui connaissait l'auteur, Yip Harburg. Celui-ci les lui a dictées par téléphone et je les ai eues, pour ainsi dire, de la bouche même de Judy Garland.

Ce plaisir est partagé. J'adore avoir Jill auprès de moi en voyage, tel un copilote à mon côté. Mais mes occupations professionnelles font que nous sommes séparés tout en étant ensemble. De sorte qu'en cet été 1985, nous goûtons le bonheur suprême d'être réunis tous les quatre.

D'un commun accord avec Jill, avoir un enfant n'est pour l'instant pas à l'ordre du jour, et ne le sera pas pendant quelques années encore. D'abord, nous devons nous occuper de Joely et Simon. Comme ils sont encore jeunes – Jill étant née un 8 août, pendant les vacances d'été, nous fêtons généralement son anniversaire en même temps que celui de Joely ; en revanche, je rate souvent de peu celui de Simon, qui tombe le 14 septembre –, nous ne souhaitons pas compliquer les choses tant qu'ils ne sont pas prêts à accepter d'autres changements.

J'ai pour Jill une admiration sans bornes : ça n'a pas été facile pour elle d'hériter d'une famille. Tout comme il n'a pas été facile aux enfants d'accepter Jill comme belle-mère. D'ailleurs, en théorie, Joely a, outre une belle-mère, un beau-père, mais à aucun moment je ne me suis considéré comme tel, et elle non plus. Je suis son père, elle est ma fille, un point c'est tout.

Mais une famille fragmentée, éparpillée de par le monde – un sujet dont nous plaisanterons des années plus tard quand elle sera encore plus fragmentée et encore plus éparpillée –, c'est autre chose que le schéma classique où « maman et papa sont séparés ». C'est compliqué et j'essaie d'entretenir un climat paisible, constructif et surtout aimant.

Si l'été est pour moi synonyme de temps libre et de coupure, il l'est beaucoup moins pour Jill. Tout à coup, elle se transforme en maman. Elle s'y prend très bien, même si un rodage est nécessaire le temps que les enfants reprennent contact avec un père inévitablement absent et une nouvelle figure maternelle. En grandissant, Simon et Joely m'ont avoué que c'était plus difficile qu'ils ne l'avaient laissé voir à l'époque, même durant la brève période où ils étaient revenus vivre au Royaume-Uni avec Andy. D'ailleurs, Simon m'a raconté qu'il fuguait régulièrement de l'école primaire de Ealing, tellement il détestait l'école. Ou tellement il détestait cette vie-là. Quoi qu'il en soit, je ne peux m'empêcher de me sentir coupable.

À l'époque, personne ne m'en a parlé. Mais je me suis rendu compte tardivement que j'en avais une preuve photographique. Sur une photo de classe, Simon est placé au bout de la rangée ; il est même assis à un bon mètre de ses camarades. Le symbole ne serait pas plus fort s'il tenait sous son bras un vinyle de *Face Value*. J'ai toujours un pincement au cœur en regardant cette photo de mon petit garçon.

Bien décidé à rattraper les heures de présence douloureusement perdues en raison de mon divorce et des circonstances, je passe beaucoup de temps avec les enfants. Je me dis parfois que Jill pourrait mal le prendre car, tout en étant ensemble, nous sommes encore une fois séparés. Mais je ne cesse de penser à l'inéluctable, au retour de Joely et Simon à Vancouver, et je chéris chaque minute qu'ils passent avec moi en Angleterre.

Jill et moi avons notre moment à nous une fois que Joely et Simon sont au lit. On regarde un film ou on discute, mais en grandissant, les enfants se couchent de plus en plus tard et le temps que nous nous accordons se réduit – comme souvent chez les couples avec enfants.

À la fin des vacances scolaires, je reconduis à contrecœur Joely et Simon à Heathrow. Je les regarde, en agitant la main, rejoindre l'avion qui les ramène vers leur mère – dix heures de vol comme mineurs non accompagnés, direction Vancouver. Je ne me verrais plus faire ça avec Nicholas et Mathew aujourd'hui – je monterais dans l'avion avec eux. Je ne sais pas à quoi je pensais à l'époque. Je présente ici et maintenant mes excuses à Jo et Simon pour mon égoisme. Mais ce n'est pas ce que je ressentais à l'époque, je le jure, d'autant que je livrais bataille sur un autre front.

Je me suis fait à l'idée de marchander avec Andy, de négocier les périodes où je peux avoir les enfants. Le divorce peut être cruel pour eux, petits pions d'un jeu d'adultes. Ils entendent une partie seulement des conversations, les cris, le téléphone qu'on raccroche brutalement, avant de devoir écouter les récrimina-tions d'une maman envers un papa, ou vice-versa. Ce n'est déjà pas drôle d'avoir des parents qui ne vivent plus ensemble, alors s'il faut aussi les entendre se disputer… Mais, la sagesse venant avec l'âge, je m'estime aujourd'hui imbattable sur le sujet du divorce et de la gestion des humains. J'en viens à voir ma vie d'adulte comme quatre décennies de négociations.

* * *

Les vacances d'été terminées, je suis prêt à me remettre au travail. Ce n'est en aucun cas une corvée. Contrairement à mon père, frustré et, je pense, finalement abîmé par un métier qu'il subissait, mon gagne-pain me maintient en vie. J'adore mon boulot.

Les enfants étant bien arrivés au Canada, Genesis se retrouve à The Farm en octobre pour mettre en chantier ce qui deviendra *Invisible Touch*. Maintenant que je suis installé à Lakers Lodge,

257

Mike, Tony et moi habitons tous près les uns des autres et pouvons être au studio en moins de dix minutes.

Si je devais quitter Genesis pour une carrière solo, ce serait théoriquement le moment, car le succès de *No Jacket Required* gonfle encore mes voiles. Mais, en même temps, mes camarades m'ont manqué. Avec le temps, Tony et Mike se sont rapprochés de moi, ce qui est contraire au scénario classique des groupes de rock. Tony, naguère réservé et difficile d'accès, est désormais un très bon ami, drôle et spirituel. C'est quelqu'un d'autre, surtout avec un verre de vin dans le nez. Mike aussi s'est assoupli.

Oui, ils m'ont manqué, tout comme m'a manqué la magie de notre collaboration en studio. Comme on n'a rien programmé, on s'installe et on improvise. On *joue*. Ici, pas de John qui arrive avec une chanson et de Paul qui en apporte une autre. Je ne connais personne d'autre qui fonctionne comme nous, assis en cercle, à improviser jusqu'à ce que ça prenne forme. Tous les autres groupes me paraissent plus organisés que ça – plus barbants aussi.

Je ne pourrais faire ça nulle part ailleurs, me dis-je. Il y a ici quelque chose de singulier. Genesis est aussi un refuge. Je suis de retour dans le groupe, entouré de mes amis (l'équipe technique est la même que sur mes tournées solo). On travaille ensemble, on se détend ensemble, on mange ensemble. On arrive le matin au studio et un petit déjeuner préparé par les roadies nous attend. Quand on travaille sur un disque, il y a souvent des moments où on ne fait rien, surtout dès qu'on commence à enregistrer ; du coup, quelques heures plus tard, on peut repasser voir s'il ne reste pas des saucisses et des haricots froids. Et puis le soir, c'est curry. On prend du poids sur un album. En dehors des poignées d'amour, le seul problème est de savoir s'arrêter en fin de journée.

On attaque avec une feuille de papier vierge, et une cabine de contrôle de belles dimensions ajoutée depuis le dernier enregistrement. On a aussi une salle réverbérante pour ma batterie, mais on utilise davantage les boîtes à rythme que sur l'album précédent. Ça me libère, à la fois pour écrire les chansons et pour les chanter.

Le morceau « Invisible Touch » en est un exemple. Mike a trouvé un riff insistant à la guitare, je commence à chanter et aussitôt me vient cette phrase : « *She seems to have an invisible touch / It takes control and slowly tears you apart*[1] » C'est un être dangereux et déstabilisant. C'est Andy, et c'est Lavinia. Quelqu'un qui arrive et fout ta vie en l'air, tu vois, et c'est le texte que je finirai par chanter sur scène, sous les cris enthousiastes du public et au grand embarras de mes enfants.

« Invisible Touch » n'est pourtant pas un texte plein d'amertume ou de colère – mais un constat. Parfois, quand les amours de Simon battaient de l'aile, je lui disais : « On dirait qu'elle te touche malgré toi… », ce qui le faisait rire. J'ai l'impression qu'il est dans le même registre relationnel que moi. Même en ce qui concerne mon fils Nic et les filles de son école, je lui dis qu'il y a certaines personnes qu'il vaut mieux éviter. Mais qui nous attirent quand même.

Les paroles ont certes un côté grave, halluciné. Mais « Invisible Touch » est aussi un morceau tonique, avec un son influencé par « The Glamourous Life », un gros hit dansant américain de 1984 de Sheila E., ancienne percussionniste et choriste de Prince. C'est un de mes préférés de Genesis et, quand il sort comme premier single de l'album en mai 1986, il devient notre premier – et unique – numéro un aux États-Unis. Il sera d'ailleurs le premier à entrer dans le Top 5, là-bas, parmi les cinq singles tirés de *Invisible Touch*, l'album de Genesis le plus vendu à ce jour, paru un an après *No Jacket Required*, mon best-seller personnel.

Étrangement, à cette époque, les univers issus de Genesis se télescopent à nouveau. Après avoir dominé cet été-là les ventes et les passages à l'antenne aux États-Unis, nous nous faisons éjecter de la pole position en catégorie single par le

---

1. « On dirait qu'elle te touche malgré toi / Elle s'empare de toi et lentement te déchire. »

« Sledgehammer » de Peter, extrait de son superbe cinquième album, *So*. On est loin de la tête de renard, mais, dans la fameuse vidéo de la chanson, la sienne est encore bien là, chahutée par le *stop motion*.

Je l'avoue, je suis jaloux de Peter. J'aurais aimé écrire certaines des chansons qu'il a écrites – à commencer par « Don't Give Up », sublime duo avec Kate Bush. Même là, à l'apogée de mon succès, on dirait que malgré ce que j'ai accompli, malgré les somptueux projets qui jalonnent mon chemin, j'ai d'office la presse contre moi. Et, de façon semble-t-il tout aussi systématique, Peter l'a pour lui. C'est un peu injuste, même si, j'en suis conscient, il est pitoyable de parler ainsi dans ce contexte. Quelques années plus tard, en 1996, quand je sortirai *Dance Into The Light*, *Entertainment Weekly* écrira : « Même Phil Collins devrait savoir que Phil Collins a fini par lasser tout le monde. »

Entre la fin de l'enregistrement de *Invisible Touch* et le début de la tournée, je reprends contact avec Eric. Il semble qu'on nous ait pardonné à tous deux *Behind the Sun*, car on m'autorise à jouer de la batterie sur son nouvel album et à le coproduire avec Tom Dowd. Il s'intitulera *August*, mois de naissance de son fils Conor. On enregistre à Los Angeles sous la férule de Lenny Waronker, qui veille à ce qu'il y ait beaucoup de guitare. *August* est la meilleure vente d'Eric à ce jour, une issue heureuse qu'on pourrait attribuer à un meilleur choix de morceaux, au parti pris judicieux de Waronker, à mes gros progrès comme producteur, ou à une combinaison miraculeuse de ces trois facteurs. Et on injecte cette dynamique dans une série de concerts européens et américains auxquels je participe. Jouer avec Eric, Greg Phillinganes et Nathan East est un plaisir énorme – on s'éclate tellement qu'on se surnomme « The Heaven Band[1] » ; c'est aussi un prélude charmant et reposant à ce qui va suivre.

La tournée *Invisible Touch* démarre en septembre 1986 avec trois concerts à Detroit dans la Joe Louis Arena et ses vingt

1. « Le groupe du paradis ».

et un mille places. Il ne s'arrêtera qu'après dix mois et cent douze dates.

C'est sur cette tournée-là qu'on commence à nous lancer des sous-vêtements sur scène. Avant, ça pouvait être des chaussures – leurs propriétaires repartaient à cloche-pied ou quoi ? – mais là, on est montés d'un cran. Pourquoi ? Cinq singles dans le Top 5 américain ont-ils conquis un public plus jeune, plus libéré ? Les paroles passionnées de « Invisible Touch » y sont-elles pour quelque chose ? Il n'y a pas de tournée de Tom Jones cette année ?

Pris dans notre carrousel planétaire, nous jouons trois soirs ici, quatre là, cinq au Madison Square Garden. Les jours de relâche ? Ça ne m'intéresse pas trop. Je flâne autour de l'hôtel, je vais éventuellement au cinéma, mais je ne fais pas grand-chose d'autre. Non par peur d'être importuné par des admirateurs dans la rue, mais parce que je compte les heures jusqu'au concert du soir. C'est pour ça que je suis là. Sinon, je reste dans ma chambre et j'écoute les bandes de la veille, je vérifie le son d'ensemble, attentif à tout relâchement ou erreur de tel ou tel sur scène. Finalement, je m'aperçois que chaque concert est unique.

Parfois, suivant le conseil des meilleurs ORL que peut s'offrir une rock-star, je me rends au hammam le plus proche. Maintenant que je donne beaucoup de concerts, en solo et avec Genesis, et de plus en plus souvent dans de grandes salles, je vis dans la hantise de perdre ma voix, et la vapeur me soulage.

Pendant ces périodes-là, je ne suis sans doute pas le meilleur compagnon qui soit et j'encourage Jill à sortir, à faire les magasins, à prendre le pouls de l'étape du jour dans notre incessant marathon planétaire. Ce qui me permet aussi de passer un peu de temps seul et de recharger mes accus. Je me donne tellement sur scène que je fais tout pour me garder du temps « à moi ».

Je sais de quoi j'ai l'air, assis seul dans ma chambre, à écouter le concert de la veille à tête reposée ou à chercher quelque chose à regarder à la télé américaine : j'ai l'air de Greta Garbo.

261

En Australie, notre route croise celle d'Elton John et, à Melbourne, je passe une soirée instructive dans sa loge. Il joue avec l'orchestre symphonique de la ville et le concert est retransmis à travers tout le pays. Elton est morose car il pense avoir une extinction de voix. Je le sens à deux doigts d'annuler, sans se soucier des conséquences pour les dizaines de musiciens de l'orchestre et ses milliers de fans. Il fait venir sa limousine et, après quelques tours de parking au ralenti en bouillant de rage, il finit par revenir et entre en scène.

Après le show, de retour dans sa loge, je lui dis que j'ai juste noté une légère faiblesse vocale à un endroit, sur « Don't Let the Sun Go Down On Me ». Il est heureux de l'apprendre, mais je sens qu'après mon départ ses amygdales vont entendre parler du pays.

Pour moi, cette expérience est éclairante. La plupart du temps, le public ne remarque même pas ce genre de subtilité – moi, je l'ai à peine relevée et encore, je savais qu'il était enroué. Il faut y réfléchir à deux fois avant de laisser un mal de gorge dégénérer en annulation, synonyme de caprice. Peu d'excuses tiennent la route face à vingt mille fans, à part celle de rendre l'âme au hammam avant le concert.

La tournée de *Invisible Touch* s'achève en juillet 1987 sur nos terres. Comme six dates seulement sur les cent douze se déroulent au Royaume-Uni, nous serions bien avisés de ne pas nous rater. Pression supplémentaire, ces concerts ont lieu dans les temples respectifs des équipes de football écossaise et anglaise : Hampden Park à Glasgow et Wembley à Londres.

Pour un amateur de foot, ce sont des moments particuliers. À Hampden, on nous autorise à utiliser la salle des trophées comme loge et je me dis : *C'est ici que l'Angleterre et l'Écosse ont joué... Je me demande si Jimmy Greaves était assis là...*

À Wembley, l'ambiance est extraordinaire, et les quatre soirs où nous y jouons sont de loin le sommet de la tournée. Quand vous êtes sur scène devant quatre-vingt-six mille personnes – dans l'antre légendaire du football anglais – et que vous les entraînez dans vos douces loufoqueries (« wou-ouh » quand les lumières s'éteignent sur mon introduction de « Domino », par exemple), le spectacle est saisissant, enivrant. Des soirs comme celui-là, on se sent très puissant. Sur le toit du monde. Ma mère y était, comme elle était à tous les concerts de Genesis à Londres, même quand sa vue et ses jambes défaillantes l'obligeaient à y assister en fauteuil roulant.

En général, après le show, je redescends brutalement sur terre. Mais à Wembley il se produit un phénomène étrange que je ne ressens nulle part ailleurs. Ce stade avait une telle importance dans ma jeunesse que le simple fait de me promener autour, de fouler la pelouse me bouleverse.

Maintenant, en quoi convertir le statut de dieu vivant que m'ont valu ces quatre soirées à Wembley ? Pas en champagne, en cocaïne, en top-modèles ni en hors-bord. Sur la tournée *Invisible Touch*, j'ai fait les boutiques de modélisme ferroviaire aux quatre coins du monde et j'en ai rapporté pas mal de matériel. J'ai l'intention d'installer au sous-sol de Lakers Lodge un réseau ferré à l'échelle HO, devant lequel Rod « the Mod » Stewart va pleurer de jalousie.

Je profite aussi de l'occasion pour renouer avec un domaine où je m'étais juré de ne plus jamais mettre les pieds : le cinéma. Je viens de passer dix mois sur certaines des plus grandes scènes du monde et, à l'évidence, j'ai l'étoffe d'un premier rôle. Cette fois, j'ose espérer que personne ne me fera disparaître du film.

* * *

En 1963, lors de l'attaque du train Glasgow-Londres, j'ai douze ans. Je me revois le lendemain, parcourant les titres du journal de mes parents. J'ai conscience de l'importance de l'événement. Une bonne partie de l'Angleterre paraît séduite par l'audace de ce gang d'une quinzaine de personnes qui a immobilisé un train postal à l'aide de moyens rudimentaires – en trafiquant les signaux – pour le délester d'une cargaison de billets représentant la coquette somme de 2,6 millions de livres. Très, très coquette, la somme.

Après leur capture, les voleurs écopent de peines de prison exagérément lourdes. C'est le début des swinging sixties, l'état d'esprit du pays change et l'opinion publique a l'impression que la classe dominante britannique a voulu faire un exemple. L'un des malfaiteurs incarcérés, Ronnie Biggs, affublé par ses acolytes du sobriquet peu flatteur de « Larbin », s'évade de la prison de Wandsworth à Londres et s'enfuit à Paris, puis en Australie, avant de s'établir à Rio de Janeiro où son passé de star du casse ferroviaire lui vaut une petite célébrité. En 2001, presque quarante ans après les faits, il revient au Royaume-Uni et se rend à la justice.

Avant Biggs, deux des cerveaux du gang sont parvenus à quitter le pays pour le Mexique où ils deviennent eux aussi des héros populaires aux yeux d'une partie de leurs compatriotes. L'un est Bruce Reynolds, le chef de la bande. L'autre, Buster Edwards, son lieutenant.

Un jour de 1987, je reçois donc une proposition d'une société de production. Ils préparent un film inspiré de la vie de Buster qui, après son retour du Mexique, sans un sou mais en manque de sa famille, passera neuf ans sous les verrous avant de se racheter une conduite en tenant un stand de fleurs devant la gare de Waterloo à Londres.

D'après les auteurs du film, l'histoire de Buster est aussi une histoire d'amour. Tout au long de sa vie de petit délinquant et de taulard, selon les périodes, lui et sa femme June sont restés inséparables. Le film entend retracer le parcours de ce couple en ne se servant de l'attaque du train postal que comme toile de fond. Serais-je intéressé par le rôle ?

Un peu, oui ! Certes, j'ai envoyé promener le cinéma au soir de mon adolescence et au crépuscule des années 1960 – j'avais éprouvé quelques déconvenues à l'écran (et en salle de montage) et j'étais plus intéressé par une carrière de musicien –, mais c'était longtemps auparavant. Une nouvelle aventure créatrice a donc de quoi me tenter.

Mais pourquoi moi ? Apparemment, David Green, le réalisateur, regardait un soir la télé quand mon épisode de *Deux flics à Miami* est passé. Quelques minutes plus tard, sa femme lui a dit : « Il est là, ton Buster. »

Green a déjà sa June : Julie Walters, actrice et comédienne anglaise talentueuse et très populaire. Elle a remporté un BAFTA et un Golden Globe et été nommée aux Oscars pour le rôle-titre dans *L'Éducation de Rita*, de 1983. Sa participation au projet vaut approbation de celui-ci et balaie les ultimes doutes que je pourrais encore concevoir.

L'une des premières épreuves consiste à porter un faux nez pour un essai en conditions réelles. Le vrai Buster avait subi une chirurgie esthétique désastreuse quand il était en fuite à travers l'Europe. L'idée est donc de commencer avec le faux nez, puis de l'enlever et, pendant l'essentiel du film, de faire passer le vrai pour une rhinoplastie. Vous me suivez ? Ce n'est pas idiot en termes de tournage, mais ça sous-entend que mon vrai nez a quelque chose de comique. J'essaie de ne pas mal le prendre. Quand on est acteur comme moi, mon petit, il faut avoir le cuir épais.

Dès ma sortie du maquillage, un déjeuner est organisé aux Wembley Studios pour la productrice Norma Heyman, David Green, Julie et moi. Encore paré de ma prothèse, je rencontre Julie pour la première fois, le but étant de savoir si nous pouvons nous entendre. Elle se dit ravie de faire notre connaissance, la mienne et celle de mon faux nez, et je craque instantanément pour elle. Elle est d'une drôlerie irrésistible et aussitôt je me remémore avec tendresse tous ses sketches fabuleux dans les séries humoristiques *Acorn Antiques* et *Wood and Walters*. Une certaine dose de « craquage » est admise car, entre un premier rôle masculin et un premier rôle féminin, il faut bien que le courant passe, non ? Charmé par une professionnelle aussi expérimentée, et de surcroît délicieuse, je me demande secrètement si mes anciennes compétences d'acteur seront à la hauteur. Je n'ai pas envie de décevoir Julie.

Comme si l'humiliation de paraître devant elle équipé d'un pitoyable nez artificiel ne suffisait pas, Green et Heyman suggèrent une répétition. Plus précisément celle d'une scène de baiser. En temps normal, j'applaudirais des deux mains. Mais comme *Oliver!* et *Calamity the Cow* étaient assez pauvres en bécotages, je ne sais rien du baiser de cinéma. Quels en sont les paramètres ? Doit-on mettre la langue ? Et si mon nez tombe, que faire ?

Tandis que je mobilise mes méninges, ma bouche et mes narines sur la question, le réalisateur, penché sur nous, aboie ses consignes : « Plus intense ! Plus près ! Vous êtes mariés, ne l'oubliez pas ! Attention au nez ! » Green et Heyman s'égosillent à trente centimètres de moi. Tout cela est fort intimidant.

Finalement, on en termine, et sans que Julie soit plus traumatisée que ça. Par bonheur, le nez passera à la trappe et le film se fera sans lui.

C'est là que Danny Gillen entre dans ma vie. Ce grand gaillard au grand cœur originaire de Belfast a été engagé pour venir me chercher chaque matin à 5 h 30 dans le Sussex de l'Ouest, me conduire en divers endroits de Londres et veiller sur moi toute la journée – surtout pour s'assurer qu'aucun « ancien collègue » de Buster n'ait l'idée de passer lui dire bonjour –, puis pour me ramener chez moi. De là naîtront des liens d'amitié en acier trempé qui perdurent aujourd'hui encore. À partir de *Buster*, je connaîtrai de nombreuses aventures, et pas mal de mésaventures – du paparazzi au fan trop empressé en passant par le cambrioleur junkie australien –, dont je ne me tirerai que grâce à l'aide de l'infatigable Danny.

Je dois avouer que je trouve le rôle de Buster Edwards facile à jouer. Je le vois comme un prolongement de Artful Dodger, du petit cockney débrouillard. Mais hors champ, les orages éclatent.

Dans la nuit du 15 au 16 octobre 1987, une tempête monstrueuse s'abat sur l'Angleterre. À Lakers Lodge, je sens la robuste bâtisse géorgienne trembler sur ses bases et j'entends le craquement énorme des arbres couchés par le vent. J'en perds une vingtaine en tout, mais d'autres que moi sont beaucoup,

beaucoup plus touchés : à l'échelle du pays, on estime à quinze millions le nombre d'arbres arrachés, soit un préjudice de près de cinq milliards de livres.

Le lendemain matin, Danny et moi ne pouvons pas nous rendre sur le tournage à Londres car la plupart des routes de campagne du Sussex sont bloquées par des arbres. En fin d'après-midi, nous parvenons enfin à trouver une issue et les scènes qui s'offrent alors à nous sont terribles : des troncs brisés comme des allumettes, même au centre de Londres, des maisons détruites, des voitures aplaties, partout des vies déracinées. Nous faisons de notre mieux pour tourner la scène du jour, mais tout le monde a la tête ailleurs ; la plupart des comédiens et des techniciens ont leurs maisons endommagées et tentent de joindre des parents, des services d'urgence, des fournisseurs d'énergie ou des assureurs.

Finalement, nous retournerons la scène quelques mois plus tard, période où Julie en sera presque à son septième mois de grossesse. Mais nous réussirons à contourner l'obstacle.

Les producteurs ne tiennent pas à ce que je voie le vrai Buster avant le tournage, de peur qu'il ne parasite mon personnage ; il est vrai que le scénario est une sorte de biographie en forme de conte de fée mâtinée de sitcom. Pourtant, je vais le croiser brièvement avant l'ouverture des hostilités, à la soirée de pré-tournage où acteurs et techniciens se rencontrent. Ma méconnaissance de l'individu se traduira dans le film par plusieurs bévues majeures. Je le joue en fumeur invétéré, pensant que tout le monde fumait dans les années 1960 ; et ça m'occupe les mains quand je tourne. Or je découvre que Buster était le seul et unique non-fumeur des sixties. Pire, lors d'une scène au Mexique, je gifle June-Julie. Quand il voit ça, Buster est consterné : « Jamais je ne ferais ça à ma June ! », me dit-il, choqué, à juste titre.

Au bout du compte, et sur un plan plus général, Buster et June ne retrouveront rien de leur vraie vie dans ce film – Buster me confiera que la leur était moins insouciante que celle décrite dans le scénario.

Reynolds, le complice de Buster, assiste également à cette soirée, et il nous rend visite sur quelques scènes en extérieurs. On sympathise et, un jour qu'on tourne dans un lieu similaire à la ferme de Leatherslade, là où les vrais braqueurs s'étaient repliés après le casse, il se glisse jusqu'à moi et me chuchote, « Excellent choix, Phil. Je note l'adresse. » J'ai alors l'impression qu'il est prêt à remettre ça.

Pendant ce temps, la bande originale de *Buster* traverse elle aussi quelques turbulences. Dans un premier temps, les auteurs songent à moi pour interpréter la chanson-thème. Ils veulent la totale : un Collins acteur-chanteur-auteur. Mais je reste ferme. « Non, je n'ai pas envie qu'on pense au chanteur quand on me verra à l'écran. » Je prends ce rôle au sérieux. La tâche est déjà assez difficile sans que mon double musical ne s'invite dans le film.

Je propose des solutions. Je connais des gens capables d'écrire d'authentiques musiques de cette époque-là. Sur la tournée *No Jacket Required*, je viens de rencontrer l'une de mes idoles, Lamont Dozier, du fameux trio de la Motown, Holland-Dozier-Holland. Il est venu en coulisses à L.A. et on a échangé gentillesses et numéros de téléphone en se promettant de travailler ensemble. Je connais bien aussi George Martin, le producteur des Beatles.

Pour une raison que j'ignore, les producteurs ne semblent pas emballés par la piste George, mais retiennent celle de Lamont. Je contacte donc la légende de la Motown, qui accepte d'écrire plusieurs chansons. Il prend l'avion pour Acapulco, où nous tournons des scènes d'exil de Buster, et nous apporte plusieurs ébauches : un morceau instrumental avec un titre, « Loco in Acapulco », mais sans paroles, et un autre morceau sans titre ni texte. Dans la nuit, j'écris les paroles des deux, je donne un titre au second, « Two Hearts », puis je vais trouver Lamont dans sa chambre et les lui chante.

« Bon, conclut-il avec un sourire, maintenant tu es obligé de les chanter, ce sont tes chansons… »

Comme elle doit s'insérer au milieu du film, je refuse d'interpréter « Loco in Acapulco ». Je la propose finalement aux

Four Tops et la produis avec Lamont. C'est à moi que revient l'intimidante tâche de chanter la mélodie à Levi Stubbs, l'une des plus incroyables voix des sixties. En revanche, on me met une pression terrible pour chanter « Two Hearts » et je finis par céder : « D'accord, mais à condition qu'elle ne passe pas . avant le générique de fin, hein ? Je veux que le spectateur puisse me juger comme acteur avant de m'entendre comme chanteur. »

C'est alors que je me tire une balle dans le pied :

— Il nous faudrait une chanson d'amour à peu près de cette époque, dis-je, quelque chose que Buster et June pourraient entendre à la radio — une ballade d'un crooner comme Andy Williams, par exemple « A Groovy Kind of Love ».

— Très bonne idée, Phil !

— Oui, mais pas par moi ! précisé-je, affolé.

— OK, mais tu pourrais nous faire une maquette ? Histoire de voir à quoi ça ressemblerait.

J'appelle Tony Banks pour lui demander les accords, j'enregistre une démo en une demi-heure et je l'envoie aux producteurs.

— C'est excellent, Phil !

— Mais vous la faites chanter par quelqu'un d'autre, on est d'accord ?

— Bien sûr !

Je visionne un extrait du film en cours de montage et qu'est-ce que j'entends ? Ma démo, sur un romantique baiser d'adieu entre Julie et moi ! Je proteste. Mais comme elle fonctionne à merveille sur cette scène, je suis coincé. Du coup, on réenregistre « A Groovy Kind of Love » avec, à la production, une virtuose de l'orchestration, Anne Dudley, et cette version sort en single.

Moi qui partais pour faire du cinéma, je me retrouve, pour changer, numéro un au Royaume-Uni et aux États-Unis et en butte à d'innombrables critiques de cette nouvelle reprise consensuelle d'un succès des sixties, alors qu'au départ ce n'était qu'une maquette pour un film.

Mais finalement, quelle importance ? Après la sortie du film en novembre 1988, je suis heureux de voir Buster Edwards devenir un héros populaire dans un registre différent. June et lui forment un couple charmant avec qui nous tissons des liens solides, Jill et moi, et qui nous rend visite plusieurs fois par an. Quand Buster se suicide en 1994, je suis effondré. Les tabloïds publient des articles épouvantables à son sujet, mais pour moi, il était simplement déprimé et s'ennuyait. Ne m'avait-il pas confié : « Phil, vendre des fleurs devant la gare de Waterloo, c'est bien gentil, mais l'excitation d'avant, ça me manque… »

Buster est un film mineur, mais un classique du cinéma anglais : une comédie nostalgico-romantique sur fond de swinging sixties qui fera un score honorable au box-office britannique. Le couple que nous formons avec Julie est bien assorti et cette expérience m'a enchanté. Enfin, un rôle principal !

Avant sa sortie, ma prestation me vaut d'être remarqué ici et là et je me fais un plaisir d'exploiter cette gloire cinématographique toute fraîche (et forcément éphémère). Dans une autre de mes vies, je suis toujours administrateur du Prince's Trust. Désormais très proche du prince Charles et de la princesse de Galles, je me dois de les inviter à la première pour aider la fondation.

Mais la presse à scandales s'en mêle. Pendant l'attaque du train postal, l'un des gangsters a tabassé Jack Mills, le conducteur du train. Celui-ci est mort sept ans plus tard, mais on a raconté qu'après le braquage il n'avait plus jamais été le même. Les journaux s'en donnent à cœur joie sur le thème « Un film soutenu par la Couronne fait l'apologie de la violence », ce qui provoque bientôt un rétropédalage embarrassé.

Un soir, je rentre de *Top of the Pops* où j'ai chanté « A Groovy Kind of Love » et Jill me dit : « Tu as eu un coup de fil. Il faut que tu rappelles Buckingham. » Peste ! Le temps de m'éclaircir la gorge et d'enfiler une chemise et une cravate, je compose le numéro qu'elle me donne, je demande tel et tel écuyer – « Nous attendions votre appel, M. Collins » – et on me passe le prince.

« Je regrette infiniment, me déclare le prince Charles, plus prince Charles que jamais. C'est ridicule, un scandale ridicule pour rien du tout, mais Diana et moi ne pourrons être des vôtres. »

Post-scriptum : *Buster* se ramasse aux États-Unis. Là-bas, ils ne doivent pas faire la différence entre Buster Edwards et Buster Keaton, ou entre le train postal et Casey Junior. Mais la bande originale est mieux reçue aux Grammy Awards où « Two Hearts » remporte le prix de la meilleure chanson composée spécialement pour le cinéma ou la télévision, et est également nommée aux Oscars et aux Golden Globes. Nous sommes en 1989, l'année d'*Un poisson nommé Wanda* – ce qui signifie que John Cleese est dans la salle, nommé pour le prix du meilleur acteur dans un film musical ou une comédie.

En bondissant sur la scène de L.A. pour recevoir mon Golden Globe pour « Two Hearts » (meilleure chanson originale), je déclare : « Pour moi, c'est fantastique. En fait, cette chanson est celle d'un film anglais intitulé *Buster*, qui a disparu sans laisser de traces, la faute surtout au distributeur. Mais comme je dis toujours, "Pardonnons et oublions. Ou, du moins, faisons semblant". »

À ces mots, un rire fuse dans la salle. C'est celui de Cleese, qui a reconnu l'une de ses répliques dans *L'Hôtel en folie*. Je vais pouvoir dormir tranquille, j'ai fait rire John Cleese.

15

Un peu de sérieux

Ou : les affaires courantes et une affaire de cœur

Mon album de 1989, …*But Seriously*, porte ce titre pour plusieurs raisons. D'abord, le 18 mars de cette année-là, Jill met au monde notre fille Lily. De nouveau m'envahit un sentiment de responsabilité parentale et de paternité béate. Je regarde vers l'intérieur, vers ma famille, mais aussi vers l'extérieur, vers le monde dans lequel Lily va grandir.

Ces préoccupations se retrouvent dans les chansons que je compose. « Another Day In Paradise », « That's Just The Way It Is » (toutes deux en duo avec le merveilleux David Crosby), « Colours » et « Heat On The Street » : quatre titres socialement et politiquement engagés sur, respectivement, les sans-abri, l'apartheid, les événements d'Irlande du Nord et les émeutes urbaines. On devine mon état d'esprit à la tête que je fais sur la pochette – laquelle, comme toujours, ne montre rien d'autre que mon visage. Un visage grave qui se lit comme un livre ouvert.

Mais quand je regarde ce portrait maintenant, je me demande : *Pourquoi cette triste mine, Phil ? Sentais-tu venir un cataclysme émotionnel ?*

À travers ces rares incursions dans la chanson thématique, je voulais affirmer un ton qui me ressemble. Pas celui, un peu timoré, pas très engagé, de Paul McCartney dans « Angry ».

Après le Live Aid, Paul m'invite, dans sa ferme du Sussex de l'Est, à jouer sur son nouvel album. J'ignore ce qu'il recherche, je sais juste que Hugh Padgham, qui produit le disque, lui a soufflé mon nom pour injecter un peu de pêche dans sa musique.

Pete Townshend est aussi de la partie et nous arrivons tous les deux en invités sur ce qui deviendra *Press to Play*, l'album que Macca sortira en 1986. Je n'aime pas trop employer la redoutable expression des années 1980 de « rock conscient », mais nous sommes tous trois des garçons lucides, matures, au fait des réalités. On a vu du pays et certains des plus grands stades de la planète. Nous, les millionnaires de la musique, on s'y connait en détresse, en pauvreté et en injustice. Normal, on a tous fait le Live Aid !

Dans le studio, Macca explique : « Sur le Live Aid, j'étais *en colère*. Et j'ai eu envie de faire une chanson là-dessus. Je me disais qu'il fallait que je passe ma colère sur quelque chose. Alors j'ai écrit ce morceau. Ça s'appelle "Angry". »

Au mieux, on pourrait parler d'une attitude très années 1960. Ma position à moi : « Ou tu t'engages pour quelque chose, ou tu ne t'engages pas. » J'aime bien McCartney – il a été l'une de mes idoles de jeunesse –, mais il a des côtés bizarres. Quand tu discutes avec lui, il est très conscient d'être un ancien Beatles et que ce n'est pas évident pour toi de parler avec lui.

En cette fin de décennie, le rock politique est encore largement à l'ordre du jour. Sting, Bono, Peter sont alors connus pour brandir l'étendard, battre le tambour, mener le bon combat, défendre la bonne cause. Ou les bonnes causes au pluriel. Un grand bravo à eux et un immense respect pour ces engagements.

Je me fais un plaisir d'afficher mes opinions quand on me le demande. Depuis une quarantaine d'années, je mets mon enthousiasme et mon énergie au service du Prince's Trust. Mais, globalement, je ne me sens pas assez sûr de moi, ou pas assez malin, pour prendre la tête de telle ou telle campagne. Dans mon esprit, agir ainsi, c'est être prêt à proposer des idées et des solutions, à répondre à des questions complexes. Être un militant, c'est s'engager à fond. Je n'ai pas ce talent-là.

Exemple type : pendant ma tournée *First Final Farewell*[1] de 2004-2005, je donne des concerts consécutivement à Beyrouth et à Tel Aviv. Compte tenu de la situation au Moyen-Orient, on ne peut pas se rendre en avion directement du Liban en Israël ; il faut passer par Chypre. Dans ce conflit millénaire mais toujours ouvert, les enjeux sont d'importance. Mais je ne suis qu'un musicien de passage, venu jouer quelques airs à ses fidèles. Qu'ai-je à apporter au débat ? Quand j'arrive à Tel-Aviv, je participe contre mon gré à une conférence de presse. Sous le crépitement des flashes, je me sens complètement dépassé.

– Que disait-on d'Israël à Beyrouth ?

– Euh... (un temps) on ne disait rien...

Les questions, et mes réponses, sont de ce calibre. La situation est ridicule. C'est pourquoi j'évite scrupuleusement de faire celui qui tient à donner sa pauvre opinion à deux sous.

Je préfère agir à mon petit niveau, de façon plus personnelle, en chansons. Et je suis le premier à reconnaître que mes textes qui traitent de ces questions dans *...But Seriously* sont assez banals, voire naïfs. Mais là encore, une vision des choses nette, tranchée a du bon. Des tas de gens raisonnent comme ça. La voie la plus simple est parfois la meilleure, la dernière à laquelle on songe.

Je ne me souviens pas de ce que la critique a pensé de *...But Seriously*. Pas beaucoup de bien, sûrement, comme ce sera bientôt la règle. Pourtant, ce disque, j'ai pris plaisir à le faire, j'ai dit ce que j'avais sur le cœur ; j'ai écrit « Father To Son » pour Simon ; Eric m'a donné un coup de main pour « I Wish It Would Rain Down » (cette fois-ci, on peut l'entendre, mais aussi le voir dans la vidéo). Ensuite, « Another Day In Paradise » met le doigt sur un mal planétaire. Ce morceau fera un malheur partout où il passera.

Cette chanson trouve son origine à Washington, quand Genesis joue au Robert F. Kennedy Memorial Stadium sur la tournée *Invisible Touch*. En provenance de Pittsburgh, on

---

1. « Premiers adieux définitifs ».

atterrit dans la neige et, pendant le trajet depuis l'aéroport, je demande à Myron – un prêtre qui est aussi notre chauffeur, un homme bon qui deviendra un bon ami – à quoi servent ces cartons alignés sur les trottoirs dans l'ombre du Capitole.

– C'est pour les sans-abri, me répond-il.

J'en reste sans voix. Des sans-abri aussi nombreux, aussi près de cette richesse, de ce pouvoir ? L'image s'imprime dans mon esprit. Partout où nous jouons, à présent je les remarque, ces cartons, les abris des sans-abri. Dans le monde entier, les associations en leur faveur demandent à pouvoir utiliser « Another Day In Paradise » pour leurs campagnes. Bien plus tard, nous filmerons les répétitions de la tournée Both Sides Of The World de 1994-1995 – au Cercle des travailleurs de Chiddingfold – et vendrons la vidéo sur ladite tournée. Les recettes seront intégralement reversées aux foyers pour SDF de chacune des villes de cette tournée de cent soixante-neuf dates sur treize mois. Les associations feront aussi la quête aux concerts et je doublerai chaque fois la somme collectée. C'est le début d'une importante collaboration.

S'il faut être « politique », voilà comment je préfère l'être, avec un tout petit « p ». À ce jour, tous les droits d'auteur que je perçois sur mes disques en Afrique du Sud restent là-bas. Ils vont à la Topsy Foundation qui intervient auprès des pauvres touchés par le sida dans les zones rurales.

Retour en 1989-1990 : le monde pop-rock est pris d'une frénésie nourricière. « Another Day In Paradise » dépasse le cercle de mes aficionados pour devenir un de ces disques qui passent en boucle sur les radios et que tout le monde semble avoir chez soi.

Mais je suis aussi occupé ailleurs. En 1989, l'occasion m'est enfin donnée de marcher sur les traces du grand Keith Moon. Pete Townshend n'avait pas eu besoin de mes services à la mort de Keith en 1978, mais là, je rejoins temporairement les Who pour deux reprises exceptionnelles de *Tommy*. À l'Universal Amphitheatre de Los Angeles et au Royal Albert

Hall de Londres, je joue le rôle du libidineux oncle Ernie, personnage de l'album initialement tenu par Moonie lui-même.

Lors de ces représentations, je me lâche vraiment. Avec Pud, on a bien travaillé le personnage : peignoir entrouvert sur un caleçon ; dents noircies ; bouteille vide de mauvais alcool à la main ; et, pour finir, la mine bien lubrique. Townshend, qui me voit débouler sur scène en titubant, lève les yeux au ciel et sourit. Encore un cinglé. Et Roger Daltrey n'a pas l'air rassuré quand je m'agenouille devant lui.

En février 1990, j'assiste à la cérémonie des Brits au Dominion Theatre de Londres où j'interprète « Another Day In Paradise ». Je remporte le prix du meilleur artiste solo britannique, et ma chanson celui du meilleur single britannique. Je porte un beau costume Versace (ils en faisaient encore à l'époque) et mes cheveux sont gominés en arrière (j'en avais encore à l'époque). Dans mes remerciements, j'estime logique de faire un clin d'œil aux paroles de la chanson, en disant que, tous autant que nous sommes, nous n'avons que des problèmes de ventres pleins : le café est un peu chaud, le steak manque un peu de cuisson, le bus a un peu de retard... Ce n'est rien, tout ça.

Un cri de ralliement peu nuancé, indigne de Bono. Mais s'il s'agit de dire dans les grandes lignes les sentiments qui m'ont inspiré « Another Day In Paradise », je le trouve assez pertinent. Dans cette chanson, je me présente comme Monsieur Tout-le-monde, comme celui pour qui cette journée est « juste une journée de plus[1] », contrairement à tous ces pauvres gens qui dorment dans des cartons sur les trottoirs.

Avec le recul, je vois la scène autrement : une rock-star comblée par la vie, lors d'une soirée bling bling, donne des leçons à d'autres nantis du show-bizz en débitant des banalités sur la dure condition des sans-abri.

Si vous ne me croyez pas sur parole, écoutez plutôt Billy Bragg : « Phil Collins a peut-être écrit une chanson sur les

---

1. Allusion aux paroles de la chanson : « *Oh think twice, it's another day for you and me in paradise* ».

sans-abri, mais s'il ne fait rien de concret à côté, il se sera contenté d'exploiter l'actualité. »

Aux Grammies de 1991, « Another Day In Paradise » est désigné album de l'année, ce qui me console car je n'ai eu aucun des autres prix pour lesquels j'étais en course. Cette récompense vient en dernier dans une cérémonie qui me semble avoir duré un jour et une nuit. Au moment où Hugh Padgham et moi montons sur scène, le public est déjà très clairsemé. Tout le monde est parti à la soirée post-prix. Quincy Jones a fait un festival : son album, le premier depuis des années, a tout raflé. J'ai une photo sympa de nous deux à cette soirée. Il compatit avec moi, à qui il n'a laissé que des miettes. Des amis pour la vie.

C'est la fin des années 1980 et le début des années 1990. Un pied sur chaque rive de l'Atlantique, je chevauche le changement de décennie tel un colosse de 1,73 mètre en costume Versace : « Another Day In Paradise » est le dernier numéro un des années 1980 à figurer au classement du Billboard Hot 100, et …*But Seriously*, le premier album des années 1980 à s'installer tout en haut de ce même Billboard. C'est la deuxième meilleure vente aux États-Unis en 1990, juste derrière *Rhythm Nation 1814*, de Janet Jackson. Au Royaume-Uni, il reste quinze semaines au sommet et est en tête des ventes en 1990.

Je démarre cette nouvelle décennie sur les chapeaux de roue. *Seriously, Live!*, la tournée de cent vingt et une dates part de Nagoya au Japon en février 1990 et se termine en octobre avec sept concerts à guichets fermés au Madison Square Garden de New York.

Je me dis que tout va bien, d'autant que je suis apparemment aussi dans le radar de Hollywood. Pas parce qu'ils me confondent avec Bob Hoskins – ça viendra plus tard –, mais parce que *Buster*, malgré son échec aux États-Unis, a attiré sur moi l'attention de directeurs de casting et de producteurs.

Selon le protocole hollywoodien, j'assiste à des déjeuners et à des réunions et je passe des auditions : pour un rôle d'administrateur de théâtre dans *Sister Act 2* ; pour un duo de choc avec Mickey Rourke ; pour un rôle dans *Maverick*, western sur fond de poker avec Mel Gibson, Jodie Foster et James Garner ; pour un rôle de tueur en série russe. Chou blanc sur toute la ligne. Mais je tourne quand même un film, *Les Soldats de l'espérance*, un drame de Roger Spottiswoode sur le sida. J'y joue un Grec homo, propriétaire de bains publics, aux côtés de Steve Martin, Lily Tomlin, Richard Gere, Ian McKellen et de dizaines d'autres. Une distribution de haut vol, mais je crains qu'il n'y ait eu plus de monde sur le tournage que dans les salles.

Je fais aussi quelques boulots dans l'animation. Dans *Le Livre de la jungle 2*, les fameux vautours « John, Paul, George et Ringo » du *Livre de la jungle* original de 1967 sont rejoints par un « cinquième Beatles », un corvidé cockney et blagueur qui, tiens donc, rappelle un peu Artful Dodger. Dans *Balto*, un film d'animation sur un chien héroïque, je ne joue pas un, mais deux oursons polaires, Muk et Luk. Un double rôle pour le moins éprouvant (encore que l'un des deux ne parle pas). Je vais finir par croire que ma tête n'est bonne qu'à faire des voix de dessins animés.

À cette époque, je « monte aussi mes propres projets » (c'est aussi ça, le protocole hollywoodien). L'un est l'adaptation au cinéma du conte *Boucle d'or et les trois ours*. J'en ai eu l'idée sur la tournée *No Jacket Required* en constatant dans plusieurs articles qu'on me trouvait une ressemblance avec Bob Hoskins, acteur anglais trapu et dégarni. D'autres, ensuite, m'ont comparé à Danny DeVito.

Au lieu de prendre ombrage de ces comparaisons infamantes, *d'ailleurs fondées sur aucune espèce de réalité physique*, j'ai alors une illumination : à nous trois, on pourrait faire les ours.

L'idée mijote longuement jusqu'à ce que je sois assis à côté de Hoskins à la première londonienne de *Scandal*, le film de 1989 sur l'affaire Profumo. Je lui en parle, il est séduit et propose qu'on prenne contact avec Robert Zemeckis, qui vient de le diriger dans *Qui veut la peau de Roger Rabbit ?*

Je ne sais trop comment, ce « projet » fait parler de lui, et Kim Basinger se manifeste, elle veut jouer Boucle d'or. On en est déjà là alors qu'on n'a même pas de scénario présentable.

Un jour où je suis de passage à Los Angeles, DeVito me convoque dans son bureau. Il me demande d'écrire une chanson pour *La Guerre des Rose*, le film qu'il réalise sur un divorce au couteau (pourquoi a-t-il pensé que je serais l'homme de la situation ?). Je repars composer « Something Happened On The Way To Heaven », mais DeVito ne donne pas suite et je garde le morceau pour …*But Seriously*.

Ensuite, il me dit : « Alors, comme ça, tu me verrais bien en ours ? C'est une bonne idée. Zemeckis, tu dis ? C'est aussi une bonne idée. On devrait tous se voir. »

Les réunions avec DeVito, Zemeckis et ses scénaristes s'enchaînent. Le temps passe et rien ne se passe. Je vois « mon » film coûter de plus en plus cher, sombrer dans un humour de plus en plus cru et s'éloigner de moi inexorablement. Comme si j'essayais d'attraper de la fumée. Une des meilleures répliques de Papa Ours aurait pu être : « Qui a saboté *mon* projet ? »

Un film finit quand même par se monter. Peu après la fin de *Seriously, Live!*, le secrétariat de Steven Spielberg contacte celui de Tony Smith. Le réalisateur me propose un rôle dans *Hook ou la revanche du capitaine Crochet*, adaptation de l'histoire de Peter Pan avec Dustin Hoffman en capitaine Crochet, Robin Williams en Peter Pan adulte et Julia Roberts en fée Clochette. Spielberg me demande de jouer un policier londonien à la John Cleese. Imprégné comme je le suis des comédies anglaises de Tony Hancock, des Monty Python et de *L'Hôtel en folie*, je saute à pieds joints sur l'occasion.

Spielberg m'envoie les dialogues et, tout enthousiaste, je les apprends par cœur. En février 1991, dans l'avion pour L.A. (le film se tourne sur neuf plateaux insonorisés aux Sony Pictures Studios), je les répète en boucle, en essayant de varier le ton. Que la personne assise à côté de ce cinglé sur ce vol veuille bien accepter ses excuses.

À ce moment-là, j'ai oublié les deux choses que Michael Caine m'avait dites : « Tu es un bon acteur, Phil. Et souviens-toi, n'apprends jamais tous les dialogues. Parce qu'ils vont être réécrits. » Mais comme je suis mort de peur, j'apprends tout. Et puis, je suis musicien : c'est une chanson, donc je veux savoir la chanter.

J'arrive sur le plateau et on me met entre les mains quinze pages de dialogues.

— Ah, non, c'est bon, je les ai déjà appris.

— Steven les a réécrits hier soir.

— Tu plaisantes ?

— Oui. Il a juste ajouté deux-trois nouvelles idées…

Dans la loge, je panique. Je m'apprête à travailler avec le grand Robin Williams, une de mes idoles en matière de comédie ; je n'ai pas envie de tout faire foirer, pas pour lui, encore moins pour Spielberg. Je feuillette nerveusement le document : en gros, c'est la même chose, mais dans un autre ordre. Ce qui est encore pire.

Après avoir passé une heure à faire dans mon froc, je suis conduit sur le plateau. Spielberg ne me reconnaît pas, ce qui est une bonne chose : j'ai décidé de me déguiser le plus possible. Je ne veux pas qu'on voie « Phil Collins » dans ce film.

Spielberg, un homme très gentil, me dit ne de pas m'en faire pour les nouveaux dialogues – mais qu'on va filmer la scène en un seul plan-séquence.

Mon angoisse redouble. Néanmoins, on fait une répétition et les bonnes personnes rient toutes aux bons endroits. Toutes, sauf Hoffman.

Il ne participe pas à la scène, mais il est assis là, les pieds en l'air, avec son propre scénariste-assistant à son côté, un type qui intervient pour modifier le texte dans le sens de son patron. Les premières paroles que Hoffman m'adresse :

— Tu l'as eu où, ce fute, vieux ?

— Euh… dis-je, flatté, c'est du Versace…

— Hé, note où il a eu son fute…

Je ne vais pas me sentir flatté bien longtemps. Hoffman lance à Spielberg :

— Tu es sûr qu'il faut qu'il dise tout ça ?

Spielberg réfléchit et répond :

– Hmm, ouais, on devrait peut-être en faire aussi une version courte...

Une des versions de ma scène est longue, très drôle, les gens rient et je suis capable de rendre tous les effets que j'ai travaillés d'arrache-pied en la préparant. L'autre a été amputée de toute sa chair, de toutes ses blagues.

– OK, tranche Spielberg, comme on n'a Phil que pour l'après-midi, on devrait peut-être tourner les deux versions.

On tourne les deux versions et je dis à Spielberg :

– J'aimerais bien voir ce que ça donne.

– Bien sûr, passe voir les rushes demain.

Quand j'arrive le lendemain, Hoffman est là, collé aux basques de Spielberg telle une sangsue en pantalon Versace. On visionne les deux versions de ma scène et, la gorge un peu serrée, je hasarde d'un ton faussement détaché : « La plus longue est la plus drôle... »

D'un « tss-tss » très Actor's Studio, Hoffman signifie qu'il est d'un autre avis. Je comprends illico que ma version longue va passer à l'as. Je me voyais en route pour la gloire, Rain Man a douché tous mes espoirs.

À la première de *Hook* à Los Angeles en novembre 1991, Spielberg se montre très gentil avec moi. Durant la soirée qui suit la projection, il m'explique qu'il a dû opter pour la version courte. Certes, cette fois-ci, Collins ne s'est pas fait complètement sabrer en salle de montage, mais pas loin.

* * *

En mars 1991, un mois après ma furtive apparition dans *Hook,* Tony, Mike et moi commençons l'enregistrement de *We Can't Dance.* Nous mettons longtemps à l'écrire – quatre ou cinq mois –, ce qui ne nous ressemble pas, mais comme nous sommes dans notre propre studio, The Farm, nous pouvons nous le permettre. Et sincèrement, après quelques années passées sans la moindre pause, je ne suis pas pressé.

Et même si j'assume sans problème le rôle de chef au sein de mon propre groupe, j'apprécie le changement de climat quand je retrouve mes petits camarades. Toujours bons copains, nous évoluons dans notre ambiance habituelle, joyeuse et détendue, un facteur propice à la création. À sa sortie en novembre, *We Can't Dance* devient le cinquième album consécutif du groupe à se classer numéro un au Royaume-Uni.

Le succès commercial est évidemment bon à prendre, mais la chanson la plus importante de l'album à mes yeux ne fait pas partie des tubes sortis en singles. J'ai écrit les paroles de « Since I Lost You » pour Eric. Elle parle de la mort de son fils de quatre ans, Conor, un petit garçon adorable que j'avais vu la dernière fois en allant à Hurtwood Edge avec Lily.

Nous n'en étions qu'aux débuts de *We Can't Dance* quand j'avais appris par un coup de téléphone que Conor avait trouvé la mort en tombant de la fenêtre de l'appartement de sa mère, au cinquante-troisième étage d'un immeuble de Manhattan.

C'était une période où Eric ne touchait plus à l'alcool, et je lui fais alors part d'une de mes inquiétudes : pour lui, après cette perte épouvantable, la solution de facilité serait de recommencer à boire. Il me répond que non, que « ce serait la chose la plus difficile qui soit ».

Au studio, le lendemain, Mike, Tony et moi, tous grands amis d'Eric, parlons de cette inimaginable tragédie. On travaille alors sur un nouveau titre. Je commence à chanter : *« My heart is broken in pieces…* [1] *»* En début de semaine, Lily a eu deux ans et je pense à tous les moments où je suis séparé d'elle. J'écris du point de vue d'un père qui est souvent loin de ses enfants et qui doit en confier la garde à d'autres. C'est un sentiment lancinant qui me ronge en permanence – il y a bien longtemps que j'ai dit à tous mes enfants : « N'oubliez pas : en traversant la rue, on s'arrête et on regarde des deux côtés. Je sais que j'ai l'impression de radoter. Mais il est très probable que je ne sois pas toujours avec vous. »

---

1. « Mon cœur est en morceaux… »

J'explique à Mike et Tony de quoi je parle. Ils me confirment ce à quoi j'avais déjà pensé : il faut la faire écouter à Eric. Si elle lui pose le moindre problème, elle ne sera pas dans l'album.

Au moment du mixage, je passe à Hurtwood Edge. Installé avec Eric sur son canapé, je lui parle de ce que j'ai préparé et je lui passe « Since I Lost You ». On fond tous les deux en larmes. « Merci, me dit-il, c'est merveilleux. »

Il m'apprend alors qu'il a aussi écrit une chanson et que son label veut en faire un single. Lui-même ne sait pas quoi en penser, il voudrait mon avis. Eric me fait écouter « Tears in Heaven ». C'est magnifique. Eric a réussi à extirper de son chagrin quelque chose d'extraordinaire. Une raison supplémentaire de l'aimer.

En mai 1992 commence la tournée *We Can't Dance*. Genesis joue désormais dans la cour des grands, notamment aux États-Unis où le groupe se produit en général dans des stades.

En juin, la tournée passe par Vancouver. J'en profite pour appeler Andy. Nous sommes presque revenus en bons termes et, de toute façon, je n'ai pas le choix : je veux que Simon et Joely assistent au concert. Andy me demande où nous jouons ensuite.

– Tacoma, puis Los Angeles.

– Ah… Tu sais sûrement que Lavinia habite L.A. Tu la vois encore ?

Un quart de siècle après la grisante parenthèse de la Barbara Speake Stage School au milieu des années 1960, Andy sait que mon penchant persistant pour Lavinia persiste. Mais je ne l'ai pas revue depuis plus de vingt ans. Elle était entrée dans la troupe de danse Hot Gossip – connue pour ses apparitions sexy dans le *Kenny Everett Video Show*, émission de télé foutraque à base de sketches – et avait fini par épouser un membre des Hudson Brothers, leurs homologues américains. Nous avions tourné la page. Du moins, c'est ce que je pensais.

Voilà qu'après toutes ces années, Andy m'apprend que Lavinia vit toujours à L.A. avec son mari. En me donnant son

284

numéro, mon ex-femme me donne aussi une grenade. Par la suite, je me suis demandé si elle ne l'avait pas fait exprès.

Arrivé à Los Angeles, j'appelle. Une voix se fait entendre sur la ligne. Mes pensées se figent, mon cœur s'arrête.

– C'est toi, Vinny ?

– C'est toi, Phil ?

– Comment tu as su que c'était moi ?

– *Je le savais, c'est tout.*

Dans ce court échange, un océan d'attente. C'est *Brève Rencontre* revu et corrigé par Shakespeare : deux amants nés sous des étoiles contraires, ballottés au gré des circonstances et arrachés jadis l'un à l'autre sur un quai de gare en noir et gris enveloppé de vapeur. Quelque chose dans ce goût-là (je vous ai déjà dit que j'ai fait une école de théâtre ?).

De toutes les fois où je suis venu à L.A. – pour jouer, enregistrer, acheter une maison avec Jill, produire des disques de mes confrères –, jamais nous n'avons repris contact. Et des années plus tard, nous nous retrouvons.

En essayant de ne pas trop faire le fier, j'explique à Lavinia que Genesis joue au Dodger Stadium le lendemain soir. Aimerait-elle venir ? Elle adorerait.

– Je peux amener mon mari ?

– Oh, naturellement, bien sûr...

De toute façon, il ne va rien se passer. Elle est mariée, elle a des enfants, exactement comme moi. Évidemment qu'il ne va rien se passer.

Le lendemain, en remettant ma liste d'invités à Sheryl Martinelli, notre attachée de presse, je m'arrête sur le nom de Lavinia : « Une ancienne amie, fais en sorte qu'elle soit bien placée. »

Je la rappelle un peu plus tard. Lavinia est-elle venue retirer ses billets ?

« Ouah ! » me dit Sheryl pour toute réponse.

– Ah, elle est toujours aussi sympa, c'est ça ? demandé-je en tâchant d'ensevelir mon excitation de collégien sous la dalle de mon flegme.

– Oh, oui ! Et jolie fille en plus.

Pendant le concert, je sais que Lavinia est là, mais pas où exactement. À un moment donné, je pense la voir parmi les quarante mille visages, mais je n'en suis pas sûr. Ça fait quand même vingt ans… Par acquit de conscience, je garde un œil sur la personne en question… pour constater, au bout du compte, que ce n'est pas elle.

Le concert est néanmoins excellent. Ensuite, et pour la toute première fois, Tony Smith se fend d'un :

– C'était un bon show. Vous avez tout donné.

– Vraiment ? je demande en vibrant de tout mon flegme.

Ai-je précisé que Jill se trouve aussi à Los Angeles ? Ainsi que Lily, qui a maintenant trois ans ? Elles m'accompagnent par intermittence sur la tournée. Pour faire bonne mesure, ma belle-mère Jane est aussi des nôtres.

Après le concert, une délégation de célébrités locales aux allures de ménagerie se presse en coulisses. Kevin Costner se détache du lot. C'est un fan, qui boucle une grosse année avec sept Oscars à la clé pour *Danse avec les loups*. J'ignore qui sont les autres car franchement, ça ne m'intéresse pas.

Mon regard fait le tour du salon privé où se déroule l'après-concert. « Aucune nouvelle de Lavinia ? », demandé-je à Sheryl. Elle me dit qu'elle va se renseigner. Je reste planté là à accueillir nos admirateurs, le cou tendu, la tête ailleurs. Je parle à Stephen Bishop, je parle à Costner, je n'écoute ni l'un ni l'autre.

Puis, comme par enchantement, Sheryl arrive avec Lavinia.

« Kevin, écoute, *Danse avec les loups*, j'ai adoré, mais il faut que je te laisse… »

Sheryl introduit Lavinia dans le saint des saints. Elle n'est pas avec son mari mais avec Winnie, sa meilleure amie. « J'ai laissé mon sac à Winnie pour avoir les mains libres, pour pouvoir faire ça… »

Elle me serre contre elle et m'embrasse. Le temps s'arrête, puis fait un bond en arrière à une vitesse folle, étourdissante, jusqu'à nos rêves adolescents, jusqu'à Acton, ouest de Londres, autour de 1960. *Mais que se passe-t-il…* me dis-je.

Je ne pense plus à ma femme, à ma fille de trois ans, à ma belle-mère non loin de moi.

Je sais qu'en racontant ça je vais passer pour le dernier des salauds. Mais je n'en suis pas un. Je suis quelqu'un de très fidèle. De très dévoué. J'ai fait toutes les guerres du rock progressif, survécu aux vertiges et aux ivresses des seventies en gardant le nez propre. Je me suis marié jeune et je tenais à ce mariage, avant d'être trahi. Me voici à présent, heureux époux mais encore trahi, cette fois par les sentiments que j'éprouve toujours pour une figure centrale des années qui m'ont formé.

Voir, serrer, embrasser à nouveau Lavinia, le cliché dit vrai : c'est une décharge électrique. En un éclair, je suis passé du « je ne peux pas danser » de *We Can't Dance* à « je ne peux plus respirer ». Autre cliché : soudain, dans ce salon bondé d'après-concert à L.A., il n'existe plus que mon amour de jeunesse et moi.

Je conduis Lavinia à l'écart de la foule jusqu'à ma caravane – Genesis en a quatre ou cinq en tournée, elles servent de loges, mais en général j'en ai une rien qu'à moi pour mes tenues et mon gel – et nous replongeons avec effusion dans le bon vieux temps. Stephen Bishop nous rejoint un instant. Nos embrassades ne lui ont pas échappé.

– Dis donc, c'était électrique, me murmure-t-il. Qu'est-ce qu'il se passe ?

– Oh, juste une ancienne petite amie…

Pendant ce temps, je jette un œil alentour pour voir si Jill a remarqué notre manège. C'est bien sûr le cas. Ça risque de chauffer.

Ma discussion avec Lavinia se poursuit et j'ai parfaitement conscience d'être observé. Mais elle a toujours eu ce côté physique, tactile auquel je ne peux m'empêcher de répondre. Autrement dit, et Jill risque de l'interpréter ainsi, mes mains sont comme attirées vers elle. Si cela ne tenait qu'à moi, cette caravane ferait tout à fait mon affaire… Mais il y a une quarantaine de personnes autour, toutes sûrement en train de se demander ce qu'il se passe. Ce magnétisme, cette aura sont suffisamment puissants pour que tout le monde les perçoive.

Quand Lavinia finit par s'en aller, me vient l'image de deux mains qui attendent le tout dernier instant pour se séparer, à la Roméo et Juliette. C'est assez marrant car, en 1968, quand Franco Zeffirelli avait adapté cette grande et tragique histoire d'amour, Lavinia avait postulé pour le rôle principal (c'est sa grande amie Olivia Hussey qui l'avait finalement eu). Moi, j'étais sur les rangs pour celui de Roméo. Si, si. Mais ça fait longtemps...

Jill, sa mère Jane, Lily et moi montons dans la limousine pour repartir.

« C'était cette Lavinia... lâche Jill d'un ton neutre. »

Elle ne l'a jamais rencontrée, mais en a entendu parler. Elle est au courant.

« Tu ne m'as jamais dit qu'elle était aussi jolie. »

Je ne le savais pas moi-même ! Je ne l'ai pas vue depuis vingt ans.

Le lendemain, j'appelle Vinny, officiellement pour lui faire mes adieux. Sauf que je lui demande : « Comment peut-on se revoir ? » Je suis déjà prêt à tout pour renouer avec elle. Une flamme s'est réveillée. Que va-t-il se passer maintenant ? Je suis marié, elle est mariée.

Elle me donne le numéro de ses parents à Londres et, peu après, vient leur rendre visite. Jill et Lily sont toujours à L.A. ; Jill s'occupe de restaurer la maison que nous venons d'acheter sur Sunset Boulevard et qui était celle de Cole Porter. L'occasion est trop tentante, et Lavinia et moi nous retrouvons plusieurs fois. Une liaison est née.

Qu'on me comprenne bien : il est difficile d'expliquer en quoi une idylle de lycée peut vous poursuivre toute une vie. J'avais beau aimer Jill et Lily, j'adorais Lavinia. Elle était séduisante, certes, mais autre chose nous attirait l'un vers l'autre. Alors, pourquoi sacrifier ma vie personnelle à ce moment-là ? Sans doute parce que c'était une histoire inachevée. Pour donner une dernière chance à ce qui nous a empêchés d'aller jusqu'au bout, il y a des années. Je n'ai pas pu résister à cet appel.

Soudain, ma vie tourne autour d'un seul but : voir Lavinia. Je lui téléphone à trois ou quatre heures du matin. Je suis perpétuellement distrait, par rapport à la tournée, avec ma famille. C'est épouvantable. Je suis épouvantable.

Les choses évoluent vite : je vais quitter Jill, Lavinia va quitter son Hudson Brother et nous allons fuir ensemble dans les collines. Derrière le dos de Jill, j'ai franchi le point de non-retour. Avant cela, je n'avais jamais été infidèle. Mais je vois en Lavinia une véritable exception ; à mes yeux – embués –, j'ai raison d'agir ainsi. Elle est mon amour de jeunesse, mon amour enfui.

Je suis revenu à celle que j'aimais adolescent, à ce qui aurait toujours dû être.

Trois ou quatre intenses semaines après nos retrouvailles, la tournée *We Can't Dance* arrive en Scandinavie. J'appelle chez moi, à L.A., pour rompre.

Hélas, entre ses hauts vertigineux et ses bas nauséeux, ce virevoltant tourbillon sentimental – qui aura quand même mis vingt-cinq ans à se former – fait dérailler notre attelage. Après avoir discuté avec son mari, Lavinia revient et me dit : « Il ne va pas me tuer, il va détruire ma vie : il emmènera les enfants. »

Aussi vite que la sauce est montée, elle retombe. Les enfants passent évidemment avant nous. Jill et moi restons ensemble – si on veut. Je ne suis pas certain que les choses s'arrangeront entre nous. Certes, nous allons y travailler, mais ce ne sera pas facile. Après avoir atteint les sommets, je côtoie maintenant les abysses. Et je souffre.

16

Faxgate

Ou : est-ce que j'ai divorcé de ma femme par fax ?
Bien sûr que non.

Nous voici au lendemain de cette liaison.
Ces turbulences émotionnelles m'ont vidé. Ce qui me
tue, ce n'est pas qu'elle m'ait rejeté. C'est de l'avoir
perdue. Pas étonnant que j'aie un peu la tête ailleurs quand
la tournée *We Can't Dance* s'achève à Wolverhampton le
17 novembre 1992. Notre colossal programme intercontinental
a beau avoir pris fin, je n'ai pas encore atterri – une sensation
encore aggravée par un détour surréaliste par Neverland.

En décembre, je suis à L.A. pour présenter les Billboard
Awards, une première pour moi. Le grand gagnant de la soirée est Michael Jackson. Avec *Dangerous*, il a tout trusté. Et
comme c'est le dixième anniversaire de *Thriller*, Billboard tient
à célébrer les chiffres de vente toujours plus astronomiques de
l'album.

Malheureusement, Michael part en tournée le lendemain de
la cérémonie, ce qui nous oblige à préenregistrer la remise de
ses prix dans son ranch de Neverland à Santa Barbara.

La perspective de découvrir l'homme et de voir à quoi ressemble *réellement* Neverland (les majordomes sont-ils vraiment

des singes ?) est terriblement excitante. Le trajet lui-même est excitant – par « excitant », comprendre « chaotique » : l'hélicoptère où nous avons pris place, Jill, Lily et moi, se perd dans le brouillard et nous devons nous poser en urgence à plusieurs kilomètres du ranch et finir le parcours en limousine.

Au sortir du véhicule, nous sommes attendus par un couple d'agents d'accueil en uniformes à la Disney. Dans les jardins tintinnabule une musique d'ameublement, et des enfants courent à travers le parc d'attractions aménagé sur la propriété.

À notre arrivée à la demeure, on nous fait patienter dans le séjour en attendant que le maître des lieux descende. Aux murs sont accrochées des photos de lui dans le décorum de l'époque *Thriller* et divers portraits de famille ; mais aussi une immense peinture à l'huile de Michael entouré d'animaux et d'oiseaux – le roi de la pop en saint François d'Assise.

Enfin, Michael arrive et se présente. Il est très doux et avenant. Tout ce que j'ai entendu comme bizarreries à son sujet s'évapore en un instant et je ne tique pas une seconde quand il invite Lily et Jill à profiter de sa salle de jeux à l'étage. Il me conduit jusqu'à son complexe de studios où les équipes de tournage sont en train de s'installer (en plus de celle des Billboard Awards, il a la sienne, qui filme ses faits et gestes pour ses archives).

Pour patienter, on parle de choses et d'autres et il s'excuse pour la pâleur de son maquillage. Il souffre d'une maladie de peau, m'explique-t-il. J'ai l'impression qu'il se sent à l'aise avec moi – et pas seulement, comme le notera le *LA Times* dans son compte rendu de la soirée, parce que je suis un « visage pâle britannique ».

Au terme d'une remise de récompenses un peu empruntée – Michael doit faire mine d'ignorer l'existence d'un second prix –, nous regagnons la maison et il prend congé de nous.

La rencontre a été brève, mais elle me laisse la sensation que, tout en étant manifestement différent de nous autres mortels, Michael Jackson n'est pas le détraqué qu'on nous décrit. C'est un musicien de talent et un type charmant qui, dès l'âge de cinq ans, a suivi contre son gré une trajectoire hors du commun. Mais même si j'ignore tout du versant trouble de sa vie, je me dis qu'il n'y a probablement pas de fumée sans un minimum de feu.

En janvier 1993, je suis chez moi à Lakers Lodge et je réfléchis à mon avenir proche. Genesis est au plus haut, pourtant je suis au plus bas. Mon cerveau malmené fait un bruit de ferraille, le même que celui du train électrique que j'ai installé pour Simon (et moi) dans la cave et qui s'étend à la vitesse grand V.

Je me suis confondu en excuses auprès de Jill, expliquant que Lavinia était une tocade surgie du passé et promettant d'être un mari plus présent et plus fidèle.

Dans mon studio perché tout en haut de la maison, en passant en revue les intros des morceaux susceptibles de figurer sur mon prochain album solo, je suis assailli de pensées inhabituellement sombres. S'il s'agissait de n'importe qui d'autre, je serais capable de les chasser de mon esprit, de les repousser, d'enterrer la douleur. Mais il s'agit de Lavinia. Elle occupe une place à part dans ma vie. La douloureuse vérité, c'est que je ne sais plus où j'en suis. Le premier amour de ma vie serait-il le dernier ?

Dans cette petite pièce qui offre une vue apaisante sur notre grange nouvellement rénovée, j'écris beaucoup. Il n'y a là que moi et mon magnétophone Akai à douze pistes. Assis sur mon tabouret, je chante ce qui me vient. Fort, à tue-tête, sans casque, dans les enceintes. Les paroles, la musique et les émotions jaillissent d'elles-mêmes. Je compose « Can't Turn Back The Years » (« *the perfect love was all you wanted from me / but I cannot turn back the years*[1]... ») et « I've Forgotten Everything » (« *I've forgotten everything about you till someone says your name*[2]... »). C'est ma version du « I Get Along Without You Very Well », de Hoagy Carmichael, et c'est une chanson

---

1. « Tu n'attendais de moi qu'un amour idéal / mais on ne remonte pas le cours des années... »
2. « J'ai tout oublié de toi jusqu'à ce que quelqu'un dise ton nom... »

que je crée et que j'enregistre tellement vite que je ne prends même aucune note.

Je compose « Both Sides Of The Story », et sa ferme injonction à ne jamais considérer une situation sous un seul angle me fournit le titre de l'album : *Both Sides*.

Les émotions qui traversent ces nouveaux titres s'apparentent à celles qui avaient donné à *Face Value* sa puissance, son impact et, en définitive, je l'espère, sa résonance. Je m'y expose sans fard, à nu. Sur mon premier album solo et sur celui-ci, le cinquième, je mets tout sur la table. Voilà pourquoi, au bout du compte, *Face Value* et *Both Sides* sont mes deux préférés et pourquoi *No Jacket Required* m'est moins précieux.

Plus précisément, la rage et la douleur de *Face Value* font place, sur *Both Sides*, à une pointe de regret, au chagrin et à la nostalgie. Le lyrisme, je pense, m'a permis de cerner certaines de ces émotions au plus près. J'aime beaucoup la simplicité et la pureté de ces chansons.

Tout en composant, je prends une décision : des morceaux aussi personnels, aussi à fleur de peau, nul d'autre que moi ne les jouera, ne les enregistrera. Ils appartiennent à mon jardin secret et je tiens à ce qu'ils y restent le plus longtemps possible. Le paradoxe étant bien sûr que, si j'ai fait mon travail correctement, si j'ai laissé parler mon cœur, notre couple risque d'imploser dès que Jill entendra *Both Sides*.

En ne laissant à personne le soin de composer et d'enregistrer ces chansons, je cherche peut-être aussi à retarder ce moment le plus longtemps possible.

J'enregistre moi-même l'ensemble des instruments et des voix, et je travaille mes maquettes pour qu'elles atteignent un niveau proche du commercialisable, avant de les emporter à The Farm pour ajouter la batterie. Là, pour les garder au plus près de mon cœur, je produis l'album seul, non sans une certaine approximation. Il est d'une facture musicale, disons, amateur. Ou mieux, intime. Mais ça convient bien à ces chansons-là ; ça fait partie de leur charme.

Si je me doute que l'écriture de ces morceaux aura des conséquences dévastatrices sur ma vie personnelle, je n'imagine pas que cette façon d'enregistrer retentira tout aussi fortement sur ma vie professionnelle. Ce sera pour un peu plus tard. Mais dans l'immédiat, l'album est terminé.

Avant de dévoiler *Both Sides*, je prends le temps de souffler. Début 1993, une proposition alléchante me parvient par téléphone : Stephan Elliott, un jeune réalisateur australien qui a vu *Deux flics à Miami*, souhaite me confier le premier rôle dans son film *Frauds*, une comédie noire autour d'un inspecteur d'assurances pervers terrorisant un couple qu'il soupçonne de fraude.

Dans l'intervalle entre la fin de l'enregistrement de *Both Sides* et sa sortie, je me rends à Sydney pour le tournage. Ambiance joyeuse et dépaysement bienvenu après la tournée de *We Can't Dance* et mes déboires conjugaux. Je partage l'affiche avec Hugo Weaving avant que la série des *Matrix* ne le propulse vers la gloire, Elliott enchaînant, lui, avec *Priscilla, folle du désert*, comédie musicale géniale imprégnée d'ABBA.

En octobre 1993 sort « Both Sides Of The Story », premier single tiré de *Both Sides*. Sur l'album, c'est un long morceau de presque sept minutes. Même retaillé au format radio, il dure encore cinq minutes et demie. Les Américains me réclament « Everyday » comme premier single, plus conforme selon eux à ce que je fais. Mais je tiens bon. Peu importe que ce disque ne soit pas aussi commercial que les quatre autres. Ce n'est pas le but. Il s'agit d'un album fièrement, farouchement personnel, entièrement façonné à mon idée et selon mes critères. C'est un exutoire, avec tout ce que cela suppose de répugnant et de décousu.

À mes yeux, *Both Sides* n'est pas l'avis de décès de mon deuxième mariage. Ce n'est certainement pas le message que j'adresse à Jill. J'y vois plutôt un témoignage sincère sur la tourmente que j'ai traversée. Je me borne à constater ce qui s'est passé, et je le fais de la seule façon que je connaisse.

« Both Sides Of The Story » est un tube – ou presque. C'est le seul titre de l'album qui marchera en single. *Both Sides* est quand même numéro un au Royaume-Uni, mais, globalement, les considérations et les sentiments intimes de cet homme égaré, culpabilisé, ne rencontrent guère d'écho auprès du public – rien à voir avec les ventes délirantes des opus antérieurs. Je m'en moque. J'ai fait ce que je voulais faire.

De toute façon, j'ai des préoccupations plus urgentes. Cet aveu me coûte, mais j'ai pris conscience que mon couple avec Jill est arrivé en fin de course. J'ai tout détruit et je ne vois pas comment revenir en arrière. Je suis triste pour Lily, qui tente de s'y retrouver dans le chaos que son papa laisse derrière lui. Je me le reprocherai toute ma vie. Je sais que le reconnaître reviendrait à rompre les amarres avec Jill et Lily. Je prends donc la difficile décision de m'en sortir par la lâcheté : je me tais.

* * *

La tournée *Both Sides Of The World* démarre au printemps 1994, le 1ᵉʳ avril. Vu la tournure qu'elle va prendre, la date est finalement bien choisie pour lancer ce périple de cent soixante-neuf dates qui va s'étirer sur treize mois de feu.

Les trois premières semaines, il ne se passe rien de particulier, si ce n'est que le concept du show emballe les fans. Le concert est en deux parties. La première, que j'ai appelée « Black & White », comporte des morceaux de *Both Sides* et d'autres titres tout aussi méditatifs et-ou désenchantés : « One More Night », « Another Day In Paradise », « Separate Lives ». La seconde, « Colours », bien qu'entamée avec « In The Air Tonight », est plus enlevée, plus enjouée : « Easy Lover », « Two Hearts », « Sussudio ». C'est un sprint jusqu'à la ligne d'arrivée.

Ce sont des sets longs et éprouvants, ardus dès les premières minutes. J'entre en scène par une fausse porte, j'accroche mon manteau et je m'assieds derrière une espèce de monceau de détritus qui cache en fait une batterie. Le batteur Ricky Lawson, nouveau venu dans le groupe, arrive en frappant sur des pads glissés sous son gilet de costume. Notre dialogue de tambourinaires débouche, l'air de rien, sur « I Don't Care Anymore ». Et c'est parti. C'est un bonheur de se jeter à corps perdu dans ces concerts. Ils sont une distraction bienvenue, mais surtout des exutoires énergétiques et émotionnels. Et les réactions extatiques qui me parviennent soir après soir ne peuvent que me réjouir.

Le 26 avril, je m'envole pour Genève. Le soir même, j'ai un concert en Suisse, à Lausanne. Le surlendemain, ce sera Lyon et, dans trois jours, la tournée passera par Paris pour trois soirs au Palais Omnisport de Bercy, chaque fois devant vingt mille personnes.

Tony Smith, John Giddings, le tourneur, Andy Mackrill, le régisseur, Danny Gillen (fidèle au poste sept ans après m'avoir rejoint sur le tournage de *Buster*) et moi-même nous posons donc à Genève, près du hangar de Global Jet Aviation, dans la zone privée de l'aéroport.

Comme partout où on atterrit, des voitures nous attendent directement sur la piste avec à leur bord, en général, une personne de la maison de disques locale ou un responsable quelconque.

On débarque et on se sépare en deux groupes. Sont garées là, comme prévu, deux Renault Espace avec leurs chauffeurs... accompagnés d'une femme extrêmement séduisante. D'une jeune fille, plutôt.

Elle est très élégante dans son tailleur gris strict, et très belle. Elle se présente, Orianne – un nom peu commun, me dis-je –, et m'explique avoir été engagée par Michael Drieberg, l'organisateur suisse du concert, pour nous servir d'interprète pendant notre séjour à Lausanne. Elle a des traits asiatiques (j'apprendrai que sa mère est thaïlandaise) et parle un anglais remarquable avec un accent français.

Nous nous installons à l'arrière de la voiture pour les quarante minutes de route qui séparent Genève de Lausanne. Je lis le livre qui accompagnait le documentaire *Listen Up: The Lives of Quincy Jones*. J'adore le travail de Quincy en big band et, comme je songe à monter le mien, je mets de côté tout ce que je peux trouver sur l'homme et sa musique.

Enfin, quand je dis que je « lis » le livre de Quincy, je le tiens seulement à la main. En réalité, je dévore des yeux cette incroyable jeune femme assise sur le siège avant. Je donne un coup de coude à Danny en haussant les sourcils. Il me regarde, l'air de dire, « Oui, j'ai vu ». Je redemande son nom à cette jeune fille – Oriel ? Orion ? Sans blague, impossible de m'en souvenir.

Elle n'est pas interprète de métier, même si tout le monde la présente ainsi. Orianne a vingt et un ans et travaille dans les bureaux genevois de Capital Ventures, une compagnie d'investissement. Mais comme Drieberg la connaissait et savait que son anglais était excellent, il lui a demandé si elle pouvait m'accueillir à l'aéroport, me conduire à mon hôtel, m'accompagner au concert, puis me ramener, tout en parant à mes besoins linguistiques.

Et sans mentir ni exagérer, sur le trajet de l'aéroport de Genève à l'hôtel Beau-Rivage de Lausanne, je tombe fou amoureux d'Orianne Cevey. Je ne la drague pas, entre autres parce que je n'ai jamais brillé dans cet exercice. Elle ne m'envoie aucun signal. Je ne lui adresse même pas la parole. Je suis gaga.

Bien entendu, d'un point de vue concret, pratique, je me dis : *Il ne va rien se passer.* Mais en même temps : *Et pourtant, j'adorerais.* À quarante-trois ans, ce sentiment me ramène à l'adolescent que j'étais. Frappé par une certitude foudroyante, mû par un élan irrationnel, je sais que j'ai envie d'aller plus loin. Et pas seulement à cause de son physique. Ni même de notre conversation ni d'une quelconque intimité, car personne ne parle – elle est devant et moi derrière, entre Danny le costaud et Quincy le héros. Dans cette voiture bondée, pendant quarante petites minutes, seule opère la présence de cette inconnue. J'apprendrai plus tard qu'on parle en français de *coup de foudre*[1].

---

1. En français dans le texte.

Arrivés à l'hôtel Beau-Rivage, lieu d'une élégance extrême, on descend, on s'enregistre et j'en profite pour apprécier l'absolue splendeur de cette jeune femme. Elle a la moitié de mon âge, elle est à moitié asiatique et il y a entre nous la moitié d'un monde. Mais les chiffres ne veulent rien dire.

Comme j'ai environ une heure devant moi avant la balance, Orianne propose de revenir me chercher avec le chauffeur pour le concert. Danny et moi montons dans nos chambres qui, pour la seule et unique fois dans toute l'histoire de nos tournées, communiquent. On ouvre la porte qui les sépare et, tout excités, on échange nos impressions.

— T'as vu ça, Danny ?

— Ouais. Ravissante, ravissante.

— *Ouah !*

Franchement, j'ai du mal à penser à autre chose. Un psy de pacotille trouverait peut-être normal que j'aie ce type de réaction, compte tenu des bouleversements émotionnels que j'ai connus (et dont je suis, bien sûr, entièrement responsable). Mais moi, je lui dirais qu'il se fourre le doigt dans l'œil. Visiblement, cette jeune femme n'est pas ordinaire, et mes sentiments non plus.

Je parviens néanmoins à déballer mes affaires, à me ressaisir, à me souvenir que j'ai un concert ce soir. À l'heure convenue, nous descendons dans le hall où nous attend donc Orianne, l'air toujours aussi sérieux, mais un doux sourire aux lèvres.

Retour à la voiture, direction la patinoire de Malley, puis les loges. Orianne ne s'éloigne pas car elle a pour mission de veiller sur moi. Il est vite évident qu'en plus d'être jolie, elle est intelligente. Il ne s'est rien passé, sinon dans les replis de mon imagination sotte et béate, mais déjà m'accable le vieux sortilège des Collins : *la culpabilité.*

En coulisses, on dirait qu'on a jeté un caillou dans une mare. Les ondes se propagent en cercles concentriques. Carol, notre habilleuse, me demande : « Mais qui ça peut bien être ? » Sidérée elle aussi par tant de beauté, elle disparaît quelques minutes, le temps d'un raccord coiffure et maquillage. Il y a une autre femme dans les coulisses et Carol n'entend pas se laisser éclipser.

John Giddings arrive dans la loge.

– C'est qui, elle ? demande-t-il, la mâchoire pendante.

– C'est la jeune femme qui m'aide à me faire comprendre en français. Pas touche !

La stupéfaction d'Andy Mackrill fait écho à celle de Giddings : « C'est qui, elle ? » Orianne focalise désormais l'attention de toute l'équipe. Notre tromboniste, un vrai gentleman, veut son nom et son numéro. J'entends les autres chuchoter : « Non, mais elle est magnifique… »

Après la balance, c'est le moment où je peaufine ce que je vais dire sur scène en fonction du lieu. Français, allemand, italien, japonais… Partout où on joue, je prépare un petit laïus dans la langue du pays, petite marque de respect et petit clin d'œil aux autochtones. Je l'ai toujours fait, comme Peter le faisait avec Genesis.

– Tu veux voir le français maintenant ? me demande Carol.

– Ah, oui ! Tu peux aller chercher Orianne ? demandé-je l'air détaché.

– Oui. Elle est ravissante, hein ?

Orianne arrive, s'assied en face de moi et me demande : « Qu'avez-vous envie de dire ? »

On prépare quelques phrases pour le concert : « *Bonsoir*[1]… » Et ce soir-là, justement, je m'applique peut-être un peu plus à apprendre certains passages. J'ai vraiment envie de faire durer ce tête-à-tête. Mais, au bout d'un moment, je ne peux pas retenir Orianne plus longtemps. Pour finir, je lui demande :

– Vous avez un petit ami ?

– C'est-à-dire ?

– Vous avez un petit ami ?

– Oui.

– D'accord… Parce que j'aimerais beaucoup vous inviter à dîner.

---

1. En français dans le texte.

Elle est un peu désarçonnée, mais semble partante. Puis elle se lève et se dirige vers la porte. *Bon, me dis-je, au moins j'ai amorcé, j'ai noué quelque chose d'un peu personnel, hors travail.* Juste avant qu'elle disparaisse, juste pour me rassurer, je lui lance :

— Je vous vois après, hein ?

— Oui, je vous ramène à l'hôtel.

Tout au long du concert, je l'avoue, j'en rajoute un peu. Un peu plus que d'habitude. J'essaie de faire en sorte que le spectacle soit le meilleur possible. Je vais peut-être même jusqu'à l'agrémenter de quelques acrobaties supplémentaires.

Comme il s'agit d'une immense patinoire de hockey, plusieurs portes donnent sur les stands de hot-dogs, les bars et les boutiques. Pendant le concert, j'aperçois Orianne avec une amie près d'une des portes les plus proches de la scène. Elle danse un peu, bouge au rythme de la musique, s'amuse. Je suis heureux comme un collégien.

À la fin du show, je reviens en coulisses pour me changer. Je demande à Carol si elle a vu l'interprète. Carol me répond d'un air peut-être un peu pincé qu'elle ne sait pas du tout où elle est. Danny arrive avec les bagages. Suis-je prêt à partir ? Pas vraiment. Où est l'interprète ? Danny me dit qu'il ne la trouve pas, mais qu'on doit évacuer les lieux. À contrecœur, je repars pour l'hôtel. Dire que je suis quelque peu déconfit n'est pas exagéré.

De retour dans nos chambres communicantes, sur ma demande amicale mais pressante, Danny appelle le responsable de la patinoire. « L'interprète est avec vous ? La fille envoyée par l'organisateur ? Ah, elle est là-bas ? » Apparemment, Orianne nous attendait, mais nous a manqués dans la cohue des dizaines de milliers de fans qui quittaient la salle, sans compter les dix membres du groupe et les trente techniciens qui vaquaient à leurs tâches d'après-concert.

Danny me passe le téléphone pour que je puisse parler directement à Orianne. Je lui demande son numéro. Après une légère hésitation, elle me donne celui de son travail.

— Et votre numéro personnel, je peux l'avoir ?

Puis :

– Vous faites quoi demain ? Vous travaillez ? Et après ? Moi, je suis libre toute la journée.

– Normalement, je dois… Je ne sais pas. Appelez-moi demain et reparlons-en.

Je suis comblé. Je n'en demande pas plus.

Le lendemain, je l'appelle, mais elle est sortie. Les, son chef à Capital Ventures, et moi finirons par très bien nous connaître. Il m'apprend qu'elle est en clientèle. Sans avoir une compréhension fine du secteur financier suisse (ni même du fromage et du chocolat suisses), j'imagine que son boulot consiste à soutirer du fric aux hommes d'affaires en usant de son charme.

Le soir, j'appelle chez elle. C'est son père, Jean-François, charmant Helvète à l'anglais rudimentaire, qui décroche. Il me passe donc Orawan, son épouse thaïlandaise.

– Qui est-ce ? Phil ? *Phil Collins !*

Elle n'en revient pas.

– Orianne m'a dit que vous risquiez d'appeler. Elle n'est pas là.

Orawan s'interrompt pour aller chercher un numéro où la joindre. Plus tard, j'apprendrai que, tout à son empressement de me trouver ce numéro, elle a oublié ce qui se trouvait sur la cuisinière. Résultat, le dîner a brûlé et la cuisine a pris feu. Le papa, non sans raison, s'arrachait les cheveux : le téléphone sonne et, la seconde d'après, l'alarme incendie.

– Du calme ! lance Orawan à travers le vacarme, la fumée et les flammes, j'ai Phil Collins au téléphone !

Elle me donne le numéro d'un certain Christophe, le meilleur ami d'Orianne, chez qui elle est. J'appelle et Christophe me la passe.

– On peut se retrouver pour dîner ce soir ?

– Je ne peux pas. Je dois voir mon copain.

– OK ? Et après ?

– Peut-être. Je vous rappelle à l'hôtel.

J'ai bien conscience que, à le lire comme ça, on pourrait croire à une sorte de traque. Que dire, sinon qu'elle me mène déjà par le bout du cœur ?

Avec Danny, on réserve une des meilleures tables dans l'éminent restaurant de notre hôtel et on commande d'office une bonne bouteille. On s'installe, on sirote, on attend. On attend encore. Le sommelier repasse par-là : « Une autre bouteille, messieurs ? » Je me sens léger, et pas seulement à cause du Château Orianne.

Arrive un autre garçon : « Monsieur Collins, un appel pour vous. »

C'est Orianne. Elle me dit qu'elle ne pourra pas venir. Pourquoi ?

– Parce que, quand j'ai parlé de toi à mon copain, il m'a frappée.

Par la suite, j'apprendrai qu'elle était sur le point de rompre avec lui. Mais dans l'immédiat, il lui a donné un coup et elle a la lèvre enflée. Je lui fais part de mon indignation et de ma compassion, et j'ai bien envie d'envoyer Danny régler son compte à cet enfoiré. Je me moque de la tête qu'elle a, lui dis-je. Qu'elle vienne quand même.

– Plus tard, peut-être.

Danny et moi, on commande à manger, puis on monte dans nos chambres jumelles. Au bout d'un moment, le téléphone sonne. Orianne est dans le hall avec Christophe. C'est un grand type adorable dont je vais devenir très proche. Il veut s'assurer que sa meilleure amie est en sécurité, qu'elle ne s'est pas laissé embobiner par n'importe qui, surtout après la soirée qu'elle vient de passer (il a peut-être aussi eu vent de l'incendie dans la cuisine des Cevey).

Nous nous retrouvons tous les quatre dans ma chambre autour d'un verre. Au bout d'un moment, Christophe me regarde et me dit : « Phil, tu es un garçon bien. Je vous laisse. Mais j'attends dans la voiture. »

Les jours qui suivent, je suis en apesanteur. Mais je m'apprête à partir pour Paris, où je dois retrouver ma femme et notre fille de quatre ans qui arrivent de Londres.

Qu'ai-je fait ? Ce que j'ai fait, je le sais : j'ai trahi ma femme et mon enfant. Une nouvelle fois. Je me suis aventuré dans des eaux inconnues, peut-être troubles. « Découvrez la nouvelle fiancée mystère de Phil Collins. Elle pourrait être sa fille. » Sur la fiche « Crise de la quarantaine », je peux cocher toutes les cases.

Mon aventure avec Lavinia avait déjà fissuré mon couple et je me trompais lourdement en pensant pouvoir me réconcilier avec Jill après ça. Ma culpabilité n'est pas plus facile à supporter pour autant, et ne le sera pas pendant des années encore. Ma vie amoureuse est une succession de conflits dont je suis loin d'être fier.

À Paris, depuis la fenêtre de ma chambre d'hôtel, je regarde Jill et Lily descendre de la limousine. Je me sens nul à chier.

Si notre couple n'était pas mort après l'épisode Lavinia, maintenant il l'est. Avec mes frasques de Los Angeles et de Lausanne, j'ai tout fait pour.

J'ai passé le plus clair de mon existence sur la route, mais, jusqu'à Lavinia, je n'avais jamais été infidèle. Pourquoi l'être maintenant ? La crise de la quarantaine, je n'y crois pas. Notre couple, à Jill et moi, était peut-être à bout de souffle.

Une séparation est, dans le meilleur des cas, chaotique et difficile, mais dans le mien c'est beaucoup plus compliqué. Je termine à peine le premier mois d'une tournée titanesque qui va durer encore un an. Impensable d'en annuler une partie, ou même de changer des dates pour me permettre de rentrer au Royaume-Uni et démêler l'imbroglio juridique et logistique de mon naufrage matrimonial. Ce n'est en rien une consolation pour ma femme – ça aggrave plutôt les choses – mais j'ai des obligations professionnelles par-dessus la tête et je ne suis pas seul dans l'aventure. Ce sont des shows gigantesques qui mobilisent des dizaines et des dizaines de personnes, qui attirent des centaines de milliers de fans dans le monde entier. Le mastodonte doit poursuivre sa route.

Deux semaines après Paris, à la mi-mai 1994, je suis de l'autre côté de l'Atlantique. La séquence nord-américaine démarre avec quatre soirs au Palacio de los Deportes de Mexico, un fabuleux dôme circulaire de vingt-six mille places construit pour les jeux Olympiques de 1968. L'endroit est idéal pour lancer un trimestre de concerts bien chargé. Je n'ai encore jamais joué au Mexique, ni en solo ni avec Genesis, l'attente est donc énorme. Pour les cent mille fans mexicains – qui comptent parmi les amateurs de musique les plus enthousiastes au monde –, je me dois de juguler mes émotions dans la première partie pour leur donner libre cours dans la seconde. J'ai laissé tomber ma famille. Je ne veux pas, en plus, laisser tomber mes fans.

La tournée *Both Sides Of The World* se poursuit, inexorablement. Mon emploi du temps est souvent incertain, et on se débat avec des décalages horaires qui changent sans cesse entre les États-Unis et le Royaume-Uni. J'ai donc rarement la possibilité de me poser pour appeler tranquillement à la maison – enfin, quand je dis tranquillement... J'ai envie de parler à Jill, j'ai envie de parler à Lily. Mais j'ai aussi envie de parler à Simon et Joely pour leur expliquer la situation, et ça m'oblige à passer par Andy, qui souffre beaucoup.

Les rares occasions où je peux appeler Jill, j'ai du mal à me faire entendre. Elle vient quand même me retrouver de temps à autre sur la tournée américaine – Lily veut me voir. La pauvre petite, elle essaie de slalomer au milieu de tout ça et se dit, dans son cœur d'enfant, que tout va bientôt s'arranger. Plus d'une fois, debout au milieu de la scène, je chante « Separate Lives », évidemment un des sommets du spectacle en termes d'émotion. Et quand Jill est dans le public, elle met un point d'honneur à descendre l'allée latérale pour venir se planter devant la scène en me fixant du regard.

Trois semaines de tournée nord-américaine plus tard, six semaines après Paris. J'écris une lettre de quatre ou cinq pages où je tente d'expliquer comment je nous vois, comment je vois l'avenir. Plutôt que de la poster, le moyen le plus sûr et le plus rapide de la faire parvenir à Jill est de la faxer. Ce que je fais. Peine perdue. Les choses sont toujours aussi embrouillées et complexes, les ponts restent coupés.

La situation ne s'améliore pas quand nous revenons en Europe début septembre. À la fin du mois, lors de notre passage à Francfort, elle a même empiré. Perdue dans une grande maison de la campagne anglaise, Jill s'occupe seule de notre fille. Pendant ce temps, son mari volage court le vaste monde, donne des concerts monumentaux devant des fans à genoux, mène la grande vie – et, se dit-elle sûrement, fait profiter du voyage sa jeune et jolie conquête. La vérité est qu'Orianne ne me rejoint qu'occasionnellement ; la plupart du temps, elle travaille à Genève. Mais inutile d'en rajouter.

À Francfort, on joue trois soirs dans une Festhalle qui fête son centenaire. Comme je reste soixante-douze heures sur place et qu'il n'y a qu'une heure de décalage entre l'Allemagne et la Grande-Bretagne, je juge le moment opportun pour faire un point avec Jill et régler quelques questions. Mais impossible de me faire entendre. J'ai l'impression de ne jamais me faire entendre. N'envisageant pas d'autre solution, je lui envoie un nouveau fax à Lakers Lodge.

À ce stade de la partie européenne de la tournée, dès que j'ai un moment de libre, je saute dans un avion pour la Suisse où je m'installe dans un petit hôtel situé au bout de la rue des parents d'Orianne. Un matin, je suis réveillé de bonne heure par le téléphone. C'est Annie Callingham, ma secrétaire.

– Que se passe-t-il, Phil ? Tu es en pleine page à la une du *Sun*.

– Qu'est-ce qu'on voit ?

– Le fax.

– Quel fax ?

– Le fax que tu as envoyé à Jill.

– Comment est-ce possible ?

C'est le pompon. Le tabloïd le plus vendu de Grande-Bretagne a réussi, *allez savoir comment*, à se procurer le fax que j'avais envoyé de ma loge à Francfort. Ce que le *Sun* a extrait et utilisé de l'original lui a fourni le titre « I'M FAXING FURIOUS[1] », et la certitude que je divorçais par fax interposé.

---

1. Jeu de mots sur *faxing* et *fucking*.

Pompon du pompon, la presse fait le pied de grue devant la maison des parents d'Orianne. Son père est en train de mourir d'un cancer et ils se passeraient bien de ça.

Des journalistes vont frapper chez ma mère, mon frère, ma sœur pour les interroger. Tous ceux qui me connaissent sont contactés pour donner leur avis et cette histoire devient un sujet de conversation national – je rectifie, international. Je prends l'habitude de ne plus jamais entrer dans un hôtel par la porte principale, de peur d'être attendu par des paparazzi.

Le tout récent et tout jeune – vingt-neuf ans – rédacteur en chef d'un autre tabloïd, *News of the World*, me contacte. Piers Morgan suinte la flagornerie mielleuse : ce serait l'occasion de donner ma version des faits, l'article me sera soumis avant publication, je peux être sûr qu'il va remettre les pendules à l'heure, sur un ton adulte, gna, gna, gna. Bien entendu, le papier publié n'échappe pas au style maison. En plus du miel, Piers jette un peu d'huile sur le feu.

Ce déballage est déjà assez difficile à vivre pour moi, d'autant que sur le fond l'article est mensonger ; mais pour Orianne, soudain entraînée à vingt et un ans dans un monde qu'elle ne connaît ni ne comprend, c'est l'enfer. Elle se sent suivie partout où elle va.

Coïncidence douloureuse, au moment où éclate ce « Faxgate », je suis invité à l'émission *MTV Unplugged* aux studios télé de Wembley pour promouvoir la partie britannique de la tournée. Mon contrat m'oblige à y aller, sinon tout s'arrête pour moi. Quelques jours plus tard, en montant sur scène à Birmingham, je me dis que le moment ne pourrait pas être plus mal choisi pour démarrer une tournée à la maison. Je suis passé du gendre idéal (certes un peu envahissant et agaçant) au salaud intégral.

Comme je l'ai dit, le concert commence par des détritus sur le plateau : tôle ondulée, poubelles, journaux froissés. Après le duo de percussions avec Ricky, le premier morceau est « I Don't Care Anymore », de l'album *Hello, I Must Be Going!* Cette chanson parle de l'échec de mon premier mariage, quand Andy et moi étions en pleine procédure de divorce. Les paroles sont donc caustiques et je les chante avec une mine sombre de circonstance en déambulant parmi les déchets qui jonchent la scène.

À présent, tout prend une nouvelle résonance. Le texte n'a rien à voir avec Jill et notre couple, mais quand je shoote dans ces journaux, c'est dans les tabloïds que j'ai l'air de shooter.

Après ce morceau d'ouverture, je m'assieds au bord de la scène du NEC et je dis au public : « Écoutez, tout cela est très embarrassant, mais vous n'êtes pas obligés de croire ce que racontent les journaux… » Je ne suis pas certain que ça rassure grand monde, à commencer peut-être par moi-même. Au théâtre, on m'a toujours dit : « Ne t'excuse jamais auprès du public. Continue comme si de rien n'était. » Pourtant, j'aime à penser que j'ai provoqué quelques soupirs de soulagement. « Ouf, ça c'est fait ! »

Mais ensuite, pour présenter « I Wish It Would Rain Down », de …*But Seriously*, je détourne un sketch de Sam Kinison (un ami, décédé deux ans plus tôt), humoriste politiquement incorrect et passionné (et passionnément drôle). Il est question d'un couple en voiture qui se dispute au sujet d'une ex du mari qu'ils viennent de croiser. De mon point de vue, il s'agit de faire un peu l'acteur, de dire tout mon amour pour les humoristes et d'introduire une chanson sur un mode imagé. Dans mon ignorance, je ne me rends pas compte que, pour certains, le ton est un peu limite. Que je peux donner l'impression de danser sur la tombe de mon couple. Alors que je cherche seulement à faire rire le public, à dissiper la tension que je perçois. À ma grande honte, je ne comprends pas que, vu les circonstances, la blague est de mauvais goût.

La partie britannique de la tournée, et l'année 1994, se terminent par huit soirées à la Wembley Arena. Dit comme ça, c'est impressionnant et effectivement, par bien des côtés ça l'est. Mais le public de Londres est une espèce à part ; dans le meilleur des cas, il aura un peu l'air de vous dire « Vas-y, impressionne-moi ». Mais à l'époque, tous les soirs, une partie de la salle me prend carrément en grippe.

Au printemps 1995, la tournée reprend en Afrique du Sud. La séquence finale, *The Far Side Of The World*, passe aussi par l'Asie et l'Amérique du Sud. Professionnellement parlant, ça marche fort. Je joue dans des stades de football et dans des lieux où je ne suis jamais allé : l'Indonésie, les Philippines, Porto Rico. Là-bas, à l'autre bout du monde, je n'ai pas à subir les lazzis incessants de la presse britannique. Alors que chez moi, c'est à croire que le scandale du Faxgate ne veut pas mourir.

Orianne me rejoint dès qu'elle peut obtenir quelques jours de congés. Elle arrive, imperméable semble-t-il au décalage horaire, et on passe la nuit à discuter, à échanger des nouvelles. Dans le maelström d'une tournée mondiale de treize mois et dans la bourrasque d'un mariage en voie de désintégration, il existe aussi des moments – des heures – d'enchantement.

Personne n'est gagnant dans cette histoire. J'ai la chance de pouvoir m'immerger dans le travail. Malheureusement, ce travail m'oblige à me montrer devant des milliers de gens qui ont tous lu d'effroyables choses sur mon effroyable vie privée.

Soir après soir, en fouillant du regard la pénombre derrière les feux de la rampe, je ne vois pas des dizaines de milliers de personnes heureuses d'être là. Je vois des petits groupes où les bavardages vont bon train : « Avant, je l'aimais bien. Mais il a quitté sa femme pour une jeune, une bimbo, et il veut la façonner à son idée. Mais il ne va pas s'en tirer comme ça parce que, nous, on continue d'aller aux concerts ! Pour voir jusqu'où il est tombé. Tiens, j'aime bien ce morceau-là. Mais quel salaud, quand même. Hé, celui-là n'est pas mal non plus... mais il parle de son premier mariage ! Encore une ex ! Au lieu d'envoyer des fax, il ferait mieux de régler ses problèmes ! »

Paranoïaque ? Tout au moins ma culpabilité me rend extrêmement sensible aux ondes psychiques, réelles ou imaginaires.

Voilà les dégâts que provoque le Faxgate. Il me met la tête à l'envers et, dans mon esprit déboussolé, il fragilise les fondations de ma carrière. Je n'ai pas du tout aimé être le gendre idéal, le chouchou des ménagères. Mais dès que j'ai cessé de l'être, ça m'a manqué. Maintenant, je suis l'ennemi numéro un de la pop. Rod Stewart fornique à tout va, mais bon, c'est Rod. Mick Jagger en fait autant, mais quoi de plus normal : c'est Mick. Mais quand Phil Collins s'y met, c'est une ordure.

Je ne sais plus où j'en suis. J'ai l'impression de ne plus être maître de moi-même. Mon intégrité d'homme – ma dignité, ou mon manque de dignité – est soumise à des attaques que résument les titres des journaux. En définitive, je n'ai plus qu'une envie, m'exclure moi-même du film. Effacer le tableau noir et déclarer : « Je ne veux plus avoir de rôle à jouer là-dedans. Parce que maintenant, c'en est trop. C'est trop lourd à porter. »

La plaie suppure et se creuse.

Après …*But Seriously* et *Both Sides*, je commence à entendre : « Phil, on n'en peut plus. Détends-toi, quoi ! Rappelle-toi "You Can't Hurry Love". Rappelle-toi "Sussudio". Le petit espiègle qui nous faisait rire sur scène, qui sautait partout pendant deux heures. C'est celui-là qu'on aime. De grâce, arrête de broyer du noir. On sait à qui s'adresser pour ça. »

Et Lavinia ? Je ne lui ai jamais dit de quoi parlait *Both Sides*. Je ne sais donc pas ce qu'elle en a pensé. Après ce coup de téléphone, je n'ai plus entendu parler d'elle. Mais j'aime encore *Both Sides*. Il n'est pas assombri ni terni par les événements qui l'ont inspiré et entouré. Il a eu sa petite heure de gloire.

Malgré mes cataclysmes personnels, je ne vois pas cet album comme une expérience malheureuse. J'ai pris beaucoup de plaisir à le faire. Tout écrire, jouer et enregistrer par moi-même a été extrêmement libérateur. C'est pourquoi j'ai décidé de me libérer d'autres liens. Pendant la promotion de *Both Sides* – avant la tournée, avant même Orianne –, j'ai annoncé à Tony Smith que je quittais Genesis.

17

Taxgate

*Ou : amoureux d'une Helvète, j'ai écouté mon cœur,
pas mon porte-monnaie*

Faut-il rester, faut-il partir ? Dois-je quitter Jill… quitter Genesis… quitter le Royaume-Uni ?
Les trois années écoulées entre la reprise de contact avec Lavinia durant l'été 1992 sur la tournée *We Can't Dance* de Genesis et la fin de ma tournée solo, *Both Sides Of The World,* au printemps 1995, ont été des plus agitées. Aux impériales années 1980 ont succédé les passionnelles années 1990. Laquelle de ces décennies m'a le plus électrisé, et laquelle m'a le plus abîmé ? Difficile à dire, même aujourd'hui.

Quand je repense à la tournée *We Can't Dance,* je me rends compte que le rôle de leader dans ce groupe m'a pesé. Dès le début, cette série planétaire de concerts, les plus imposants de toute l'histoire de Genesis, a baigné dans un climat de nostalgie, un climat qui disait : « Regardez où on est arrivés ! » C'était surtout frappant dans le montage qu'on projetait sur « I Know What I Like », avec beaucoup de films d'archives qui remontaient jusqu'à l'époque de Peter. Des images émouvantes.

Mais d'emblée aussi, on a connu des problèmes et des chamailleries.

Après le concert d'ouverture au Texas Stadium à Irving, Texas, on part pour la Floride, via Houston. J'attrape un mal de gorge et, dans les coulisses du Joe Robbie Stadium de Miami, j'essaie l'acupuncture. Le lendemain soir, à Tampa, je ne peux faire qu'un seul morceau, « Land of Confusion », avant de devoir m'excuser et sortir de scène côté cour, la voix en lambeaux. Ne me parlez plus d'acupuncture. La moitié du stade me crie sa sympathie. Les vingt mille autres vocifèrent sur le mode « Salaud ! J'ai payé mon billet, chante-nous tes chansons ! » Je file dans ma loge pour pleurer. C'est trop. J'ai fait faux bond à tout le monde, des fans aux techniciens en passant par les gens de la cantine et toute l'équipe qui travaille dans et autour du stade. C'est une responsabilité très lourde, un moment très lourd. Tout le fardeau repose sur mes épaules. Dans mon esprit, au bout d'une semaine, j'ai déjà foutu en l'air la plus grande tournée de Genesis de tous les temps.

Mais comme je me sens systématiquement obligé de le faire, je repars au combat et la tournée reprend son cours. À mesure qu'on coche sur notre liste les mégadômes et les superstades du globe, une pensée s'insinue en moi : est-ce vraiment ce que je veux, cette pression, cette contrainte ? Vais-je pouvoir supporter tout ça – le chant, les blagues, l'hyper-présence scénique requise – tout au long d'un calendrier estival éreintant, jusqu'au retour au pays pour le concert en plein air de Knebworth, gargantuesque à souhait ?

En vérité, je déteste les concerts dans les stades. On ne maîtrise rien. Ces lieux-là sont faits pour le sport, pas pour les tournées rock. On est à la merci des éléments : la moindre averse peut gâcher la soirée de tout le monde et, si le vent s'en mêle, bon courage pour le son ! Dans ces lieux-là, l'agitation est telle que, de la scène, tout attire votre œil : la queue pour les hot-dogs, l'odeur tyrannique des oignons frits, les interminables files d'attente devant les toilettes, les rangées de flics et de vigiles. Sur quarante mille personnes, dix mille bougent en permanence pendant qu'on joue.

Je me souviens avoir vu Bad Company au Texas dans les années 1970 dans un palais des sports et, en faisant le tour, avoir été étonné de tout ce qui s'y passait : des gens qui achetaient de la came, des gens qui se battaient, des gens qui dégueulaient. Il y en avait même qui regardaient le groupe. Quand Genesis commence à jouer dans des stades dans les années 1980, les fans suivent déjà le concert sur d'immenses écrans installés près de la scène car, pour la plupart d'entre eux, c'est ça ou s'écarquiller les yeux sur des bonshommes miniatures au loin – sauf que, sur les écrans, l'image n'est pas tout à fait synchrone avec le son déversé par des haut-parleurs grands comme des immeubles. Dans ces conditions, pas étonnant que personne ne soit vraiment concerné par la musique. « Tiens, je vais aller chercher un seau de bière et un plateau de nachos orange fluo. »

Une tournée entière à cette échelle témoigne de la stupéfiante popularité de Genesis au début des années 1980. Mais pour ceux qui la font, c'est un véritable enfer.

Et ensuite, quoi ? Après une tournée dans des stades et des arènes sportives, qu'attendre de la suivante ? Une fois que tu as joué quatre soirs à Wembley et six à Earls Court, le prochain objectif, le prochain sommet, c'est quoi ? La taille en dessous, tu connais. La taille au-dessus, tu y laisses ta peau.

La plupart du temps, je dois amuser des stades entiers en faisant bonne figure pour les beaux yeux des grands écrans. Si le cœur peut avoir des vertiges, alors le mien en a souvent.

C'est dans cet état d'esprit que j'ai entrepris l'écriture et l'enregistrement de *Both Sides*.

Pendant tout ce temps, Tony Smith marche sur des œufs. Il est l'un des rares à savoir ce qui s'est passé avec Lavinia. Il se doute aussi que, par voie de conséquence, Jill et moi ne sommes pas au mieux. Il sait que cet album solo assez sombre est le reflet de ma situation affective et que le Phil Collins, sémillante pop-star des eighties, se meurt de l'intérieur.

Tony, manager et confident toujours à l'écoute, a raison de s'en faire, mais pas pour ma vie personnelle.

Fin 1993, lui et moi prenons un jet privé pour satisfaire à je ne sais quelle obligation de promotion de l'album. Assis à une table à l'arrière de l'appareil, nous sommes les deux seuls voyageurs. Ma décision au sujet de mon avenir est prise, mais je n'en ai parlé à personne. Je me fais un plaisir de donner des interviews dans les médias à propos de *Both Sides*. Pour moi, c'est un moment de grâce, celui où je présente un album très personnel empli de morceaux sur lesquels j'ai beaucoup à dire.

Surtout, je suis soulagé d'avoir pris ma décision.

– Tony, je quitte Genesis.

Il n'est pas surpris ; il attendait ce moment depuis un an et sa réaction est donc mesurée.

– Très bien. Inutile d'en parler pour l'instant. Voyons comment tu te sentiras après la tournée *Both Sides*. On y verra plus clair.

J'imagine son monologue intérieur : « Je connais Phil. Il va changer d'avis. Il va sortir l'album, partir en tournée, se soulager de tout ça. Ensuite, quand il aura pris conscience de son erreur, il se remettra en selle, comme il l'a toujours fait. »

Mais je sais ce que je ressens et je sais ce que je ressentirai après la tournée. J'ai franchi le pas, livré le fond de ma pensée. Je ne vais pas revenir en arrière. Mais j'accepte de me taire jusqu'au moment où il faudra bien rendre cette décision publique.

En cette fin d'année 1993, avec mes déplacements incessants pour promouvoir *Both Sides*, ma vie est totalement décousue. J'ai réalisé ce qui est, à mes yeux, mon meilleur album, mais à quel prix ? J'ai cherché à faire le point, côté tête et côté cœur. Et de cette élaboration est née mon inspiration. Ces chansons-là parlent de séparation, d'amour perdu. Et puis, la liberté dont j'ai disposé pour les écrire m'a ouvert bien des horizons. Et si j'enregistrais d'autres disques comme *Both Sides*, aussi personnels, aussi autonomes ? Ai-je encore besoin de faire des albums avec Genesis ?

En somme, pour des raisons à la fois positives et négatives, après avoir consacré la moitié de ma vie à ce groupe, il est temps de le quitter. Mais je ne peux en parler à personne.

Je garde donc le silence pendant plus de deux ans, époque durant laquelle je retombe brutalement sur terre – une terre pas très ferme. En Suisse. Il est temps maintenant de me préoccuper des femmes de ma vie.

* * *

J'ai toujours détesté la vision qu'on avait de moi à l'époque – « il divorce de sa femme-il divorce de son groupe » –, comme si les deux pouvaient être liés. Ça donnait des titres percutants dans les gazettes, mais c'était loin d'être la vérité. À l'époque, j'étais convaincu que je maîtrisais les deux faces de mon existence, mais qu'elles étaient indépendantes l'une de l'autre. Mais ça, c'était « à l'époque ».

Dans mon entourage, je le sens, on me prend pour un fou. Tony Smith, en particulier, estime que quitter Genesis et quitter ma deuxième femme va, à tous les sens du terme, me coûter cher – deux fois plus, précisément. Je m'en moque. Je veux partir.

Je n'impute pas à Genesis les traumatismes en série de ma vie personnelle. Si je me suis peut-être constamment senti obligé d'accepter les tournées, les plannings et les projets, c'était pour que tout le monde soit content et ait du travail. Mais sur le fond, j'assume. J'aurais pu dire non à ce nouvel album, à cette ultime tournée américaine, à cette dernière invitation comme producteur. J'aurais pu aussi dire non à Orianne – enfin, me montrer moins empressé envers elle.

Je décide que, une fois la tournée de *Both Sides* terminée, je partirai vivre avec elle en Suisse. Quand on a été cloué au pilori par la presse britannique, il n'est pas de refuge plus sûr ni plus accueillant que cette petite confédération cernée de montagnes et de lacs, amoureuse de la démocratie, dont la discrétion est une des principales vertus. Pour moi qui cherche à rompre définitivement avec toutes les relations, domestiques et professionnelles, de ma vie d'adulte, il n'existe pas beaucoup d'endroits plus indiqués que la Suisse.

C'est ainsi, peut-être, que les observateurs pensent que je pense.

Avant de se dire que je pars aussi forcément pour des questions d'argent. Petite revue de presse : « En quittant le pays pour échapper au fisc, Phil Collins, rock star millionnaire, prive l'État britannique de moyens pour entretenir le réseau électrique et les hôpitaux » ; autre gros titre, que j'ai gardé : « Phil Collins, exilé fiscal (le goujat qui a annoncé son divorce à sa femme par fax) ».

Mais, en toute honnêteté, rien de tout cela ne m'a traversé l'esprit. Je ne me suis pas dit, « Où va-t-on me remarquer le moins ? Où puis-je me cacher le plus facilement ? ».

Simplement, Orianne vivant en Suisse, je vais là où elle vit. Mon seul « crime » est d'être un homme marié de quarante-quatre ans et d'être tombé amoureux.

C'est, en substance, ce que j'essaie d'expliquer dans quelques interviews. Je déclare à un journal britannique que si Orianne habitait Grimsby ou Hull, j'irais m'installer là-bas. La rédaction fait aussitôt réagir des habitants de Grimsby et Hull à mes propos – en sous-entendant que l'exilé fiscal faxophile que je suis s'en prend maintenant à de braves citoyens anglais. Et hop, nouvelle série d'articles hostiles, suivie d'un déluge de lettres d'injures postées de Grimsby et Hull sur le thème de « Qu'est-ce qu'elle vous a fait, notre ville ? ».

Toutefois, l'avantage de choisir la Suisse, c'est que là-bas on reste généralement entre soi et qu'on laisse les autres tranquilles. Dans le cas contraire, vous pouvez en toute légalité ouvrir le feu sur quiconque s'introduit dans votre jardin. À l'époque, c'est le genre de détail auquel je ne suis pas insensible.

D'emblée, je suis très, très heureux en Suisse. J'ai certes un lourd passif à éponger, dont je suis responsable, mais sur le terrain, ma vie devient instantanément plus simple.

Chaque jour, en attendant Orianne à la sortie de son travail à Genève, je patiente dans un bar voisin. « Pourquoi voulez-vous habiter ici ? me demande le barman. Nous, on cherche tous à partir ! »

Les raisons pour lesquelles ils veulent partir sont les mêmes que celles pour lesquelles j'ai envie de m'installer. La beauté de la nature, le rythme de vie, une tranquillité royale : autant dire, pour moi, le paradis. Après avoir appartenu à tout le monde pendant vingt-cinq ans, je n'appartiens plus désormais qu'à moi-même. Quelques mesures radicales ont été nécessaires, mais je me suis exclu moi-même du film.

Dans un premier temps, nous habitons sur la rive sud du lac Léman, dans une maison que nous louons à Hermance, un village médiéval juste à la frontière française. Quatre niveaux, une pièce à chaque niveau, et aucun mur droit. Un nid adorable, mais un peu de traviole.

En Suisse, le mode de vie est plus familial, avec le côté chaleureux d'autrefois. Le père d'Orianne, qui souffrait déjà d'un cancer quand je l'ai rencontrée, est décédé le soir où je jouais à Stuttgart sur la tournée *Both Sides*. Aussitôt après le concert, j'ai pris l'avion pour la rejoindre.

Sa famille est plus unie que jamais. Chaque week-end, nous déjeunons tous ensemble chez la mère d'Orianne. Apéritif, un verre de vin blanc, repas sympa, conversation sympa. Bien entendu, je ne parle pas énormément (mon français est un peu limité, mais j'apprends), néanmoins je me sens merveilleusement bien. Je retrouve mon enfance, la banlieue ouest de Londres de la fin des années 1950 et du début des années 1960 ; ces joyeux déjeuners dominicaux avec Reg et Len, quand maman surcuisait les légumes et que papa se débattait avec la vaisselle. Ce petit saut en arrière me ravit.

Comme mes parents se sont séparés, que papa est mort en 1972 et que j'ai passé ensuite une vingtaine d'années sur la route, cette sensation de faire partie d'une grande famille m'a manqué pendant près d'un quart de siècle, pendant presque toute ma vie d'adulte. La famille d'Andy était à Vancouver et celle de Jill à L.A. Ici, en Suisse, tout le monde est proche. Ce qui crée une ambiance douillette, intime, sans grand rapport avec ma personnalité et mes occupations.

319

Quant au reste de ma famille, pour employer un euphémisme, c'est compliqué.

Jill a énormément de mal à se faire à ce changement. L'une des premières choses qu'elle m'a dites quand je lui ai annoncé mon départ pour la Suisse : « Mais tu ne parles pas français ! » Elle avait raison, mais ça ne m'inquiétait pas. Je peux l'apprendre, c'est d'ailleurs ce que je fais.

J'essaie de voir Lily, qui a six ans à l'époque, le plus souvent possible. Je retourne au Royaume-Uni où je descends dans des Holiday Inn infects ou des hôtels d'aéroports. Je passe la prendre à la sortie de l'école, on monte dans la voiture et on discute, ou on écoute en boucle la musique d'*Aladdin*, le dernier Disney, en attendant l'ouverture du restaurant italien de Cranleigh, dans le Surrey. Des moments pénibles et tristes pour elle comme pour moi.

La première fois qu'Orianne rencontre Lily, c'est à Ascot. Comme je ne peux pas me rendre à Londres à cause de la presse qui ne me lâche pas d'une semelle, j'ai réservé dans un petit hôtel de campagne non loin de Tittenhurst Park, l'ancienne propriété de Lennon que j'avais louée avec Brand X.

Pour aborder le délicat sujet de la nouvelle personne qui partage la vie de papa, je dis à Lily que j'ai rencontré une dame qui ressemble exactement à la princesse Jasmine d'*Aladdin*. « Ouah ! », s'exclame-t-elle en ouvrant de grands yeux. Du coup, l'entente entre Lily et Orianne est immédiate.

Orianne ne rencontre pas Simon ni Joely tout de suite. Chaque chose en son temps. Hériter d'une famille peut être traumatisant pour tout le monde. Mais Orianne, brillante et fine comme elle est, accepte tout avec philosophie.

Conscients de la nécessité d'être mieux installés – je veux que mes enfants puissent me rendre visite dès que possible –, nous commençons à chercher un foyer digne de ce nom pour vivre en famille. Mais dans ce domaine-là, les Suisses sont prudents. Un étranger ne peut pas arriver dans leur pays et se payer aussitôt une énorme maison ; il doit posséder un « permis C ». Pour l'obtenir, il doit avoir manifesté la volonté de séjourner en

De bons moments avec maman, Carole et Clive lors de l'avant-première de *Buster*, à l'Odeon, à Leicester Square, à Londres. Ils étaient très fiers que j'aie joué dans un bon film, en particulier avec quelqu'un comme Julie. Il y avait eu ensuite une fête au musée d'Histoire naturelle. J'ignore comment ç'a été possible, avec tant de reliques inestimables à portée de main, mais on nous faisait confiance. Plutôt ironique, quand on sait que le film traitait d'un braqueur de train…

Qui ne l'aimerait pas ? Julie et moi à Acapulco, vers la fin du tournage de Buster. Elle était enceinte jusqu'aux dents à ce moment-là, et elle irradiait. Elle était brillante et naturellement drôle, avec une personnalité attirante, et toujours agréable avec tout le monde sur le plateau. À la fête de fin de tournage à Acapulco, tout le monde avait bu beaucoup trop de tequila… alors, évidemment, les gens se jetaient dans la piscine de la maison où nous tournions. Le futur mari de Julie, Grant, et moi l'avons doucement portée et plongée dans l'eau.

Tommy. De gauche à droite : ma version de l'oncle Ernie, Kevin, le cousin de Billy Idol, Pete Townshend, Elton John grimé en Magicien du flipper, Roger Daltrey, John Entwistle, Steve Winwood dans son personnage de L'attrapeur, et Patti LaBelle en Reine de l'acide. La photo a été prise dans les coulisses du Royal Albert Hall lors de la première des deux représentations londoniennes de *Tommy* des Who. Difficile de succéder à Keith Moon, mais j'ai fait de mon mieux. Je suis resté proche de Pete et Roger.

Avec Steven Spielberg sur le tournage de *Hook*. Il tente de me rassurer après m'avoir expliqué qu'il voulait filmer ma scène d'une traite : pas de coupe, pas d'occasion de rectifier le tir. La pression était énorme, d'autant plus que Robin Williams et Dustin Hoffman nous regardaient en attendant.

Je salue la reine le 1er mars 2005 au palais de Buckingham à l'occasion d'une cérémonie en l'honneur de la musique britannique ; j'ai été convoqué dans une antichambre en compagnie de sir Terry Wogan, sir Cameron Mackintosh, dame Vera Lynn et sir George Martin afin qu'elle puisse nous saluer et nous remercier. Alors qu'elle s'éloignait après cette poignée de main, j'ai sifflé l'air de *Rencontres du troisième type.* Elle s'est arrêtée et tournée vers moi pour me demander ce que c'était. Troublé, j'ai balbutié : « Rien, vraiment. » Elle m'a regardé et souri comme si j'étais cinglé. Elle avait probablement raison.

Mark Knopfler, Eric, sir George, Macca et moi aux AIR Studios à Londres, pendant les répétitions pour le concert Music For Montserrat en 1997. Comme toujours lors de ce genre d'événements, l'ambiance était très bon enfant, sans manifestation d'ego mal placé. Nous avions tous passé d'excellents moments lors de nos sessions d'enregistrement à Montserrat dans le studio de George, et quand l'île a été décimée par une éruption volcanique, il nous a paru naturel de venir en aide aux victimes grâce à ce concert.

Orianne et moi le jour de notre mariage en 1999. J'étais tellement amoureux d'elle ! C'est dingue qu'on soit à nouveau ensemble aujourd'hui. Nous avons deux fils merveilleux, et je ne voudrais être avec personne d'autre.

Bébé Nic sur mes genoux, jouant à ma batterie. Nic avait un petit kit quand il avait deux ans, il se tenait debout et en jouait. J'ai beaucoup filmé les enfants au fil de leur croissance, et ils adorent revoir les vidéos aujourd'hui. Nous les avons visionnées récemment, et j'ai été impressionné de constater qu'il avait déjà le rythme dans la peau à un si jeune âge !

Les Oscars, en 2000. J'avais vu Elton à un événement MusiCares la semaine précédente ; il m'avait dit où sa soirée des Oscars aurait lieu, et que si j'avais de la chance – lui, il y croyait – je pourrais venir me la raconter. J'ai effectivement été chanceux et je suis arrivé à sa fête, mon Oscar fermement vissé dans la main. Elton était si heureux pour moi ! C'est un homme adorable, et un véritable musicien dans l'âme. Tout ce qu'il veut faire, c'est jouer du piano. Il y a un peu d'orgueil là-dedans, mais il est brillant. Je l'adore.

L'unique photo récente des membres originaux de Genesis. Je suis le jeune beau gosse en haut des escaliers. C'est plutôt extraordinaire de penser que ces cinq personnes ont été, d'une façon ou d'une autre, ensemble pendant quarante-six ans – voire plus si l'on compte la période Charterhouse. C'est dix fois plus que la durée de vie de la plupart des groupes d'aujourd'hui. Et nous sommes toujours d'excellents amis.

Voici ma représentation du paradis : moi, jouant de la batterie avec The Action, mon groupe préféré de tous les temps hormis les Beatles. Nous avons posé pour cette photo à l'extérieur du légendaire 100 Club de Londres en juin 2000. Mon idole à la batterie était Roger Powell (tout à gauche). Malheureusement, depuis, le bassiste Mick Evans (deuxième en partant de la gauche) et le chanteur Reg King (tout à droite) sont décédés. Ces types ont modelé mes goûts musicaux avec leurs versions des classiques de la Motown et de la soul.

PG et PC, son compère jusqu'au bout. Je pense que cette photo en dit beaucoup : Peter le penseur, sérieux, et moi avec mon drôle de chapeau et mon sourire idiot. Je le considère comme un très bon ami, et j'aime à penser qu'il ressent la même chose.

La ravissante Lily parvient enfin à faire danser son père lors du bal des débutantes au Crillon à Paris, en 2007. À cette époque-là, Lily a déjà fait ses preuves en tant que mannequin et s'apprête à commencer une carrière d'actrice dont les résultats seront impressionnants. J'ai toujours su qu'elle pourrait mener à bien tout ce qu'elle entreprendrait, et elle m'a prouvé que j'avais raison.

Le 2 juin 2016, lors d'un concert pour la Little Dreams Foundation à Lausanne, en Suisse. C'était comme si je me jetais de nouveau à l'eau pour voir si j'aimais toujours ça. Eh bien, j'ai adoré, et je suis sûr que ça se reproduira. Mais ce dont je suis le plus fier, c'est de ce mec dans le fond, derrière moi. Nic m'a accompagné trois fois jusqu'à présent, et si je fais plus de concerts, il sera là. Il était fantastique, s'est montré à la hauteur des espérances et a assumé cette grande responsabilité.

Mes trois fils, Matt, Simon et Nic sur le toit du Berkeley Hotel à Londres. Chaque fois que ces trois-là se retrouvent, c'est comme s'ils ne s'étaient jamais quittés. Je suis fier de chacun d'eux.

Joely, Dana et Lily au stade de rugby de Twinckenham lors de la tournée de retrouvailles de Genesis en 2007. Ce fut une tournée joyeuse – pas trop de pluie, même si à Katowice, en Pologne, on a eu notre dose. Genesis existe depuis très longtemps ; son histoire est riche. Mes enfants sont nés et ont grandi parallèlement à l'existence du groupe.

Cette photo a été prise après l'atterrissage du vol en provenance de Miami, en route pour le concert de Little Dreams Foundation. Je suis tellement heureux d'avoir retrouvé mes fils et leur mère. Je pense que ça se voit.

Suisse pendant cinq ans avec un permis B, prouvant ainsi qu'il n'est pas juste là pour acheter une sorte de refuge de vacances en profitant des largesses du fisc.

Ça nous prend un peu de temps, mais on finit par dénicher la maison idéale. Entourée de vignes, Clayton House se trouve dans le petit village de Begnins, à mi-chemin entre Genève et Lausanne. C'est une demeure de six cent cinquante mètres carrés avec sept chambres, six salles de bains, un court de tennis, une piscine, une salle de billard et des vues magnifiques sur le lac Léman et les Alpes. Malheureusement, elle n'est pas libre : son propriétaire est sir Jackie Stewart, légende de la course automobile.

Par chance, sir Jackie est un copain, et lui et sa femme Helen ont hâte de rentrer au Royaume-Uni. Au début, nous leur louons la maison, mais après avoir convaincu les autorités helvétiques de ma bonne foi et de mon attachement à leur beau pays, j'achète Clayton House.

Je me sens installé, stable, solide. Pour la première fois depuis... Pour la première fois *de ma vie* !

J'ignore si l'information sur mon départ récent de Genesis a fuité, mais j'apprends en janvier 1996 que mon nom circule dans un contexte nouveau et inattendu. Un téléfilm de *Doctor Who* est en préparation et, tout comme Scott Glenn et Randy Quaid, je suis en lice pour incarner le Maître, le grand rival du Seigneur du Temps. Finalement, des impératifs de calendrier m'empêcheront d'être réellement contacté pour jouer le méchant intergalactique, ce qui est sans doute une bonne chose. Je ne me serais pas vu troquer une tournée avec un groupe contre un voyage spatio-temporel.

Il devient alors évident qu'on ne peut pas garder l'actualité de Genesis secrète plus longtemps. Outre que j'ai envie d'annoncer moi-même que je ne suis plus le chanteur du groupe, Mike et Tony doivent pouvoir embrayer sur leurs projets futurs.

Je me rends à Londres pour une réunion chez Tony Smith. J'imagine qu'il a mis Tony et Mike au courant de mes intentions depuis bien longtemps. Pour autant, je suis tendu. Ce sont mes plus anciens amis dans la musique. Deux de mes plus

anciens amis tout court. Et je m'apprête à leur dire officiellement au revoir.

Nous nous installons dans la cuisine de Smith autour d'un
thé. Nous discutons un moment de choses et d'autres, mais
nous savons tous pour quoi nous sommes là.

— Je vous quitte.

— C'est un bien triste jour, répond Tony Banks avec une
retenue toute britannique.

— On te comprend, ajoute Mike. On est même surpris que
tu sois resté aussi longtemps.

Dans mon esprit, il existe dans la physique du rock'n'roll
une loi intangible : Genesis ne peut plus rétrécir. Se retrouver à
deux ? Ça ne fonctionnerait pas vraiment. Et même si le départ
de Peter avait été dur à digérer, le Genesis d'alors n'était pas le
Genesis de maintenant. L'estimable groupe de rock progressif
du milieu des années 1970 est devenu, au milieu de la décennie 1990, un phénomène qui emplit les stades. Je n'ai jamais
voulu en arriver là, pourtant la fin est sans doute proche.

Mais non. Tony et Mike disent vouloir continuer – ils trou-
veront un autre chanteur. Genesis n'est pas mort, pas maintenant, pas encore.

Secrètement, je suis ravi de les voir échafauder de nouveaux
projets. Je ne souhaite pas la fin du groupe et, en tout cas, je
ne veux pas en être la cause. Je veux simplement partir.

On se prend dans les bras, on se souhaite bon vent et on se
dit au revoir. On sait qu'on se reverra, mais sous d'autres cieux.

La nouvelle est officialisée le 28 mars 1996 par le biais d'un
communiqué de presse publié par notre manager : « Genesis met
fin à une expérience de vingt ans en prenant la décision de remplacer Peter Gabriel au chant [...] Durant deux décennies, Phil
Collins, le batteur, a assuré un intérim unanimement salué [...] »

Drôle, concis, tendre. Le message d'adieu idéal. Salut à vous !
Et maintenant que l'information est enfin rendue publique,
je savoure un sentiment que j'avais oublié depuis des années.

La liberté.

18

Grand orchestre, grands singes, grand amour

Ou : je suis le roi du swing

A près m'être libéré d'une grosse machine et de toutes les pesanteurs qui vont avec, je prends la décision qui s'impose : monter une grosse machine.

Genesis était passé au Montreux Jazz Festival en 1987 lors de la tournée de *Invisible Touch*, et j'y avais joué l'année précédente avec Clapton et deux autres compères pour la tournée de son album *August* produit par mes soins. Je connais donc déjà le charmant Claude Nobs, fondateur de ce formidable événement annuel. Il est aussi directeur de Warner en Suisse, ce qui fait de lui mon producteur dans ma toute nouvelle patrie.

De plus, en tant que primo-arrivant, il me paraît normal de me produire dans le premier festival de jazz de Suisse – et du monde. D'ailleurs, connaissant le sens du détail des Helvètes et leur amour pour le jazz, il n'est pas impossible qu'un concert à Montreux ait fait partie des clauses implicites qui m'ont finalement permis d'acquérir la maison de Begnins. Quoi qu'il en soit, quand le jazz t'appelle, tu réponds présent.

Le jazz, et en particulier celui des big bands, m'a toujours attiré. Dans ma jeunesse, à côté des Beatles, il y avait Buddy Rich et Count Basie – surtout Basie car j'adorais son batteur,

Sonny Payne, une influence majeure pour moi. J'écoutais autant *Sinatra at the Sands*, avec Quincy Jones à la baguette, que *With The Beatles*. En grandissant, mes oreilles ont traîné un peu partout et je suis devenu accro à John Coltrane, Weather Report et Miles Davis.

De ce point de vue, Genesis, malgré la diversité de nos compositions, n'a jamais entièrement rassasié mon appétit musical. Même si on travaillait beaucoup dans les années 1970 et au début des années 1980, il me manquait quelque chose. Ce qui explique mon long compagnonnage avec Brand X à cette période.

Une décennie et demie plus tard, Brand X n'étant plus là pour me fournir ma dose de jazz, voilà qu'ici, en Suisse, au milieu des années 1990, mon vieil instinct se réveille. Par bonheur, le Montreux Jazz Festival me fait une offre que je ne peux pas refuser : M. Nobs m'invite à choisir une date et me donne carte blanche.

– Tu sais, Claude, j'ai toujours eu envie de jouer dans un big band.

Il est instantanément séduit et, tout aussi instantanément, décide de faire appel à Ahmet Ertegun. Je ne demande pas mieux que de renouer créativement avec celui dont l'enthousiasme a tant compté pour moi au début de ma carrière solo. La passion d'Ahmet n'était pas que professionnelle ou musicale. S'il vous aimait, il aimait tout de vous. Vous aviez l'impression d'être le fils qu'il avait perdu de vue ou qu'il n'avait pas eu. Cette merveilleuse sensation, il l'avait fait naître chez une foule d'artistes – j'en ai pris pleinement conscience en me joignant à Eric, Wynton Marsalis, Dr John, Solomon Burke, Ben E. King et beaucoup d'autres à l'occasion d'un concert hommage à New York après sa mort en 2006. Je n'ai pas oublié ce qu'il m'avait dit un jour : « Phil, tu es le fils que je n'ai jamais eu. »

Ahmet arrive et nous nous réunissons avec Claude, Tony Smith et moi à l'hôtel Beau-Rivage de Genève pour discuter des détails pratiques de ce que j'appelle déjà le Phil Collins Big Band : quels sont les musiciens pressentis ? Quel sera le répertoire ? Où et comment allons-nous jouer ? Ferons-nous un album ?

Je leur dis que j'aimerais bien avoir Quincy Jones comme chef d'orchestre. J'avais adoré les disques de son big band dans les années 1960 et, à Barcelone, pendant une tournée, je lui avais envoyé ce qu'il appelle toujours un « fax d'amour » après avoir écouté son album *Listen Up*. Quand je le contacte pour lui exposer mon projet, il me prend au sérieux et me propose aussitôt ses services. Coup de chance, Quincy a d'excellents musiciens sous la main : en Europe, il travaille régulièrement avec le big band rattaché à la WDR, la station de radio de Cologne, et nous décidons d'en faire l'ossature de notre formation.

Mais qui va chanter ? Même si l'orchestre porte mon nom, il est là pour jouer en big band, pas pour m'accompagner. Un vieux fantasme musical ainsi que mes blessures personnelles récentes me poussent à retrouver l'arrière de la scène, la sécurité du tabouret de batterie. J'aimerais aussi que ce projet soit le plus authentique possible, qu'il rende un hommage fidèle au patrimoine du jazz. Je ne veux pas être sur le devant de la scène.

Sur la tournée de *Both Sides*, Tony Bennett et moi avions commencé à graviter sur des orbites communes. Pour ce crooner de légende, c'était le début d'une nouvelle carrière, celle d'un artiste branché de la génération MTV, une transformation savamment orchestrée par son fils Danny depuis qu'il avait repris en main la destinée artistique de son père. Un jour, j'avais entendu Tony dire à la télé : « Il y a de grands auteurs de chansons actuellement et Phil Collins en fait partie. »

Je me souviens avoir pensé : *Ça alors, Tony Bennett a entendu parler de moi !*

À mesure que cette idée fait son chemin, j'imagine une distribution de rêve au fronton de la salle de concert : « Le Phil Collins Big Band sous la direction de Quincy Jones, avec Tony Bennett. »

Nos routes se sont croisées plusieurs fois, surtout en Australie, où nous étions dans le même hôtel. Je lui avais laissé un message en lui disant que je pensais monter mon propre big band et que si d'aventure j'y parvenais, je serais honoré qu'il accepte de chanter avec nous. J'avais appris en retour que ce projet l'intéressait au plus haut point.

Maintenant que cette idée commence à prendre corps, nous contactons MM. Bennett père et fils. Et, là encore, Tony est partant. Aussi étonné qu'honoré, je me dis que nous tenons nos têtes d'affiche, même si Bennett junior attendra la dernière minute pour confirmer la participation de son père.

Dès lors, que jouer ? Harry Kim, mon trompettiste, est lucide : si on se lance dans les morceaux que jouaient Count Basie et consorts, on court clairement le risque de ne pas être à la hauteur. Ces gens-là faisaient partie des plus grands musiciens et chanteurs de l'histoire. Je connais chaque note de l'album *Swingin' New Big Band*, de Buddy Rich, pour l'avoir écouté en boucle après l'avoir découvert en 1966. Il m'a ouvert les portes d'un monde nouveau et merveilleux et mis sur la voie de Count Basie, Sonny Payne, Harold Jones, Jo Jones, Duke Ellington et de tant d'autres. Je ne me verrais pas piétiner ces terres sacrées.

Alors, propose Harry, faisons ce que personne d'autre ne peut faire : réarrangeons des versions instrumentales de mes morceaux, qu'ils aient été composés pour moi ou pour Genesis.

Harry vient chez moi à Hermance. Il connaît des tas de gens très qualifiés pour s'occuper des arrangements et, ensemble, on discute du choix des titres. On se met d'accord pour qu'il confie notre sélection à ses contacts et pour en reparler ensuite.

De mon côté, j'étoffe l'équipe de choc qui va permettre au Phil Collins Big Band de jouer les compositions de Phil Collins dans le style big band : Quincy et Tony seront rejoints par un autre invité, David Sanborn, au poste de saxophone solo. Pour le reste, il y aura Harry à la trompette, Dan Fornero (trompette également), Luis Conte (percussions), Daryl Stuermer (guitare), Nathan East (basse), Brad Cole (piano), Arturo Velasco (trombone), Andrew Woolfolk (saxophone), les autres étant les musiciens du big band de la WDR. Soit au total une vingtaine de personnes.

Avec autant de monde sur scène, j'aurais dû prévoir qu'il y aurait quelques problèmes relationnels. Mais je ne me serais probablement pas douté qu'ils viendraient du sommet de la pyramide.

Huit dates sont prévues, dont la première au Royal Albert Hall de Londres le 11 juillet 1996 dans le cadre d'un concert donné en l'honneur de la première visite officielle au Royaume-Uni de Nelson Mandela, président de l'Afrique du Sud. Il avait déclaré qu'il ne souhaitait pas de dîner officiel, mais une soirée festive.

Outre le président Mandela, seront présents la reine, le prince Philip, le prince Charles et la fille du président, Zenani Mandela-Dlamini. Ce sera aussi l'occasion de lever des fonds pour le Nations Trust, une fondation destinée à récolter de l'argent en faveur des jeunes Sud-Africains défavorisés. J'aurais pu trouver une manifestation moins en vue et moins stressante pour dévoiler ma reconversion.

Début juillet, l'orchestre se rassemble à Montreux. Nous répétons jusqu'à épuisement. Chacun prend ce projet très à cœur. La liberté musicale est une chose extrêmement sérieuse. Tony Bennett nous rejoint le dernier jour pour répéter ses chansons.

Il est prévu qu'il nous rejoigne sur la scène à la moitié du concert et qu'il chante quelques-uns de ses standards. Je n'ai aucune intention de le solliciter sur « In The Air Tonight » ou « Sussudio », aussi remarquables que soient les nouveaux arrangements jazz.

À la répétition, Tony, tiré à quatre épingles, gazouille comme un oiseau. L'accompagner à la batterie, c'est un rêve qui se réalise. Quincy est à l'image de ce que j'attendais de lui : imperturbable et totalement dans le coup. Il est pour nous une figure tutélaire.

Claude est là aussi, ce qui donne à cette illustre assemblée des airs de panthéon du jazz. Entre les morceaux, on discute autour du piano à queue, et je les écoute échanger des anecdotes sur certaines de mes idoles de toujours : « Je me rappelle la fois où Sinatra… », « Basie m'a dit… » Je suis au septième ciel. J'ai l'impression d'avoir vraiment grandi, d'être accepté en tant que musicien dans la cour des grands, mais aussi d'être à des années-lumière des fax, du fisc et des manchettes des tabloïds. C'est un sacré soulagement.

Après avoir interprété quelques chansons seul – dont « Over the Rainbow », « Old Devil Moon » et « The Lady's in Love with You » –, Tony me propose d'en chanter une avec lui.

– Non, non, désolé, Tony, sur cette tournée-là, je ne chante pas.

Tony insiste et suggère un duo sur « Don't Get Around Much Anymore » de Duke Ellington.

– Bon, d'accord, dis-je à contrecœur. Ça fait comment ?

Je ne suis pas sûr que le résultat ait été formidable, mais ça a peut-être donné des idées à Tony : quinze ans plus tard, il a enregistré ce titre en duo avec le crooner canadien Michael Bublé et, l'année suivante, avec l'acteur-chanteur panaméen Miguel Bosé.

Nous nous envolons pour Londres pour faire la balance du concert en l'honneur de Mandela au Royal Albert Hall. Je suis confiant, nous sommes fin prêts. Malgré la pression, tout se passe au mieux. Hugh Masekela, légendaire trompettiste sud-africain, se joint à nous pour une version de « Two Hearts » et Quincy s'amuse comme un petit fou pour ce qui est en fait sa toute première apparition sur une scène britannique.

Ensuite a lieu une réception avec le président Mandela et la famille royale. Bilan : une soirée inédite, un concert génial, des débuts prometteurs et une rencontre privilégiée avec un géant de la politique, un vrai.

Nos deuxième et troisième soirées se déroulent dans un lieu tout indiqué, le Sporting Club de Monte-Carlo. Hélas, le fronton n'annonce que « The Phil Collins Big Band ». Pas de Quincy, pas de Tony. Je panique. Tous les deux verraient d'un mauvais œil leur soudaine disparition de l'affiche. Il s'agit de réfléchir vite et donc de fouiller dans la boîte à outils. Avant que les jazzmen et les nababs de Monte-Carlo n'arrivent, l'oubli a été réparé et on peut lire : « The Phil Collins Big Band, avec Quincy Jones et Tony Bennett ». Leur nom ne brille pas en lettres d'or (il est tracé à l'adhésif noir), mais du trottoir, on n'y voit que du feu.

Nouveau problème : après le show, un type de l'entourage de Tony vient me trouver, l'air soucieux. Sur scène, j'aurais présenté M. Bennett un peu par-dessus la jambe. Il faudrait que j'en fasse plus, que j'y mette davantage les formes. OK, compris.

Nouveau problème. Après le deuxième concert, à Monte-Carlo, Ralph Sharon, le pianiste de Tony depuis quarante ans, vient me trouver dans ma loge.

« Phil, j'ai une bonne nouvelle et une mauvaise. Le son est génial... mais c'est un peu fort pour Tony. »

Pourtant, aux répétitions, on jouait encore plus fort et Tony chantait comme un pinson. Les deux premiers soirs, le niveau sonore était assez élevé et, là encore, il m'avait paru tout à fait à son aise. Du coup, je ne vois pas d'où vient le problème.

On m'explique alors que Tony a appris que j'étais un inconditionnel de Buddy Rich. Or, dans la grande rivalité Frank-Tony, Buddy, fidèle batteur de Sinatra, s'était logiquement rangé à son côté. Mais un jour que Buddy jouait avec Tony, à la fin des quatre ou cinq chansons de celui-ci, Buddy, en bon provocateur qu'il était, lui a lancé en sortant de scène : « C'est bien d'avoir essayé, Tony ! »

À partir de là, Tony lui en a voulu à mort et, à présent, je pense qu'il me prête l'intention d'imiter Buddy. Autrement dit, qu'il a des doutes sur ma bonne foi. Je trouve que c'est un peu gonflé de me mettre dans le même sac que Buddy, mais je commence à comprendre que le monde dans lequel je viens de mettre les pieds a ses propres règles. Parmi les monstres sacrés, les vieux souvenirs et les vieilles rancœurs ont la vie dure. En amour comme en jazz, tous les coups sont permis. Ni l'un ni l'autre n'a quoi que ce soit à envier au rock'n'roll et à ses querelles.

Durant les six concerts restants de Tony, on baisse donc peu à peu le son. « Euh, Phil, c'est encore un peu fort... », ne cesse de me dire Ralph. Tant et si bien qu'on finit par ne presque plus jouer. On entendrait une mouche voler.

À Pérouse, il nous reste juste le temps d'une dernière embrouille. Comme Danny Bennett avait tardé à confirmer la présence de Tony, les organisateurs italiens ont dû commander les affiches sans savoir exactement qui serait sur scène. Et, par sécurité, ils n'ont fait mettre que mon nom.

Tony arrive à la salle, découvre l'affiche avec pour toute inscription « The Phil Collins Big Band » et me déclare tout net :

— Je pourrais partir si je voulais.

— Que se passe-t-il, Tony ?

— D'après mon contrat, j'ai la moitié de l'affiche pour moi, or sur celles-là, je ne suis nulle part – comme depuis le début de la tournée d'ailleurs !

— C'est parce que ton fils a attendu le dernier moment pour confirmer !

Comme je me sens peu à l'aise sur ce terrain et que j'en ai plein le dos de toutes ces tergiversations, je fais appel à un pro. Tony Smith, négociateur hors pair, s'assied avec Tony Bennett, ils discutent et l'affaire est réglée.

Pourtant, M. Bennett, en vieux briscard qu'il est, aura le dernier mot. Vers la fin de sa série de concerts, je lui demande une photo et un autographe. Il s'exécute et me laisse la dédicace suivante : « To Phil, my "buddy"[1] », avec des guillemets bien visibles à « buddy ».

* * *

Pendant ce temps, Orianne et moi nageons dans le bonheur. Certes, mon divorce imminent avec Jill fait entendre ses déflagrations dans le lointain. Pour certains titres de la presse britannique, je suis encore l'ennemi public numéro un. Mais je suis éperdu d'amour et je me sens gonflé d'énergie spirituelle, d'ardeur créatrice et, à tous les niveaux, *libre comme l'air.*

---

1. Jeu de mots sur *buddy* (« copain ») et le prénom de Buddy Rich.

Vingt-cinq ans d'activité ininterrompue viennent, justement, de s'interrompre. Ce nouveau départ en Suisse m'apporte tout ce que j'espérais.

Surtout sur le front musical. Un matin, je reçois un coup de téléphone de sir George Martin. Parmi les projets qu'il a en tête avant de prendre sa retraite, il veut enregistrer un album, *In My Life*, avec certaines de ses chansons préférées des Beatles, mais dans des versions inédites. Bien qu'on se connaisse depuis des années, on n'a jamais travaillé ensemble et je suis donc enchanté qu'il m'appelle. Avec son fils Giles, il vont venir me retrouver en France dans une maison que j'ai louée et qui va me servir de studio pour mon prochain album.

Il est décidé que je reprendrai « Carry That Weight/Golden Slumbers », d'*Abbey Road*. Je commence par jouer les parties de batterie, dont le fameux solo de Ringo. On double sa durée, ce qui enchante George. Puis on s'occupe des parties vocales, bourrées d'harmonies serrées à trois voix, et George me dit : « Ça, c'est ce que Paul chantait… Ça, c'est ce que John chantait… » Ma collaboration avec cette authentique légende de la musique, cet homme absolument délicieux, fait partie de mes souvenirs les plus chers.

Mon sixième album solo, *Dance Into The Light*, sort fin 1996, en octobre. Le titre et le son expriment bien ce qu'il est, un album optimiste, plein de brillance et de couleurs. J'écoute beaucoup Youssou N'Dour et je me rends compte que les guitares sont de retour dans les groupes. C'est l'époque de la Britpop, et bien que très éloigné de la Cool Britannia et de la nouvelle et dynamique scène londonienne – encore que je me sente proche de Noel Gallagher, d'Oasis, puisqu'il passe son temps à me pourrir –, j'ai envie de tester des sons de guitare sur mes claviers. Je compose donc quelques « morceaux avec guitares », c'est-à-dire différents de ce qu'écrivait Phil Collins jusque-là. Désormais artiste solo à plein temps, je suis déterminé à brandir bien haut l'étendard de la liberté en le métissant quelque peu.

L'album tout juste sorti, je croise Noel sur l'île Moustique. Il est en vacances avec sa première femme et je suis avec Orianne. Elle et moi fréquentons un petit bar, The Firefly, et je sympathise avec les propriétaires, Stan et Liz. Un soir, dans la conversation, je dis à Stan que ce qui manque chez lui, ce sont des petits concerts. « Si tu te mets à la batterie, me répond-il, je te trouve les musiciens. » L'idée est sympa, j'accepte.

Le soir convenu, je découvre à mon arrivée une saxophoniste et son mari pianiste ; ils sont venus en bateau d'une île voisine. Et, assis dans un coin de ce bar minuscule, il y a Noel, sa femme, Johnny Depp, Kate Moss et un député travailliste (dont j'ignore le nom).

Je me présente et demande à Noel s'il veut venir faire un peu de bruit avec nous.

Sa femme intervient en disant qu'elle a vu la vidéo de « It's In Your Eyes », le deuxième single tiré de *Dance Into The Light*, sur laquelle je « joue » de la guitare (empruntée à Paul McCartney, gaucher comme moi). Elle m'informe avec de grands airs qu'elle sait très bien que je ne suis pas guitariste, que je ne trompe personne. « Ce n'était pas mon intention, répliqué-je, c'était juste pour m'amuser. »

Après quoi, Noel décline mon invitation avec dédain. Je me réfugie au bar, extrêmement gêné. Mais Kate Moss – merci à elle – vient s'excuser pour ce fâcheux incident. Notre petit trio commence malgré tout à jouer et, peu après, le groupe Gallagher quitte brusquement les lieux.

Si *Dance Into The Light* a autant d'effet qu'un pétard mouillé, la tournée, elle, a des allures de feu d'artifice. *A Trip Into The Light* démarre au Ice Palace de Tampa, Floride, le 28 février 1997, et sillonne l'Amérique du Nord jusqu'à fin avril. Après une pause de cinq mois, elle repart pour trois mois en Europe, jusqu'à la fin de l'année.

Au cours des premières années post-Genesis naît un autre projet, avec, comme toujours, son lot de difficultés. (Mais que serait un travail sans difficultés ? Si c'est facile, quel intérêt ?)

Connaissant bien l'œuvre et les méthodes du personnage, je ne m'attends d'ailleurs pas à autre chose en faisant affaire avec Walt Disney.

* * *

Durant l'été 1995, une équipe du siège de Disney à Burbank, banlieue de Los Angeles, atterrit en Suisse. Il n'y a là que des poids lourds : Tom Schumacher, président de Walt Disney Animation Studios ; Chris Montan, producteur musical exécutif de la société ; Kevin Lima, membre de l'équipe de réalisation d'*Aladdin* et du *Roi Lion* ; et Chris Buck, animateur-concepteur de personnages, qui a travaillé sur *Qui veut la peau de Roger Rabbit ?* et sur *La Petite Sirène*. (Il codirigera *La Reine des neiges*, sorti en 2013, le film d'animation le plus rentable de tous les temps.) En 1999, à la fin du projet, je serai devenu intime avec tous ces messieurs.

Nous nous réunissons dans une salle de l'Hôtel Métropole de Genève. La délégation Disney arrive avec une proposition : ils souhaitent que je compose la musique du trente-septième dessin animé de la maison, une adaptation de *Tarzan chez les singes*, le roman d'Edgar Rice Burroughs. Comme on disait à Hollywood, ce sera un événement cinématographique majeur. Pourquoi « majeur » ? Je le comprendrai plus tard : avec un budget de 130 millions de dollars, *Tarzan* sera, à sa sortie, le film d'animation le plus cher jamais réalisé. Mais en un sens, il ne peut en être autrement : *Le Roi Lion*, sorti en 1994, avait été un énorme succès qui, à l'époque, en avait fait le cinquième film le plus vu de l'histoire du box-office américain. Schumacher et ses hommes visent des niveaux de recettes similaires.

À mon niveau à moi, c'est une proposition incroyable. À ce moment-là, ni l'équipe Disney ni personne au monde ne sait que j'ai quitté Genesis, de sorte que, toutes proportions gardées, mon planning est peu chargé. Autre paramètre important, j'ai grandi avec Disney ; il fait partie de mon ADN. J'ai vu tous ses films avec tous mes enfants. Je les ai même vus sans eux ;

je me souviens qu'à L.A., avec Tony Banks, on était allés voir *La Belle et la Bête* dès sa sortie.

Quand j'étais petit, la future carrière de dessinateur humoristique de mon frère Clive occupait une grande place dans mon esprit : les travaux des « Neuf Sages », les légendaires animateurs de Disney, étaient punaisés sur le mur qui lui était réservé dans la chambre que nous partagions. Grâce à ma sœur Carole, patineuse professionnelle, la famille Collins assistait chaque année au spectacle de Noël sur glace à Wembley, bien souvent inspiré par la production Disney du moment. Je m'étais habitué à voir la Reine des fées (Carole) gambader avec le reste de la ménagerie Disney, en particulier avec les sept nains l'année où était sorti *Blanche-Neige*. D'ailleurs, celui que j'ai le mieux connu était Simplet : il avait logé chez nous pendant toute la durée des représentations à Wembley.

Il s'appelait Kenny Baker et jouait aussi dans une troupe de comédie musicale, les Mini Tones. Mais il s'est surtout fait connaître dans un autre rôle : celui de R2-D2 dans la série *Star Wars*. Il avait une petite amie d'un mètre quatre-vingts, Annette, qui avait aussi séjourné chez nous. La pudeur m'interdit de penser à ce qui pouvait se passer entre eux. Je m'étais fait à leur présence dans la maison, mais Buddy, notre corniaud, avait mis plus de temps. Quand Kenny sonnait, j'ouvrais la porte et Buddy se retrouvait nez à nez avec lui.

Il n'y avait pas que les dessins animés et les personnages qui m'attiraient. Comme pour tous ceux qui ont grandi après la guerre, les chansons de Disney font partie de ma vie. Un exemple : je l'ai déjà raconté, mais je me souviens que la première fois où papa a lâché ma selle en m'apprenant à faire du vélo, il chantait le « Hi-diddle Dee-Dee » de *Pinocchio*. Bien plus tard, *Aladdin* a été la bande-son de ces moments doux-amers, hors du temps, que je passais en voiture avec Lily après ma séparation d'avec Jill.

Mes souvenirs sont donc précis, totémiques. Ces chansons, je les ai dans le sang. Mais revenons à l'époque en question, 1995 : Elton John, mon alter ego ou presque, remporte cette année-là un Oscar, un Grammy et un Golden Globe pour sa contribution à la bande originale du *Roi Lion*.

Donc quand vous êtes auteur de chansons et qu'on vous annonce au téléphone que Disney souhaite que vous en écriviez pour eux, vous vous dites, « Mon Dieu, on m'invite à rejoindre un club dont je n'aurais jamais imaginé faire partie ».

Puis, tout de suite après, « Mon Dieu, ce qu'ils me demandent, je ne pense pas en être capable ».

Le quatuor Disney me résume l'histoire. Comme il s'agit de *Tarzan*, il est logique qu'ils aient pensé à moi (batterie, rythmes de la jungle, percussions, etc.). Sur le papier, c'est parfaitement cohérent. Mais j'hésite. Ce serait un boulot énorme. Et je ne suis pas convaincu qu'ils sachent bien à qui ils s'adressent : ils ne sont pas au courant, chez Disney, que mon dernier opus était *Both Sides*, c'est-à-dire un « album de divorce » – le deuxième, en plus – passablement austère ? Et ils n'ont pas eu vent du Faxgate, sans parler du Taxgate ?

Mais ces gars-là sont américains, ils ont échappé en grande partie au venin des tabloïds anglais. Et puis, ils représentent Disney. Ils savent ce qu'ils font. C'est Chris Montan, le responsable de la production musicale, qui avait eu la lumineuse idée d'engager Elton pour *Le Roi Lion*, donc c'est une pointure. Rares sont les auditeurs à avoir perçu les subtilités lyriques de *Both Sides* qui, malgré son échec apparent, s'est quand même vendu au total à environ sept millions d'exemplaires. J'en déduis ce que Chris doit penser : « C'est un type qui cartonne, et depuis un bon moment, et il nous en faut un comme ça pour notre film. »

Néanmoins, en éternel anxieux que je suis, je m'entends leur dire :

– Je ne sais pas si je saurai écrire une chanson comme « Be My Guest[1] » dans *La Belle et la Bête*. Je ne me vois pas « dans la peau » d'un candélabre chantant pour des casseroles. Je ne sais pas faire de chansons de variétés, et je ne suis pas sûr non plus de savoir écrire des chansons drôles.

---

1. Titre français : « C'est la fête ».

Réponse de l'équipe Disney :

– Si c'était ce qu'on cherchait, on aurait demandé à Alan Menken [grand auteur américain de partitions pour le cinéma et la comédie musicale]. On veut que vous soyez vous-même.

La brume se dissipe.

– Ah, si vous voulez que je sois moi-même, alors ça devrait être possible.

Autre constat, je n'ai pas à quitter la maison. Je peux écrire *Tarzan* dans mon cabanon, dans mon jardin, dans ma nouvelle maison en Suisse.

En plus, ils sollicitent mes compétences d'auteur-compositeur. C'est le ton particulier de mes chansons qui les intéresse. Et surtout, ils ne me demandent pas de les chanter, juste de les écrire. Ce qui cadre avec ma volonté, désormais, de ne pas trop m'investir dans les scénarios, que ce soit le leur ou d'autres.

Je cède finalement en apprenant qu'il n'y a pas d'urgence, que c'est un projet à long terme. Et ce ne sont pas des mots en l'air : il faudra quatre ans pour que Tarzan voie une salle de cinéma.

C'est une offre que je ne peux pas refuser.

Embauché par le studio aux grandes oreilles, je me lance à corps perdu dans *Tarzan*, avec le sérieux et la détermination que j'ai mis dans tous les albums de Genesis comme dans les miens. À mes yeux, ce n'est pas une œuvre pour enfants. On me demande quelque chose d'éternel. C'est la force des films Disney : ils traversent les générations et souvent – les meilleurs, en tout cas – gagnent en popularité en vieillissant (on ne peut pas en dire autant de beaucoup de groupes de rock). Je ne prétends pas que *Tarzan* aura la longévité de *Blanche-Neige*. Mais si on s'y prend bien – et c'est évidemment aussi l'affaire des animateurs, des storyboarders et des scénaristes –, ce film-là pourrait faire une belle carrière. Et comme la mode est aux déclinaisons, il pourrait même finir en comédie musicale.

Mais n'anticipons pas. Retour en Suisse, à l'automne 1995. Ma crise de confiance initiale passée, je commence à écrire. Et je ne m'arrête pas. Je compose une quantité invraisemblable de musique. J'écris « You'll Be In My Heart[1] », « Son Of Man[2] », « Strangers Like Me[3] ». L'équipe Disney est emballée par mon enthousiasme, par la profondeur et la qualité de mes compositions aussi. C'est étonnant ce qu'on est capable de faire quand on a peur.

Tout mon être est mobilisé à tous les étages, tête et cœur mêlés. La berceuse « You'll Be In My Heart » naît sous la forme d'une mélodie que je m'imagine chanter à Lily bébé. Et ma participation ne se limite pas à l'écriture des chansons. J'ai écouté les maquettes d'Elton pour *Le Roi Lion* : il n'y avait que sa voix, un piano et une boîte à rythme. Moi, j'ai très envie de m'impliquer dans le processus d'assemblage de toute la bande-son. Pour les démos, je ne me contente donc pas de simples enregistrements maison, je livre des versions presque abouties. Disney aime. Et quand Disney vous aime, vous vous sentez vraiment aimé.

Pourtant, on procède beaucoup par tâtonnements. La fabrication d'un film Disney implique des centaines de personnes, ce qui peut générer quantité de « notes » dans chaque domaine, dont le vôtre. Il n'existe pas de scénario à proprement parler, uniquement des pages. Elles peuvent changer, et elles changent, ce qui oblige à modifier les chansons. Un personnage peut être supprimé et, du coup, la chanson aussi. Si le récit tourne à gauche, vos paroles doivent aussi tourner à gauche. Ça ne me gêne pas. J'ai fait partie d'un groupe pendant des années ; l'écriture collégiale, je connais.

J'ai accepté ce projet en me disant que l'acteur qui fera la voix de Tarzan chantera aussi ses chansons. Idem pour les autres personnages. Disney a toujours procédé ainsi. Les chansons font progresser la narration et doivent donc être confiées aux personnages. Même les dessins animés avec des animaux parlants doivent avoir une logique interne.

---

1. « Toujours dans mon cœur ».
2. « Enfant de l'homme ».
3. « Je veux savoir ».

Ensuite, le bon sens commande que je sois présent en studio pour superviser l'enregistrement. Gros plan sur un studio new-yorkais au début du processus. J'ai envoyé mes maquettes aux responsables au fur et à mesure de l'écriture. Je l'ignore, mais ils s'y sont beaucoup attachés. Au point qu'ils ont bien du mal à envisager une voix autre que la mienne pour chanter les chansons. Mais, bon, ils vont quand même essayer. Glenn Close, qui joue Kala, la mère gorille de Tarzan, vient pour chanter « You'll Be In My Heart », et Rosie O'Donnell (Terk, sœur adoptive de Tarzan) pour chanter « Trashin' The Camp[1] ». Avant d'enregistrer, je suis chargé d'apprendre le morceau à Glenn.

Je n'y avais jamais pensé jusque-là, mais dans « In The Air Tonight » par exemple, la boîte à rythme ne marque aucun temps fort. Par conséquent, quelqu'un qui n'est pas batteur va se demander où est le premier temps – et donc se demander quand commencer. Je me rends compte que « You'll Be In My Heart » suit le même schéma. Glenn est perdue. Elle démarre sur le temps fort. C'est une chanteuse qui vient du théâtre, et elle sait chanter. Mais il lui manque des bases rythmiques.

En lui parlant avec le micro du studio, je tente de l'aider en lui disant gentiment (j'espère), « Non, non, non, Glenn, c'est comme ça… » Mais après un nombre décourageant de prises ratées, les pontes de Disney commencent à se regarder avec inquiétude en se posant tous la même question : « Putain, mais comment on va faire ? »

Chez Glenn, la frustration monte aussi. C'est une femme charmante, pas diva pour un sou, mais je vois bien par la vitre du studio qu'elle approche du point de non-retour.

Pour les besoins du dossier de presse, on enregistre une version en duo sous l'œil des caméras qui se sont jointes à nous (histoire d'ajouter un peu de pression). Un moment très amusant qui permet de briser la glace. Mais, très vite, la glace se reforme.

---

1. « Jungle Jazz ».

Une pause est demandée et une brève discussion s'engage. « Glenn n'a qu'à faire le premier couplet en parlé-chanté et, après, Phil chante le reste. » J'opine tout en me disant : *D'accord, mais je ne suis pas dans le film, moi…*

On enregistre Glenn, presque *a cappella*, puis je prends le relais avec ma rythmique de batteur. Le résultat est correct. Mais je continue de me demander à quoi va ressembler la bande-son.

Finalement, la décision est prise : « Bon, Phil, c'est toi qui vas la chanter. » Et, une fois qu'on a enregistré « You'll Be In My Heart », il est décidé que, sur les cinq morceaux, j'en interpréterai quatre. L'idée de faire chanter les personnages passe à la trappe, une première pour un film Disney.

Tout se passe bien pour la plupart des chansons, et je respire. Mais je me vois plus dans un rôle de narrateur, un narrateur qui ne dirait pas de texte. On finit par persuader Rosie d'assurer la partie de scat sur « Trashin' The Camp », ce qu'elle fait fort bien. Mais ce sera la seule chanson du film interprétée par un personnage.

Je ne vais pas mentir, cette issue me réjouit. Mes chansons vont figurer dans un film Disney, et ma voix aussi. Elles seront interprétées telles que je les ai écrites. C'était ma grande crainte : qu'elles soient chantées par un autre dans un autre style. Le style claironnant des comédies musicales de Broadway, par exemple. Car c'est, apprendrai-je, ce qui prévaut aussi pour les dessins animés musicaux.

Ce dont je n'ai pas encore conscience, c'est que si je chante ces chansons, je vais devoir le faire dans toute une série d'autres langues. Comme elles sont en principe interprétées par les personnages, ce sont les doubleurs de chacun des pays qui interprètent les versions traduites. Mais si Tarzan ne chante pas ses chansons en anglais, il ne les chantera pas non plus en japonais. Disney étant une entreprise de divertissement qui ne connaît pas de frontières et qui est aussi célèbre à Burbank qu'à Bangkok ou Bratislava, le narrateur anonyme a intérêt à travailler ses talents de polyglotte. Car *Tarzan* va être doublé en trente-cinq langues, un record pour une production Disney.

Un compromis est trouvé : je vais réenregistrer toute la bande-son en italien, espagnol d'Amérique latine, castillan, français et allemand.

La commande de *Tarzan* a fait naître en moi un sentiment que je rêvais d'éprouver, après lequel je courais depuis longtemps : celui d'être pris au sérieux comme auteur-compositeur après m'être vu confier la totalité des chansons d'un film Disney. J'avais beau avoir connu la réussite commerciale, cette reconnaissance m'avait toujours manqué.

Le 16 juin 1999, deux jours avant la sortie du film aux États-Unis, on me décerne une étoile sur le « Walk of Fame » de Hollywood, en face du El Capitan Theatre, propriété de Disney. Un aboutissement que l'adolescent du terminus de Hounslow aurait eu bien du mal à imaginer, même dans ses rêves les plus fous.

Tarzan est un succès critique et commercial. Il rapporte à l'échelle mondiale cinq cents millions de dollars et devient le cinquième film de l'année. « You'll Be In My Heart » est nommée pour un Oscar et remporte le Golden Globe de la meilleure chanson originale pour le cinéma. Aux Grammy Awards, Mark Mancina et moi-même recevons le prix du meilleur album de bande originale.

Avant la cérémonie des Oscars, MusiCares, la fondation d'entraide des musiciens, rend à L.A. un petit hommage à Elton John. Plusieurs précédents et futurs lauréats – dont Stevie Wonder, Tony Bennett et Sting – interprètent quelques-unes de ses chansons. Moi-même, je chante « Burn Down the Mission ». Ensuite, à la réception donnée par Elton, je discute avec lui de la cérémonie qui s'annonce, de ce qu'il a éprouvé en étant récompensé pour « Can You Feel the Love Tonight[1] » et de ce que j'éprouverai si j'ai la chance de gagner. Il me dit que, pour sa part, il était « vachement heureux ».

Arrive la soirée des Oscars 2000 où je suis, cette fois, jugé digne d'interpréter ma chanson. La catégorie musique est présentée par Cher. Quand elle ouvre l'enveloppe et prononce

---

1. « L'amour brille sous les étoiles ».

mon nom – pour l'Oscar de la meilleure chanson originale –, je reste pétrifié d'incrédulité.

En définitive, les quatre années passées sur *Tarzan* m'apparaissent comme une magnifique aventure. J'ai travaillé dur, en allant parfois au-delà de moi-même, j'ai rencontré des gens formidables et j'ai énormément appris sur ce nouvel univers.

Les années 1990 touchent à leur fin et je me sens d'attaque pour n'importe quel défi. J'ai écrit les chansons d'un film de Disney. J'ai enregistré un album solo bariolé et optimiste. J'ai joué en big band – deux fois d'ailleurs car, en 1998, le Phil Collins Big Band a repris la route, plus longuement cette fois-ci et en passant par les États-Unis ; en 1999, il a sorti un album live, *A Hot Night In Paris*. Par ailleurs, je solde mon passé : en 1998, je sors *...Hits* et, de son côté, Genesis fait paraître en 1999 *Turn It On Again: The Hits*, deux albums aux titres sans ambiguïté sur leur contenu. La page est tournée.

J'avance, je m'étoffe, je grandis. Ma nouvelle histoire d'amour avec Orianne m'a revigoré. J'apprends le français. J'ai trouvé mes marques en Suisse et je m'y sens bien. Et, des années après l'époque heureuse du Converted Cruiser Club, j'ai enfin un bateau. Le lac Léman et son bleu miroitant, ce n'est pas la Tamise et ses eaux boueuses, mais je m'en contenterai. *Je suis vivant, le rêve*[1] !

Avant l'arrivée du nouveau millénaire, le 24 juillet 1999, je prends un engagement solennel : j'épouse Orianne. Deux fois – pour plus de sécurité –, d'abord dans notre village de Begnins, ensuite à Lausanne, où nous nous sommes rencontrés. La mariée est en robe blanche, le marié en costume sombre. Nous donnons une magnifique réception à l'hôtel Beau-Rivage de Lausanne, en présence de tous nos amis. Ils doivent en parler encore.

Voilà. Je suis installé, je suis arrivé, je suis heureux.

---

1. En français dans le texte.

19

En finir

Ou : otalgies, céphalées et révérence finale

Qu'est-ce qu'un groupe de rock ? Trois musiciens et un batteur.

Vous connaissez l'histoire du batteur qui a eu son bac ? Moi non plus.

Quelle est la dernière chose à dire quand on est batteur dans un groupe ? « Hé, les gars, on joue un de mes morceaux ? »

Ce n'est pas facile d'être batteur. Les blagues, je les ai toutes entendues. Je sais que pour changer une ampoule, il faut cinq batteurs : un pour la visser et quatre autres pour dire que Steve Gadd aurait fait bien mieux. J'ai beaucoup ri en entendant celle du batteur qui meurt, qui monte au ciel et qui est surpris d'entendre un superbe solo de batterie derrière les portes du paradis. Il se précipite vers saint Pierre et lui demande si c'était vraiment Buddy Rich qui jouait. « Non, c'était Dieu. Mais il se prend pour Buddy Rich. » J'aurais dû la raconter à Tony Bennett.

Les vannes, je m'y suis habitué très tôt. Nous autres batteurs sommes obligés de nous forger une carapace – sur les doigts, surtout. Sur scène, notre poste est le plus physique de tous et il ne faut jamais faiblir. Dans la loge, après le concert, le batteur, c'est celui qui est K.-O., en nage, essoufflé. Ça ne me gêne pas. C'est notre boulot. Garder le tempo, sentir le tempo.

345

Quand *A Trip Into The Light* s'achève en 1997 – une tournée très éprouvante avec des concerts denses sur une scène au milieu du public – et que je mobilise mes troupes pour la seconde tournée du big band en 1998, voilà presque trente ans que je suis sur la route. Même si je me suis déchargé depuis bien longtemps de mon lourd fardeau de batteur sur Chester Thompson ou Ricky Lawson, deux fabuleux musiciens, je m'arrange pour jouer quand même un peu à chaque concert de la tournée, histoire de ne pas perdre la main. Je reviens toujours à la chaude caresse du tabouret de la batterie. C'est mon premier amour, le siège de tout mon pouvoir.

En trois décennies d'exercice, je n'ai jamais eu de gros pépins physiques. Des ampoules, à la rigueur. Mais, une fois rentré à la maison, ça s'arrange. Quelques semaines passées à baigner les enfants ou à faire la vaisselle, et les mains retrouvent leur douceur. Et puis, brusquement, il faut repartir en tournée et remettre ses doigts en ordre de marche, les endurcir.

Je me rappelle ma première tournée avec Eric, en 1986. On démarrait à peine et déjà j'avais des ampoules pleines de sang. Il m'a donné sa recette : quelques semaines avant la tournée, il commençait par se limer le bout des doigts. Il s'écorchait carrément la pulpe, laissait cicatriser et regrattait encore un petit coup ensuite. À la fin, ses doigts avaient une callosité parfaite et EC était paré pour une nouvelle campagne de solos incendiaires.

Les douleurs et les ampoules, ça fait partie des risques du métier. Les toutes premières années de Genesis ont été physiquement éprouvantes, surtout quand j'avais un double rôle à tenir. Certains chanteurs lèvent le pied pendant les passages instrumentaux. Moi ? Je me ruais sur ma batterie pour jouer ! Les choses ont commencé à s'arranger quand le chant a peu à peu pris le pas sur la batterie. Mais quand je suis revenu à un pur emploi de batteur avec Eric et Robert Plant, là, ce fut dur. Pas un temps mort, derrière des messieurs qui connaissaient un peu le métier pour avoir joué avec des maîtres du genre comme Ginger Baker et John Bonham.

Certains – Stewart Copeland de Police, par exemple – portent des gants. Moi, je ne pourrais jamais. Il faut que je sente les baguettes.

Donc, en somme, il faut y passer. Et travailler sa résistance et sa résilience. Lors de mes premières tournées, de retour à l'hôtel, je jouais sur des oreillers devant la télé, pendant des heures, jusque tard dans la nuit, pour renforcer mes poignets. Avec les ampoules, il faut passer outre. Quand l'ampoule se perce, elle se transforme en pinçon, lequel se perce à son tour, et les chairs s'abîment de plus en plus.

Il n'y a pas d'autre solution, rien ne vaut la pratique sur le vif en temps réel, sur scène. Même si on a répété – sept, huit, neuf, dix heures par jour –, on n'y est pas encore. Il manque l'angoisse, le trac, la tension du concert. Du coup, les doigts ne s'aguerrissent pas non plus.

On peut utiliser du New-Skin, un produit qui ressemble à un vernis à ongles épais à étaler aux endroits où l'épiderme entamé crie au secours. Après application, ça pique et ça pue. Mais dès que c'est sec, l'odeur de médicament disparaît, la douleur aussi, et c'est reparti avec une couche isolante toute neuve. Ensuite, ça se décolle en arrachant la vraie peau. Il faut tout recommencer.

Même si tout cela peut paraître exagéré, c'est une réalité avec laquelle les batteurs doivent vivre. On joue, on joue, encore et toujours. Dans les cas désespérés, on peut mettre des pansements, mais la sueur les décolle pendant le concert et on prie pour avoir quelques parcelles de peau saine en dessous. Sinon, avec le sel de la transpiration, les doigts crevassés et sanguinolents donnent l'impression d'être en feu.

Enfin – en-fin ! –, le plus dur est passé. Les doigts sont fin prêts pour la tournée. Un batteur peut donc prendre des coups au moral, mais physiquement, il est costaud. Même quand j'étais surtout chanteur, j'ai conservé cet état d'esprit et cette condition physique. Et après *A Trip Into The Light*, après avoir cavalé tous les soirs autour de notre immense scène circulaire, je me sentais en pleine forme. Le coaching personnel ? Très peu pour moi, ces foutaises-là. Idem pour les salles de gym auxquelles les pop-stars modernes, pomponnées et pressées de se pavaner, semblent accro.

La voix, en revanche, c'est une autre histoire. Pas question de coller un pansement sur des cordes vocales souffrantes. Il faut donc tenter de s'en sortir par d'autres moyens.

Par bonheur, même si je n'ai jamais souffert de nodules lors des mégatournées des décennies 1980 ou 1990, avec Genesis ou en solo, j'avais un médecin dans chaque port. J'ai très rarement annulé un concert car je savais quand tirer la sonnette d'alarme et réclamer une piqûre de prednisone – un corticoïde.

Les cordes vocales sont de minuscules organes en forme de membranes accolées. Si elles gonflent, si elles sont maltraitées, elles ne sont plus jointives et empêchent d'émettre la moindre note, ce qui est très gênant. Si les mauvais traitements persistent, elles se déforment et des nodules peuvent apparaître. Mais une injection précoce de stéroïdes vient à bout du gonflement et tout s'arrange. Pour un temps, en tout cas.

J'ai dû y avoir recours un certain nombre de fois dans ma vie de chanteur.

En général, la conversation se déroulait ainsi :

– Docteur, je ne peux plus chanter.

– Très bien. C'est quand, votre prochain concert ?

– Ce soir.

– Où ?

– Dans un stade de quarante mille places.

– Ah...

Donc, injection de prednisone dans la fesse. Le stéroïde vous permet d'assurer le concert, mais, ensuite, il ne vous lâche plus pendant dix jours. Il a aussi une jolie ribambelle d'effets secondaires : sautes d'humeur psychotiques, rétention d'eau, visage bouffi. Ça m'est arrivé à Freemantle, en Australie, sur la colossale tournée de *Invisible Touch* en 1986-1987. Jouer en Australie, ce n'est pas de la tarte : changements de fuseaux horaires, longs vols intérieurs, vision du monde par en dessous.

C'est lors de cette tournée qu'on croise Elton John. Mon vieil ami, le percussionniste Ray Cooper, fait partie de son groupe. On va le voir car on joue peu de temps après dans la même salle. « Hé, mais t'as fait de la gonflette ? », me demande Ray. Je n'ai évidemment rien fait de tel. « Ça te réussit, vraiment... » s'empresse-t-il d'ajouter, un peu trop affirmatif.

En rentrant à l'hôtel, je me regarde dans le miroir. *J'ai l'air normal*, me dis-je – normal à mes yeux, du moins.

Je m'étais blessé sur cette tournée. Un soir, à la fin de « Domino », j'avais sauté et, en retombant, mon pied s'était tordu. La douleur était insoutenable, mais ce n'était qu'une entorse et, tant bien que mal, j'avais continué. Était-ce l'adrénaline, la cortisone, les primes d'assurance, la menace de frais d'annulation exorbitants, toujours est-il que j'avais réussi à aller au bout de la tournée.

Quelques mois plus tard, je vois des photos de moi prises à ce moment-là et je comprends ce que Ray n'avait pas voulu me dire : j'ai l'air de David Crosby au plus fort (ou au plus profond) de ses épisodes toxicomaniaques. Non, j'ai l'air *d'avoir mangé* David Crosby. Par la grâce de la cortisone, j'emmagasinais de l'eau telle une baleine bleue tamisant son plancton. J'avais doublé de volume et personne ne m'avait rien dit.

Ces photos m'ont fichu la frousse. Je n'avais pas tenu compte de la mise en garde : « Ne pas conduire de grosses machines pendant le traitement. » Or il n'y a guère de plus grosse machine qu'une tournée de Genesis de stade en stade.

Peu après, je revois Ray à un concert au Royal Albert Hall et il m'avoue qu'en fait de gonflette, c'est lui qui s'était trouvé gonflé de poser la question alors que son vieux pote Phil avait « une tête à faire peur ».

Cette tournée-là n'était pas une exception. J'en ai déjà parlé, mais celle de *We Can't Dance*, longue et paroxystique, avait presque capoté à cause de mon extinction de voix à Tampa. On jouait devant des foules immenses et les fans connaissaient les paroles mieux que moi. Je ne pouvais pas les laisser tomber. Mais, cette fois-là, même l'acupuncture n'avait rien pu pour moi. Déjà à l'époque, je faisais quelques incursions dans les notes aiguës. Rarement sur mes tournées solo, car la musique était écrite pour moi. Mais certaines parties du répertoire de Genesis avaient été composées pour la voix de Peter. Et malgré les troublantes similitudes vocales entre nous, ma tessiture était vraiment trop juste pour plusieurs de ces morceaux (certes, Peter les avait chantés autrefois mais, avec les années, ils seraient devenus trop hauts pour lui aussi).

On peut baisser la tonalité d'une chanson, mais au risque d'en perdre la magie. « Mama », par exemple : si on la prend trop bas, on la vide de toute sa grâce. Tout est lié à la tonalité dans laquelle elle a été écrite, à la partie du manche de la guitare où l'on joue les accords, à la résonance de certains sons aux claviers.

Dans la set-list de Genesis, je voyais arriver certaines chansons avec appréhension. Le texte de « Home by the Sea » est foisonnant. Pour ne pas perdre le fil, il était essentiel de se souvenir du début de chaque vers. La mélodie et les paroles sont de Tony Banks, mais jamais il n'a pensé à la façon dont le morceau sonnerait : jamais il ne l'a chanté à haute voix. Pour arriver au bout du concert, il fallait donc zigzaguer en douceur entre pas mal d'obstacles.

Rien n'échappait à Tony. « Tu as eu un peu de mal ce soir, on dirait ? me demandait-il sans méchanceté, après certains concerts. J'ai remarqué que certaines de mes plus belles notes étaient passées à l'as… »

Même « I Can't Dance », une chanson d'une simplicité biblique, se révélait ardue. Le saut dans l'aigu au tout début du refrain, bonjour ! Ce petit passage, je l'avais écrit comme un clin d'œil à Roland Gift, de Fine Young Cannibals, qui a une voix soul magnifique. Mais je me suis aperçu que, pour pouvoir le chanter chaque soir, je devais sauter cette note-là. Sinon, c'était fichu, je me fusillais une corde vocale.

Et puis, il y a « In The Air Tonight ». Si je la chantais à froid, je pouvais avoir du mal à atteindre les pics d'émotion qui font sa force. Parfois, ma gestuelle, ma façon d'articuler m'aidaient à les atteindre. Et si j'étais en même temps à la batterie, le fait de ne pas me polariser sur ma voix propulsait celle-ci encore plus haut. Dans ce cas-là, l'une aidait l'autre : la batterie faisait la courte échelle à la voix.

Pourtant, en général, je ne prenais pas vraiment le temps de réfléchir à ces problèmes-là. Pendant trois décennies, je suis passé en force, constamment. Avec tout ce qu'on m'a injecté dans les fesses pour que je puisse chanter correctement, je devrais avoir du mal à m'asseoir. Cela dit, j'ai du mal à me relever : je m'apercevrai un jour que l'excès de cortisone peut fragiliser les os.

* * *

En 1998, le projet *Tarzan* se termine et nous devons composer une version « pop » de « You'll Be In My Heart » pour une sortie en single.

Je réserve un studio chez Ocean Way à L.A. avec, comme producteur, Rob Cavallo, à l'époque premier vice-président du secteur Artistes & Répertoire chez Hollywood Records, le label de Disney, et fils du patron de la maison. Cavallo, qui a connu un succès faramineux, couronné d'un Grammy, avec *Dookie* de Green Day, fera encore mieux comme producteur (*American Idiot* de Green Day, *Say You Will* de Fleetwood Mac, *The Black Parade* de My Chemical Romance, pour ne citer que ces trois-là) et comme dirigeant d'entreprise : en 2010, il deviendra président de Warner Bros. Records.

Un après-midi, à Ocean Way, nous réécoutons une prise vocale. Je suis dans la cabine voix, un casque sur la tête, quand l'ingénieur du son appuie sur PLAY.

Baaam !

Le son est d'une puissance insensée. Incroyable. Il ne me perce pas les tympans, il me perce la tête tout entière. Il fuse du casque et se plante en moi, massif, explosif. Je suis sourd d'une oreille. C'est aussi simple et rapide que ça. Je n'entends plus rien de l'oreille gauche. Ni les sonneries ni les vibreurs, rien de rien.

D'un ton plutôt calme, je dis au type : « Ne refais pas ça, s'il te plaît. »

Un peu hébété, je rentre à l'hôtel, le Peninsula Beverly Hills. Lily, qui a alors neuf ans, m'y attend, ce qui me remonte le moral. Elle et moi jouons à Spyro le Dragon – les jeux vidéo sont l'une de nos nouvelles passions communes. J'adore ça, et j'adore Spyro, même si, à défaut, je peux aussi me rabattre sur Crash Bandicoot. Et là, miracle, mon oreille gauche se réveille ! Comme si j'avais été sous l'eau et que, soudain, elle se débouchait. Merci, petit Jésus !

Ce soir-là, nous dînons dans un petit restaurant italien situé en face de l'hôtel. Je m'apprête à dévorer mes pâtes quand mon oreille se remet à faire des siennes. À partir de ce moment-là, je n'entendrai plus jamais correctement de l'oreille gauche. Game over, comme ça, d'un coup.

Je consulte un certain nombre d'ORL. Tous me soumettent à un audiogramme et tous parviennent à la même conclusion : j'ai été victime de ce qu'on appelle un traumatisme auriculaire dû à une infection. Rien à voir avec la musique. Un coup de malchance, c'est tout. Ça pourrait aussi bien arriver à une vendeuse de bonbons.

J'apprends que, schématiquement, les cellules des nerfs qui mènent du cerveau à mon oreille ont été attaquées par un virus. Bilan : je ne perçois plus les moyennes et basses fréquences. Si je m'en étais occupé tout de suite – une dose de cortisone, ma vieille amie, aurait permis de stimuler la régénération cellulaire –, l'évolution aurait pu être différente. Mais, fidèle à la tradition Collins, je m'y suis pris trop tard. Finalement, c'est aussi ce qui a coûté la vie à mon père, qui a négligé son diabète et ses problèmes cardiaques.

Comme il s'agit d'une infection virale, la décharge de décibels reçue dans le casque n'y est sans doute pour rien. Mais, les mois et les années passant, c'est la seule commotion sonore marquante que j'aie subie et je ne peux pas m'empêcher de penser qu'elle a sa part de responsabilité.

Sur le conseil de Chris Montan de chez Disney, dont le fils est atteint de surdité chronique, je me rends au House Ear Institute à L.A.

— Vous devez repartir en tournée ? me demande le spécialiste.

— Pas vraiment.

— Alors, ne tentez pas le diable. Tout peut arriver, vous savez, et vous pourriez devenir complètement sourd. Personne ne connaît l'origine de cette infection virale et vous vous mettriez encore en danger.

Suis-je paniqué ? Bizarrement, pas trop. D'abord, je me dis que ça va finir par s'arranger. Ensuite, en réfléchissant, je me raisonne : si ça ne s'arrange pas, je peux vivre avec.

Je ne suis pas totalement sourd — seulement à cinquante pour cent et d'une seule oreille —, je peux donc continuer à travailler chez moi. Si j'étais sur la route avec un groupe de rock ou à la tête d'un grand cirque pop, ce serait peut-être embêtant. Mais ce n'est pas dans mes projets pour l'instant.

Je suis heureux où je suis, calfeutré dans mon jardin au flanc d'une colline suisse. Je compose des musiques de films. J'ai mon big band, qui ne joue que dans des petites salles et au sein duquel je ne chante presque plus. J'ai tout mon temps pour composer mon prochain album solo. S'il faut cesser d'être le « Phil Collins » qui fait la une des journaux et qu'on (dis)crédite en gros caractères sur les affiches, pas de problème. Ma perte partielle d'audition me sert de porte de sortie.

Au grand étonnement de mes proches, je suis optimiste au sujet de cette nouvelle vie en semi-surdité. À vrai dire, ce déficit auditif m'a conféré un pouvoir inédit, celui de *décider*. Un pouvoir né d'un handicap, mais je m'en contente. Après avoir passé des années à payer de ma personne, je peux reprendre mon destin en main.

J'en suis à ne plus supporter cet autre « Phil Collins », celui qui monte sur scène, qui fait son intéressant, qui recueille les acclamations et (de plus en plus) des volées de bois vert. « Phil Collins » traverse la vie entravé au cou et aux chevilles par les tracas, les attentes, les obligations, les soupçons. Sa famille est disloquée, ses collègues sont amers, ses enfants éparpillés. Il ne me plaît pas. Je ne veux plus être ce type-là. J'en ai assez de moi.

Vous voudriez que je reparte en tournée, que je rejoue les pop-rock-stars ? Désolé, impossible. Ordre des médecins.

J'ai perdu l'ouïe, mais je me suis retrouvé, moi. Ou ce qui restait de moi.

Il est vrai qu'à l'époque j'ai déjà une solution de repli assez exaltante. Le jour même où *Tarzan* sort dans les salles, en juin 1999, Tom Schumacher m'invite à participer à une nouvelle production Disney. Pour *Frère des ours* — une fresque sur le thème des Amérindiens, de l'harmonie originelle entre l'homme et la nature, des esprits des animaux, et donc des ours —, il me demande d'écrire les chansons et, plus intéressant encore, de composer une partie de la musique d'accompagnement. C'est un défi auquel j'étais impatient de me frotter. Il compense largement la décision de Disney de ne pas forcément me confier l'interprétation de ces chansons.

Frère des ours obéit lui aussi à un processus créatif très long, comme j'aurais dû m'en douter puisque, dans sa toute première mouture, l'histoire était calquée sur *Le Roi Lear*.

Avant toute chose, l'équipe musique de Disney me prie instamment de me doter d'un ordinateur. Auparavant, je travaillais sur bandes. Pour *Tarzan*, chaque fois que le scénario changeait, les chansons changeaient aussi, ce qui m'obligeait à les réenregistrer entièrement. Technique chronophage, mais je n'en connaissais pas d'autre. Avec l'ordinateur, on peut intervenir sur le rythme et la musique à volonté.

Je suis un stage d'une semaine auprès d'un des techniciens de Mark Mancina, Chuck Choi, un expert. Je prends beaucoup de notes et, au début, j'ai l'impression d'avoir une montagne à gravir. Mais assez vite je deviens un pro de l'ordi. Je développe mes propres méthodes de travail en studio ; de plus, je côtoie des gars qui ont l'informatique dans le sang. Mark est un auteur de partitions chevronné jeune et enthousiaste, mais aussi un fan de Genesis de la première heure. On s'entend bien, on se répartit les séquences musicales à écrire et c'est en compositeur de B.O. estampillé Disney que, très excité et à moitié sourd, je me mets au travail.

Imaginons à présent un de ces vieux films en noir et blanc où les feuilles d'un calendrier s'envolent les unes après les autres, mois après mois : innombrables vidéoconférences avec les réalisateurs et les équipes de scénaristes et d'animateurs ; multiples conversations téléphoniques nocturnes entre Begnins, Burbank et Orlando (site des studios Disney en Floride), le récepteur fiévreusement collé à mon oreille droite (la bonne) ; quantité d'allers et retours à mesure que j'écoute la partition provisoire – celle qu'utilisent les cinéastes quand ils tournent – en me demandant s'il vaudrait mieux m'y conformer ou l'améliorer.

Des allers et retours encore plus fréquents quand Mark tente de traduire mes thèmes d'accompagnement en véritables arrangements orchestraux. On s'aperçoit que les parties écrites pour flûte ne correspondent pas au registre de la flûte ou que ma partition de trombone convient en fait au cor d'harmonie. J'apprends, et j'apprends vite, qu'en dépit de mon expérience musicale, quand il s'agit de composer pour un film, je me mélange parfois joyeusement les pinceaux.

L'écriture des chansons, elle, avance bien. Je me sens plein d'allégresse. Mais je me demande qui chantera les chansons du poisson, de l'ours et des autres animaux. Certes, c'est l'affaire de Disney, pas la mienne, mais je prends part à toutes les discussions.

Pour « Great Spirits[1] », la chanson d'ouverture, nous faisons appel à Richie Havens, une de mes idoles de toujours. Sa version est belle, mais ne convainc pas l'équipe artistique. Après plusieurs autres essais, nous décidons de nous adresser à Tina Turner. Mais comme elle vient d'annoncer sa retraite, nous risquons d'avoir du mal à nous attacher ses services. Par chance, je l'avais rencontrée avec Eric lors de l'enregistrement d'*August*

---

1. « Les Grands Esprits ».

– elle avait chanté en duo avec lui sur « Tearing Us Apart ». Elle vit en Suisse, autre avantage aux yeux du casanier Collins.

Tina accepte et nous faisons un saut à Zurich pour l'enregistrer. En absolue professionnelle et en vraie artiste qu'elle est, elle a travaillé la chanson à partir de la cassette que je lui avais envoyée. Elle donne tout ce qu'elle a et, après seulement quelques prises, nous tenons la bonne. Tina irradie de musicalité et de classe.

Autre temps fort, « Transformation » illustre dans le film la métamorphose de l'homme en ours. Mes paroles sont traduites en inuit et la chanson est finalement interprétée par un chœur de femmes bulgares. *A priori*, un rapprochement étrange et un choix saugrenu, me direz-vous. Mais, une fois le film terminé, un parti pris magistral.

Finalement, je chante six des chansons qui figurent en bonus sur l'album de la B.O., ce qui me donne partiellement satisfaction. Pour interpréter « Welcome[1] », l'idée de solliciter The Blind Boys of Alabama semble bonne. Il s'agit de la scène de chasse où le clan des ours accueille son héros au sein de la grande famille des ursidés avec, en point d'orgue, une pantagruélique pêche au saumon (dont le sort, étrangement, ne semble intéresser personne).

Cette séquence musicale est la seule qui, à mes oreilles, ne fonctionne pas : les Boys, qui n'étaient plus de la première jeunesse, n'avaient pas le groove pour un morceau écrit dans l'esprit Motown, version plantigrades.

Néanmoins, quand *Frère des ours* sort finalement en octobre 2003, j'ai l'occasion de partager la scène avec Tina Turner lors de la première au New Amsterdam Theatre de Broadway. Après la projection, je chante une de mes chansons, « No Way Out[2] », puis je présente Tina, qui interprète « Great Spirits » avec moi à la batterie. Il faut voir comment elle embrase ce texte. À la balance, elle s'est contentée du strict

---

1. « Bienvenue ».
2. « Mon frère ours ».

356

minimum, prétendant être « retraitée », mais le soir, elle a tout déchiré avec une interprétation en or massif.

Pendant ce temps, dans le vrai monde (non-animé)... Parallèlement au projet *Frère des ours*, j'ai travaillé – mollement – à la maison sur les morceaux de mon septième album solo.

À la fin de l'été 2000, nous découvrons qu'Orianne est enceinte. Nicholas Grev Austin Collins naît le 21 avril 2001 – Grev en hommage à mon père, et Austin à mon frère Clive (c'est son deuxième prénom) et à notre grand-père paternel. Cette période bénie m'inspire une nouvelle fournée de chansons. « Come With Me » parle de Nic bébé, mais, en fait, de n'importe quel bébé. C'est un élan d'amour paternel à l'état pur : ne t'inquiète de rien, viens avec moi, ferme les yeux, tout ira bien.

Les paroles s'adressent à chacun de mes enfants, ou à tous les enfants où qu'ils soient. C'est une de mes chansons préférées et la mélodie m'évoque une berceuse que je chantais à Lily à l'arrière des limousines aux États-Unis. Nous faisons fabriquer une boîte à musique pour le petit Nic, afin de l'aider à s'endormir avec cette mélodie. Je m'étais promis d'en écrire une pour son frère Matt et de lui offrir aussi sa propre boîte à musique. Mais à sa grande déception, pendant l'écriture, sa mélodie ne s'est pas transformée en chanson.

Je décide d'intituler ce nouvel album profondément personnel *Testify*[1] : un mot qui résume ma façon de voir ma vie à ce moment précis. J'ai envie de parler à tout le monde de la femme dont je suis très amoureux et du nouveau bébé de la famille. À cette époque-là, mon existence clandestine en Helvétie me comble.

Il me faudrait donc un événement exceptionnel pour me ramener, tout ébloui, au centre de la scène. Cet événement exceptionnel va prendre la forme d'un appel de Sa Majesté.

Au printemps 2002, a lieu la « Party at the Palace », un somptueux concert donné au palais de Buckingham pour

---

1. « Témoigner. »

célébrer le jubilé de la reine Elizabeth II, et je suis convié à tenir la batterie au sein du groupe formé pour l'occasion. Oreille en vrac ou pas, je ne peux pas dire non.

Dans la brève présentation, il est question d'un hommage à la musique britannique des quarante et quelque dernières années. Tous les grands artistes de cette période chanteront les titres qui les ont rendus célèbres. Seuls Paul McCartney et Brian Wilson viendront avec leur propre groupe. Pour tous les autres, j'officierai à la batterie, avec *de facto* un rôle de leader au sein de ce groupe d'occasion.

On répète pendant plusieurs semaines et la salle proche du Tower Bridge voit défiler une pléiade de grands noms : Ozzy Osbourne, Rod Stewart, Eric Clapton, Stevie Winwood, Ray Davies, Joe Cocker, Annie Lennox, Cliff Richard, Tom Jones, Shirley Bassey et bien d'autres.

Arrive le jour J et, croyez-moi ou pas, mais mon oreille ne m'embête plus et tout le monde est en grande forme – même Brian May, qui joue sur le toit de Buckingham et doit affronter un vent sans doute cauchemardesque pour son ingénieur du son – sans parler de ses cheveux.

Cinq mois plus tard, *Testify* sort. Je peux témoigner qu'il fait un flop assez retentissant. Les Français, les Suisses, les Suédois, les Allemands, les Néerlandais et les Belges – merci à eux – lui accordent quelque attention puisque, dans leurs pays, il se classe numéro 2, 3 ou 4. Mais le reste du monde libre, notamment le Royaume-Uni et les États-Unis, se montre moins enthousiaste.

Je peux aussi témoigner que je prends la chose avec beaucoup de philosophie, ayant eu largement mon quart d'heure de célébrité.

Point positif, j'ai composé un album qui chante mon amour pour ma femme et mon petit garçon et que j'ai réalisé presque entièrement à la maison, alors que j'étais aux prises avec une surdité soudaine qui, l'espace d'un instant, m'a bien fait croire que tout était terminé. Il faut en tenir compte dans le bilan.

Et pourtant, et pourtant... En 2003, la parenthèse *Testify* est presque oubliée et je me retrouve plongé dans d'intenses ruminations.

Le 12 juin, au Marriott Marquis de New York, je suis intronisé membre du Songwriters Hall of Fame[1]. Cette institution a été créée en 1969 par Johnny Mercer, compositeur légendaire, en collaboration avec les éditeurs musicaux Abe Olman et Howie Richmond, pour (nous dit son site Internet) « mettre en lumière les créations de ceux qui, à travers leurs textes et leurs musiques, composent la bande-son de nos vies ». Je suis touché que mes pairs me jugent digne d'y figurer. En 2016, ils forment un éminent collège de moins de quatre cents membres. La promotion 2003 comprend aussi Little Richard, Van Morrison et Queen, tandis que Jimmy Webb (auteur de « Galveston », « Wichita Lineman », « By the Time I Get to Phoenix » et de quantité d'autres classiques qui n'ont pas forcément de noms de villes dans leur titre) remporte le prix annuel Johnny Mercer. Je suis en bonne compagnie.

C'est une formidable reconnaissance et elle me fait réfléchir. Si je dois me défaire progressivement du personnage de « Phil Collins », il faut y mettre les formes. Sur le plan musical, un album solo en demi-teinte et une tournée avec mon big band ne sauraient faire office de dernier tour de piste.

Autre paramètre dans ma prise de décision : à ce moment-là, trois ans après ma brusque surdité, je mène une vie presque normale. Mon cerveau s'est adapté, mon oreille droite a compensé, mon infirmité auditive s'est stabilisée. Je suis à nouveau capable d'écouter de la musique et d'y prendre du plaisir. Et, comme je le découvre lors de la petite sauterie de la reine, les oreillettes intra-auriculaires me permettent tout à fait de jouer.

Réflexion faite – et j'y réfléchis très, très sérieusement –, je me dis qu'il est peut-être envisageable de partir en tournée et, au lieu de disparaître sans laisser de traces, de faire des adieux en bonne et due forme.

---

1. Panthéon des auteurs-compositeurs.

Une tournée finale servira aussi de message adressé à mon manager et maître : quand je dis que j'ai envie d'arrêter, je le pense vraiment. J'imagine que personne ne va me croire car, comme on l'a vu, je n'ai jamais arrêté. Mais si je le dis assez fort – tout au long d'une tournée d'adieux planétaire de soixante-dix-sept dates, par exemple –, je pense convaincre mon entourage de ma ferme intention de me retirer, proprement, irrémédiablement, pour toujours, amen. Après quoi, je serai libre.

D'accord, l'intitulé « tournée des *premiers* adieux définitifs » pourra en dérouter certains et leur donner l'impression qu'en fait rien n'est joué. Mais je n'allais pas me priver d'une bonne blague à la Monty Python pour si peu.

Quand j'informe Orianne de mon intention, que cette tournée est pour moi la dernière, une image s'impose à elle : *la pipe et les pantoufles*. Je ne la comprendrai que plus tard… Orianne n'a que trente et un ans, elle est mère depuis peu, et voilà que son vieux mari lui annonce qu'il raccroche. Et qu'il est à moitié sourd ! Il n'a pas la goutte, non plus ?

Début 2004, en préparant la tournée, je ne pense plus à tout ça. J'ai la tête complètement ailleurs. Mais, au printemps, les réalités conjugales me rattrapent car Orianne m'apprend qu'elle est à nouveau enceinte. Formidable nouvelle. Pour la première fois de ma vie, je souscris au principe du congé de paternité : le programme de la tournée est chamboulé à la hâte afin que nous puissions être à la maison pour la naissance et y rester un bon moment ensuite.

* * *

La tournée *First Final Farewell* démarre au Fila Forum de Milan le 1ᵉʳ juin 2004. Elle parcourt l'Europe et les États-Unis jusqu'à la fin septembre, date à laquelle je fais mes adieux à l'Amérique à l'Office Depot Center de Fort Lauderdale.

Avant de quitter le sol américain, je profite d'une journée de relâche après le concert de Houston pour faire un pèlerinage à San Antonio, sur le site de Fort Alamo. Conscient de l'imminence de ma retraite, je me dis en effet que je ne reviendrai peut-être plus jamais au Texas.

Un demi-siècle plus tôt, à l'âge de cinq ans, j'avais vu pour la première fois à la télé le film de Disney, *Davy Crockett, roi des trappeurs*, et il avait piqué mon intérêt pour cette bataille qui opposa cent quatre-vingt-cinq Texans à plusieurs milliers de soldats mexicains. Mais ce qui avait commencé comme un jeu d'enfant avec des soldats miniatures et un fort dans le jardin du 453 Hanworth Road était devenu, à l'âge adulte, un passe-temps sérieux.

En 1973, pendant la tournée *Foxtrot* de Genesis, j'avais emmené Peter Gabriel visiter le site historique pour tenter de voir ce qu'il y avait derrière le mythe hollywoodien. Ça avait été incroyable, et incroyablement émouvant de se retrouver devant la façade emblématique de l'église d'Alamo – pour moi, le théâtre de ce siège sanglant de treize jours était une terre sacrée. J'étais impatient d'y retourner et, lors d'un autre passage dans cette ville, j'avais rencontré une voyante convaincue que, dans une vie antérieure, j'avais été un des cent quatre-vingt-cinq défenseurs du fort – un messager du nom de John W. Smith. Je ne l'aurais cru qu'à moitié si, enfant, je n'avais pas systématiquement terminé mes batailles en mettant le feu à mes petits soldats – ce qui, je l'appris beaucoup plus tard, fut réellement le sort réservé aux Texans.

Un jour, à Washington, lors d'une autre tournée américaine vers le milieu des années 1980, je me trouve dans une boutique baptisée The Gallery of History qui vend des documents historiques. Parmi les directives militaires nazies et les partitions de Beethoven signées, je tombe sur une lettre écrite par Davy Crockett. Elle vaut soixante mille dollars. Crockett est certes mon idole, je suis certes ému de quasiment toucher ce légendaire trappeur, mais je ne peux me résoudre à dépenser autant pour un morceau de papier.

Pourtant, cette découverte m'a intrigué et je commence à chercher ici et là d'autres vestiges liés à cette bataille. Je devrai toutefois attendre Noël 1995, et un cadeau d'Orianne, pour entrer en possession de mon premier document en rapport avec Alamo : un reçu correspondant à une selle qui avait appartenu au susdit messager Smith. Quand le fort est tombé le 6 mars 1836, celui-ci était parti en tournée – sa dernière – et je n'ai jamais cessé de penser au nombre de kilomètres parcourus par cette selle au service de l'État du Texas.

À partir de là, je me suis mis à collectionner toutes sortes d'objets sur Alamo, à acheter des armes et des documents quand l'occasion se présentait et quand mon budget me le permettait – et, parfois, même quand il me l'interdisait.

En 2004, pensant que cette tournée aux États-Unis serait la dernière, j'affrète un petit avion pour aller visiter une nouvelle fois le fort. J'entraîne avec moi Orianne, Nicholas, alors âgé de trois ans, et Danny Gillen. En quittant les lieux au terme d'une visite privée de quatre-vingt-dix minutes, je remarque une boutique à vingt mètres à peine de l'angle nord-est du site, lieu de certains des plus violents combats.

À l'intérieur de The History Shop, j'engage la conversation avec le responsable, Jim Guimarin. C'est le début d'une grande amitié et d'une relation fertile car, au fil des années, Jim me guidera dans mes démarches de collectionneur.

Quelque temps plus tard, Jim – qui est locataire du local – me dit que selon lui, le sol situé sous la boutique n'a jamais été fouillé. Je prends donc la décision qui s'impose : j'achète la boutique pour pouvoir creuser.

Sous The History Shop, on découvre un trésor : effets personnels de soldats, boutons, fers à cheval, dents humaines et animales. Tout est nettoyé et classé, puis le plancher est remis en place et la boutique en ordre. Elle abrite aujourd'hui une maquette précise du fort tel qu'il était il y a deux siècles ; agrémentée d'un commentaire enregistré par mes soins, celle-ci attire plus d'un touriste.

* * *

Après la partie américaine de la tournée *First Final Farewell*, je rentre à la maison pour deux mois. Mathew Thomas Clemence Collins naît le 1er décembre 2004 à Genève. Je suis suprêmement heureux d'être à nouveau père. Tous mes autres enfants semblent l'être autant que moi, au point que je suis à deux doigts de renoncer à la vie de musicien itinérant, tant j'aspire à devenir père au foyer et contribuer à l'éducation de mes deux derniers.

Mes vacances se prolongent jusqu'en octobre 2005, date à laquelle j'entame la dernière partie de la tournée au Saku Suurhall de Tallinn en Estonie. Les concerts sont extraordinaires, cette séquence finale tout particulièrement car je joue dans des pays – Estonie, Lituanie, Finlande – où je n'étais jamais allé. À mon grand soulagement, mes oreilles tiennent le choc. Tout le monde se régale. Moi, prendre ma retraite, à mon âge (cinquante-quatre printemps seulement à la fin de la tournée) ?

Mais ma promesse d'arrêter est irrévocable. J'ai dit que c'était fini. Je dois tenir ma parole. Je dois rentrer chez moi. Ne serait-ce que par souci d'équité : pendant que je fais mes premiers adieux définitifs, Orianne est coincée à la maison ; elle doit s'occuper d'un petit garçon d'abord en étant enceinte, ensuite, dans la seconde partie de la tournée, en allaitant un nouveau-né. Comme son mari est absent, elle ne chôme pas.

Je compte les jours qui me séparent du moment où je pourrai oublier la route, mettre un point final à une vie passée sur scène, rentrer chez moi et endosser un rôle dont j'ai rêvé toute ma vie sans jamais pouvoir m'y consacrer : celui de vrai papa. De papa à plein temps. Les deux fois précédentes, avec Simon et Joely, puis avec Lily, je n'avais même pas été fichu d'être papa à mi-temps. Tout le monde en a pâti. Cette fois-ci, avec mes deux petits garçons, je veux être à la hauteur. J'ai beaucoup d'amour à donner et certainement beaucoup de retard à rattraper. L'heure de la famille a sonné.

Parallèlement, Orianne gamberge pas mal et s'inquiète pas mal aussi. Elle est convaincue que mon inactivité sera totale : que je ne travaillerai plus pour moi ni pour personne.

Car Orianne, elle, ne compte pas renoncer à sa carrière, devenir mère à plein temps et passer ses journées auprès d'un retraité déconnecté et apathique. Elle est créative, titulaire d'un master de management international et d'une licence de commerce, et a l'expérience de l'entreprise puisqu'elle dirige la sienne, O-Com, une société d'événementiel.

Par son dynamisme, elle a été l'un des moteurs d'une structure caritative que nous avons mise en place en 2000. Depuis des années, je recevais des lettres de jeunes qui me demandaient des conseils pour entrer dans le monde de la musique, et en dehors de leur donner quelques contacts, je ne savais pas vraiment quoi leur dire. En discutant un soir à la maison, Orianne et moi avons eu l'idée de créer une fondation qui dispenserait des formations, du coaching et des conseils en matière de musique, d'arts plastiques et de sport. Nous avons contacté des amis qui évoluaient dans ces domaines en leur demandant de parrainer leurs disciplines respectives. Ainsi est née la Little Dreams Foundation.

Tout cela pour dire qu'Orianne ne voit pas d'un très bon œil le fait que je cesse de travailler et que je me la coule douce. Je peux concevoir qu'elle se dise : « Mais je n'ai pas signé pour ça, moi ! »

Outre ces peurs bien réelles et ces inquiétudes légitimes, Orianne est sujette, depuis quelque temps, à des sautes d'humeur. Elle se sent laide, inutile. Et, je l'avoue avec horreur, je ne fais pas preuve envers elle d'une immense compassion. Mon attitude est celle de mon père face à toute espèce de maladie. « Ressaisis-toi, disait-il, et remets-toi au travail. »

Conjuguées au baby blues, les craintes d'Orianne au sujet de notre vie de famille et de l'incidence de ma retraite sur celle-ci font qu'à mon retour, à mi-parcours de la tournée, elle et moi sommes dans des dispositions d'esprit très différentes. L'ambiance est tendue, nous sommes tous les deux crevés, et le fossé entre nous se creuse.

Quand ça va mal à la maison, il ne faut pas espérer retrouver le sourire en tournée. Pourtant, quand je repars en octobre 2005 pour les deux derniers mois, je suis quelque part soulagé de pouvoir me changer les idées. Un peu d'éloignement nous fera peut-être du bien à tous les deux. J'aurai du temps pour mieux réfléchir à notre avenir et aux attentes d'Orianne. Elle aura du temps pour aller mieux – tout en s'occupant, il est vrai, de deux petits.

Mais les quelques fois où on se retrouve sur mon périple, la tension est toujours présente. Pendant les temps morts, dans les hôtels, nous nous disputons. Durant les trajets vers les aéroports, dans la voiture du groupe, le silence, déjà glacial et gênant, est encore accentué par l'embarras de mes compagnons de tournée. Joely, qui voyage avec moi, perçoit cette discorde plus que n'importe qui. L'éclat de cette tournée s'en trouve terni. Et le paradis qu'était notre couple et notre jeune famille, assombri.

Il existe entre nous un amour profond, c'est certain, mais, à ce moment-là il nous échappe, à Orianne et à moi.

Je ne peux m'empêcher de penser : *C'est incroyable. Ça recommence. Une fois de plus, je suis en tournée et, une fois de plus, mon mariage bat de l'aile, si ce n'est pire. La série noire continue. Et quel est son dénominateur commun ? Moi. Je ne peux m'en prendre à personne d'autre.*

Si je devais résumer les raisons du désaccord entre Orianne et moi, je dirais que j'ai eu le tort de ne pas entendre son appel à l'aide. Je ne comprends pas pourquoi on se dispute, je ne comprends pas pourquoi je suis chassé du lit conjugal. Ça me dépasse complètement. Je suis désolé.

Nic a quatre ans et demi, Matt pas encore un an. Si les choses se déroulent comme je le pense, mes enfants vont m'être enlevés. Ils ne se doutent de rien. Cette impression de déjà-vu me prend aux tripes.

Quand la tournée *First Final Farewell* se termine le 24 novembre 2005 à la Sazka Arena de Prague, Orianne et moi sommes toujours ensemble au sens où nous sommes encore mariés, sur le papier en tout cas. Et nous vivons toujours sous le même toit, mais plus pour longtemps.

Qu'est-ce qu'un batteur qui a rompu avec sa petite amie ? Un sans-abri.

Qu'est-ce qu'un batteur qui a rompu avec sa troisième femme ? Une épave.

20

Repartir pour s'arrêter

*Ou : une reformation de Genesis,
une communion à Broadway, un déphasage familial*

Les six dernières semaines de 2005 vont générer un embouteillage de pressions antagonistes. Un carambolage, même.
Qui provoquera un peu plus que de la tôle froissée.

Mi-novembre, les cinq membres historiques de Genesis ont
un rendez-vous programmé de longue date à Glasgow, dernière
étape de ma tournée *First Final Farewell*, pour discuter d'une
reformation aussi attendue que commentée.

Fin novembre, le rideau tombe enfin sur ma tournée d'adieux
et je rentre chez moi – où je ne me sens justement plus chez
moi – pour retrouver une toute jeune famille en grand besoin
d'affection et de consolation.

En décembre, Disney me réclame d'urgence à Broadway
pour commencer à travailler sur l'adaptation de *Tarzan* en
comédie musicale – quatre mois plus tôt que prévu et le lendemain de Noël, en plus.

En somme, mon ratio vie privée-travail est rétabli, c'est-à-dire
complètement déséquilibré. La retraite, ce sera pour plus tard.

La réunion de Genesis a pour objet le treizième anniversaire
de *The Lamb Lies Down on Broadway*, jalon désormais légendaire du groupe. Pour être plus précis, cet anniversaire tombait

en 2004 (comme quoi, même après trois décennies, le vaisseau-amiral de la flotte Genesis est toujours incapable de respecter un planning). Depuis un moment, il est question de reconstituer la phalange « originelle » – Tony, Mike, Peter, Steve et moi-même – en vue d'une nouvelle mise en scène de cet album, qui fut aussi le chant du cygne de Peter avec le groupe. Mais cette fois, on serait préparés. On utiliserait le dernier cri de la technologie pour traduire correctement la dimension théâtrale contenue dans les textes de Peter et dans l'histoire de ce double album-concept. Sur le papier, c'est plus tentant qu'une banale et lucrative tournée de grands tubes aux allures à la fois de come back et de tour d'honneur. Suffisamment tentant, en tout cas, pour que cinq quinquagénaires géographiquement éparpillés acceptent de bousculer leur emploi du temps pour pouvoir se réunir à mon hôtel de Glasgow le 20 novembre 2005. Même si ces retrouvailles ont lieu à la toute fin de mon ultime tournée, je suis, sur le principe, partant pour ce nouveau projet.

Sur scène, *The Lamb* m'a toujours laissé sur ma faim. Je trouve que, personnellement, je n'ai pas fait d'adieux à Genesis dignes de ce nom et que nous n'avons pas non plus pris congé de nos fans comme il le fallait. Dix ans après notre séparation, Mike et Tony me manquent. Et puis, je rejouerais bien avec le groupe, mais seulement à la batterie. Aspect tout aussi essen-tiel, une version théâtrale multimédia de *The Lamb*, ambitieuse et coûteuse, ne se prêterait pas, par définition, à une longue tournée dans les plus grandes enceintes du monde. Celle-ci serait à la fois plus courte et infiniment plus travaillée que la tournée d'origine. Elle prendrait la forme de plusieurs séries de représentations dans des théâtres de qualité, pourquoi pas aussi à Broadway, avec retransmission en direct sur Internet ou dans les salles de cinéma pour assouvir l'intérêt du reste de la planète. Tout cela est fort appétissant.

Pour la première fois depuis trente ans, nous voici donc tous les cinq réunis. Sont également présents Tony Smith et Mike Large, le manager de Peter.

L'ambiance est bonne. Nous sommes là pour aborder les détails et fixer des dates fermes de répétitions et de représentations – *si* Peter décide de tenter l'aventure. Avec lui, on y va. Sans lui, aucun intérêt.

Dès qu'on commence à parler affaires, on retombe vite dans le schéma classique : Peter, toujours un peu crispé et hésitant ; Tony, toujours à asticoter Peter ; Steve, toujours aussi impénétrable ; Mike, toujours dans son rôle de cordial médiateur ; et moi, toujours à faire des pitreries et des blagues pour détendre l'atmosphère. Comme au bon vieux temps.

Il apparaît vite que monter *The Lamb* avec l'aide de la technologie d'aujourd'hui – enfin, avec une technologie d'aujourd'hui qui fonctionne correctement – va demander à tout le monde énormément de temps, de motivation et d'enthousiasme. Sans que ce soit dit, nous savons tous que, pour y parvenir, une trêve sera nécessaire entre Peter et Tony. La viabilité de ce projet dépendra de la personne qui tiendra les rênes et mènera l'attelage. Les potentialités sont infinies, les embûches aussi, car l'évolution rapide des moyens scéniques ouvre toutes sortes d'horizons.

Chacun sait aussi qu'il n'y aura pas de chamailleries autour du concept, mais qu'en vertu, là encore, de vieilles habitudes, Peter aura à cœur d'explorer toutes les pistes créatives. Il prendra donc inévitablement en charge certains aspects de l'opération. Et, malgré la meilleure volonté du monde, certains pourront trouver à y redire. Les limites de la technologie ne seront pas les seules à être mises à l'épreuve.

Ensuite, nos managers ont la bonne idée de nous ramener aux dures réalités économiques et logistiques : il faudra des mois de préparatifs et un personnel considérable pour mettre le projet sur les rails. Et même si les concerts sont filmés et diffusés partout dans le monde, l'entreprise ne sera pas financièrement viable si on se contente de quatre ou cinq concerts dans chaque lieu.

L'emploi du temps de Peter, très chargé, semble-t-il, et pour longtemps, est tout aussi problématique. Depuis trente ans, il s'évertue à faire oublier son passé de chanteur de Genesis et à se réinventer, un objectif qui le mobilise encore à plein temps.

Après quelques heures passées à tourner en rond, on décide de lever la séance et d'y réfléchir encore un peu. C'est reparti pour un tour. Hormis le plaisir d'avoir revu de vieux potes, on n'a pas avancé d'un pouce.

Peter et son manager partent, Steve les imite et Tony, Mike et moi poussons aussitôt un soupir de soulagement. Avant de nous esclaffer : « Mais qu'est-ce qu'on est venus foutre ici ? » On rigole à l'idée qu'on n'a pas été fichus, à cinq, de faire ce pourquoi on était tous venus à Glasgow : quitter cette pièce en ayant dit oui ou non. Forts des relations étroites, franches et détendues tissées par notre trio pendant vingt ans, on tire les conclusions qui s'imposent et on remise tranquillement *The Lamb* dans l'armoire aux souvenirs.

D'ailleurs, l'ambiance est à ce point détendue qu'on se dit que quitte à être là, pourquoi ne pas redémarrer quelque chose ensemble ?

Il y a entre nous un sentiment d'inachevé. Quand j'ai quitté le groupe, Tony et Mike ont recruté Ray Wilson, chanteur et guitariste écossais (connu aussi comme leader du groupe grunge Stiltskin), et ils ont sorti un album, *Calling All Stations* (1997). Mais après une tournée en 1998, ils ont décidé en 2000 d'arrêter les frais. Et ce fut tout, semble-t-il. Comme point d'orgue à la longue saga Genesis, ça manque plutôt d'éclat.

En moins de cinq minutes, nous tombons d'accord. Le Genesis de l'ère Banks, Collins & Rutherford va reprendre la route. *And then there were three*, comme au bon vieux temps.

Personnellement, je pose deux conditions *sine qua non* : un, que la tournée soit raisonnable, c'est-à-dire courte ; deux, que j'aie le temps d'honorer pleinement mes engagements théâtraux autour de *Tarzan* avant de relancer la machine Genesis. Ce qui implique non seulement de ne programmer les concerts que dans dix-huit mois, à l'été 2007, mais aussi de retarder l'annonce de notre reformation d'une année entière, jusqu'à novembre 2006. Ce qui me donne un créneau confortable et ininterrompu pour me consacrer à *Tarzan* – et, plus important encore, pour tenter de combler le fossé qui s'élargit entre Orianne et moi.

Pourtant, à l'heure où la tournée *First Final Farewell* boucle son dernier tour de piste, où j'affronte la perspective de retrouver ce qui reste de mon couple, j'ai la sensation de perdre Orianne, ou de l'avoir déjà perdue. J'aimerais tant rétablir le contact avec mon épouse, mais, quoi que je fasse, je me heurte à un conflit, celui qui oppose mon travail et ma vie privée.

Et hélas, même une fois la tournée terminée, comme si souvent dans le passé, le travail va l'emporter. Quand Disney me convoque à New York le lendemain de Noël, je n'ai d'autre choix que d'accepter. *Tarzan* est une énorme production théâtrale qui emploie des milliers de personnes et mon rôle est central : c'est une comédie musicale et c'est ma musique. Je suis à peine rentré chez moi que, déjà, je suis reparti.

Je m'installe à l'hôtel Peninsula et, à partir du début 2006, je me consacre avec passion à ce nouveau projet Disney, le troisième pour moi. Et j'ai intérêt, car la première de *Tarzan* au Richard Rodgers Theatre a été avancée de plusieurs mois. Cette commande d'adaptation théâtrale est la suite logique de mon travail sur la bande originale du film. Mais elle s'accompagne d'immenses responsabilités, bien plus que le film. Elle m'ouvre aussi d'immenses perspectives : j'espère que ce genre de projet me permettra de changer de vie, d'être à la maison avec mes enfants. Si c'est le cas, le retrait du personnage « Phil Collins » pourra se poursuivre à un rythme accéléré. Je vais peut-être pouvoir sauver mon troisième mariage. Peut-être.

Sur le plan créatif, le fait de travailler sur une comédie musicale élève vraiment mon niveau de jeu. Je suis passé de chansons pop à des morceaux d'un calibre très différent : des morceaux qui animent toute une production scénique avec un nombre colossal d'intervenants.

Je suis au Richard Rodgers Theatre tous les jours. Pour répéter. Pour écouter la façon dont l'orchestre joue mes compositions. Pour commenter, donner des indications, assister aux séances d'enregistrement de l'album original. Tout le monde me dit que je suis fou d'être aussi consciencieux, de m'impliquer autant.

Avec le recul, j'aurais peut-être dû faire comme Elton pour *Le Roi Lion* : prendre de la distance, rentrer chez moi et laisser Disney s'occuper de ce qu'ils maîtrisent le mieux. Mais on retrouve là mon côté obsessionnel, celui qui me poussait à écouter quotidiennement les bandes de concert sur les tournées.

Et le prix de cette obsession ? Fin de 2006, Orianne me fait clairement comprendre qu'entre nous c'est sans issue.

Tony Smith arrive à New York avec un avocat et, un vendredi, nous avons une brève discussion sur les procédures et les conduites à tenir au cas où Orianne appuierait sur le bouton éjection. Le lendemain matin, juste avant que l'avocat ne reparte pour la Suisse, je reçois une lettre recommandée du représentant légal d'Orianne m'informant qu'elle a demandé le divorce en Suisse.

Je suis abasourdi. Alors que moi, je réfléchissais à notre avenir, elle en décidait. Cette décision change tout, et l'avocat et moi avons un tête-à-tête de dernière minute avant son vol. Je me dis une seule chose : *C'est reparti.* Et : *Mais pourquoi ?*

Les faits sont là, nous nous sommes engagés dans des impasses, la fierté s'en est mêlée, les avocats sont entrés dans la danse, un cap a été fixé et l'issue est désormais… inéluctable.

Je devrais sauter dans un avion pour la Suisse et dire à Orianne, les yeux dans les yeux, ce que j'ai tenté de lui expliquer au téléphone : « Que fais-tu ? Je ne veux pas vivre sans toi. J'aime mes enfants. Je veux que ça marche entre nous. Que faut-il ? Que je disparaisse six mois, le temps que tu tentes de te réconcilier avec toi-même ? Aucun problème. »

Mais je ne fais rien de tout ça. Je me dis juste : *Bon, c'est comme ça.* Aucune rationalité, que de la résignation. Je suis vraiment un pauvre con.

Le mastodonte de Disney, lui, ne compte pas s'arrêter là. Après trois mois de répétitions, les avant-premières commencent le 24 mars. Tout le gratin culturel new-yorkais est là. Soucieux d'oublier à tout prix la vraie vie, j'assiste à chacune des avant-premières de « mon » spectacle. Lors de l'une d'elles, Tom Schumacher me présente Dana Tyler. Présentatrice des infos de 6 heures sur WCBS-TV, c'est une habituée des théâtres. Elle anime aussi une émission théâtrale sur CBS et le lendemain, elle m'interviewe pour un sujet.

Durant cet entretien fouillé, le courant passe entre nous. Progressivement, prudemment, nous commençons à nous fréquenter. C'est une femme charmante au regard brillant, intelligente, adulte, issue d'un tout autre monde. Nos rapports sont imprégnés de bienveillance et de naturel. Elle m'aide à poser sur moi un regard plus positif.

Depuis quelque temps, je n'aimais plus celui que j'étais devenu et, quand nous avons commencé à sortir ensemble, j'ai demandé à Dana de m'appeler Philip. Pourquoi est-ce que je n'aime pas « Phil Collins » ? Parce que sa vie est un échec. Il en est à son troisième divorce et s'apprête une nouvelle fois – la troisième – à briser une famille. Après avoir perdu Joely et Simon à cause d'une séparation, puis Lily, il va perdre Nicholas et Mathew.

Je commence à me demander ce que je suis, qui je suis. En prenant un nouveau nom, une nouvelle identité, je peux me rayer définitivement du scénario. Je suis Philip, un homme neuf.

La présence de Dana à mon côté accélère le processus de transformation. Le temps passe, mes deux derniers fils viennent à plusieurs reprises à New York et je constate qu'elle s'entend à merveille avec eux. Joely, Lily et Simon, tous s'attachent à elle. Ma mère, mon frère, ma sœur vont bientôt l'adorer. Elle est facile à vivre. Nous commençons même à jouer au golf ensemble.

* * *

En novembre 2006, six mois après la première de *Tarzan*, je me rends à Londres pour participer avec Mike et Tony à la conférence de presse annonçant la partie européenne de la tournée *Turn It On Again* pour l'été 2007.

373

Peu à peu, ma situation s'arrange. J'ai un spectacle à Broadway et, professionnellement et personnellement, Phil et Philip Collins redressent la tête. Orianne me manque encore, c'est évident, et je souffre pour mes fils, mais j'essaie d'avancer. Elle ne m'a pas laissé le choix.

Pour répéter, Genesis se réunit à New York, puis à Genève. L'ambiance est bonne, sans être dénuée de tiraillements internes. Nous formons une drôle de bande dont aucun des membres, semble-t-il, ne se souvient jamais des morceaux. Spontanéité charmante digne d'un groupe d'ados. Heureusement, Daryl Stuermer, notre fidèle guitariste, est souvent là pour tirer d'affaire ces lycéens qui pataugent en quête des bonnes partitions et des bonnes paroles. Déjà que Genesis avait un son étonnamment amateur quand on reprenait les répétitions sans avoir joué pendant un certain temps, mais là, après une décennie, des projets innombrables et deux divorces et demi, je peine à me souvenir de pans entiers de morceaux écrits dans les années 1970. Tous ces mots qui défilent me semblent appartenir à autre vie. Pourtant, le simple fait de retrouver mes vieux amis suffit à me rappeler pourquoi on s'est tant éclatés pendant toutes ces années.

J'assiste à ces répétitions pour combler mes lacunes : pour me remettre les paroles en tête et en bouche. Pendant ce temps, Tony et Mike se débattent avec la mise en scène – Patrick Woodroffe, grand éclairagiste et fidèle compagnon de route, règle les lumières tandis que Mark Fisher, scénographe reconnu, se charge des décors. Pour ma part, je ne me laisse pas accaparer ni distraire par cet aspect des choses, ce qui, de temps à autre, irrite visiblement Tony Banks.

J'ai toujours eu cette attitude au sein de Genesis, mais je reconnais que là, cette semi-indifférence porte un message en filigrane. Il s'agit d'une tournée de reformation, pas d'un come-back au vrai sens du terme. Tout le monde semblait espérer qu'un album aurait vu le jour dans les dix-huit mois qui ont séparé notre sommet de Glasgow du début de la tournée. Mais cette idée ne m'a même jamais effleuré. Je la repousse catégoriquement.

J'ai suffisamment à faire comme ça avec le lancement d'une comédie musicale à Broadway et mes déboires conjugaux.

Au fond, on n'a pas non plus besoin de faire un album pour relancer la machine. Ce serait revenir en arrière. Je ne réintègre pas Genesis. Je lui dis au revoir. *Hello, I must be going.*

En mars 2007, nous débarquons tous les trois à New York pour une nouvelle conférence de presse. Celle-ci annonce la séquence nord-américaine de la tournée, prévue pour commencer à Toronto en septembre. Elle s'étalera sur six semaines (un « mois » en langage Tony Smith) et dans des lieux dont les noms comprennent tous des mots comme « Stadium » ou « Arena ». Notre supplique de faire simple et de jouer dans des théâtres, l'agent Giddings et le manager Smith l'ont oubliée depuis belle lurette.

La tournée *Turn It On Again* démarre en Finlande le 11 juin 2007. La première partie comporte vingt-trois dates, dont deux le même jour au Royaume-Uni, et culmine plus d'un mois plus tard par un gigantesque concert gratuit au Circus Maximus de Rome.

Dès le départ, l'affluence est incroyable et l'accueil du public extraordinaire. En Europe, les stades sont pleins de jeunes qui n'étaient peut-être même pas nés quand je suis devenu chanteur du groupe et qui sont tous au taquet. La pluie qui nous accompagne d'un bout à l'autre du continent ne peut rien contre leur bonne humeur.

Je me rends dans certaines villes pour la première fois, tout particulièrement à Katowice en Pologne. Là-bas, la pluie est diluvienne, voire dangereuse. Le tonnerre et les éclairs font descendre les techniciens de leurs tours. Sur le plateau, on se fait doucher pendant la balance, mais à l'extérieur, quarante mille fans polonais piaffent d'impatience devant l'entrée. On ne peut pas les laisser tomber. On va jouer sous l'orage et terminer par « The Carpet Crawlers » repris en chœur par le public, trempé comme nous jusqu'aux os. C'est émouvant et Dana, présente ce soir-là, découvre l'ancien groupe de Philip et ses fans au mieux de leur forme.

Moins bon souvenir : le Live Earth, concert de charité bardé de stars. Nous sommes les premiers en piste au stade de Wembley, car un autre concert nous attend à Manchester le soir même. Le public en est encore à franchir les tourniquets au moment où nous montons sur scène. Celle-ci, immense, comporte une passerelle, élément dont je ne me servirais pas en temps normal, mais sur laquelle je me risque prudemment pour « Invisible Touch ». C'est alors que je me souviens pourquoi j'ai arrêté – ou tenté d'arrêter – les tournées solo deux ans plus tôt ; je m'efforce de refouler l'impression de faire le concert de trop, sans y parvenir tout à fait. Il était temps que ça se termine.

Du ridicule au sublime : ce soir-là, nous sommes à Old Trafford, le « théâtre des rêves » de Manchester United. Manchester a toujours été un endroit merveilleux pour jouer et cette soirée-là ne déroge pas à la règle.

Le lendemain, retour à Londres pour un concert dans une autre cathédrale du sport, Twickenham, temple du rugby anglais (là où le jeune Phil Collins, alors sprinter, participa à une compétition d'athlétisme du temps de la Nelson Infants School).

Pour cette soirée, nous avons fait ajouter un poste sur la fiche technique du groupe : des rampes pour handicapés. Ma mère, la seule autre personne à m'appeler Philip, est présente. Elle a quatre-vingt-quatorze ans, sa vue baisse et elle ne peut accéder au stade qu'en fauteuil roulant. Mais elle est là, supportrice toujours aussi fervente du groupe de son benjamin. C'est la dernière fois qu'elle me voit sur scène. Deux ans plus tard, après avoir été victime d'une attaque, elle ne sera plus jamais la même. Elle se battra pour remonter la pente, mais, après de nouvelles attaques, se repliera peu à peu sur elle-même. June Winifred Collins s'éteint le 6 novembre 2011, le jour de son anniversaire, à quatre-vingt-dix-huit ans.

La tournée européenne m'enchante d'un bout à l'autre. Je n'ai aucune appréhension en reprenant le micro, ma voix tient le coup, je me remets au diapason des chansons de Genesis, je reviens avec plaisir dans ce groupe et nous nous entendons à merveille, comme si nous ne nous étions jamais séparés. C'est ça, l'amitié.

Orianne assiste avec les garçons à deux concerts, ceux de Paris et de Hanovre. Nic et Matt sont trop jeunes pour se souvenir de la tournée *First Final Farewell* et ils ont envie de voir de leurs propres yeux ce que fait papa. Après le spectacle, Orianne et moi passons ensemble un moment sympa autour d'un verre, heureux de voir les enfants tout excités. Nous savons que les choses ont changé, mais c'est agréable de se dire que nous sommes toujours proches.

Et donc, direction Rome, lieu de circonstance pour une apothéose. Ça fait drôle de jouer dans un monument histo-rique, le Circus Maximus, là où, il y a des siècles, les lutteurs guettaient avec anxiété le verdict du pouce impérial. Ne laissant rien au hasard, j'ai préparé tout mon laïus en italien. Mais une fois sur scène devant un demi-million de spectateurs, je me rends compte que ceux des premiers rangs viennent du Brésil, d'Angleterre ou d'Allemagne – de partout, sauf d'Italie. On finira cependant par leur faire lever le pouce, et nos grisonnants gladiateurs survivront pour livrer d'autres combats.

Après une coupure de sept semaines, la tournée *Turn It On Again* reprend au Canada. Ensuite, après avoir joué six semaines dans des lieux démesurés à travers toute l'Amérique du Nord, nous terminons à Los Angeles par deux dates au Hollywood Bowl, les 12 et 13 octobre 2007. À L.A., il ne pleut jamais, mais sur nous, il pleut.

Le premier concert est globalement moyen – je n'ai jamais pensé qu'un amphithéâtre conçu pour la musique classique était un endroit idéal pour Genesis –, mais le second est bien meilleur. Je constate avec plaisir que tout le monde est conscient du statut particulier de ce concert. Tous ceux qui gravitent autour de Genesis sont là : les enfants, les familles, les équipes techniques. Je suis profondément ému.

Pendant le rappel, sur « The Carpet Crawlers », avec le public pour témoin, je dis à Tony Banks et à Mike Rutherford que je les aime. Ces hommes-là me connaissent mieux que quiconque et ils comprennent ce que je veux dire : que c'est fini. Que c'est le bout de la route. Que Genesis, c'est terminé pour moi.

Franchement, plutôt qu'une énième grosse tournée nord-américaine, j'aurais préféré jouer en Australie, en Amérique du Sud et en Extrême-Orient. Mais le temps qui m'était imparti est écoulé. J'en aurai au moins tiré une inoxydable leçon : ma vie personnelle m'importe plus que tout ça. Un mois et demi passé loin de mes petits garçons m'aura suffi pour fermer cette porte et jeter la clé.

Ma résolution demeure inébranlable, même quand, au milieu de la tournée européenne, me parviennent de mauvaises nouvelles : après seulement quinze mois, *Tarzan* va s'arrêter. Les ventes de billets ont été bonnes, mais pas suffisamment pour alimenter un spectacle onéreux sur le marché hyperconcurrentiel de Broadway. Évidemment, cette annonce me désole, d'autant que je ne pourrai pas dire au revoir à mon bébé comme je l'aurais souhaité. Je suis bloqué sur une tournée pendant qu'à New York toute l'équipe se rassemble en larmes dans les coulisses.

La dernière a lieu – (amère) ironie du sort – le 8 juillet 2007, le jour même où Genesis joue à Twickenham. La soirée des contrastes.

Jusqu'au bout, on me presse de revenir sur ma décision d'arrêter. D'après nos managers, nous n'avons pas « maximisé » notre potentiel. On voit tout le bien que je pense de cette remarque dans le documentaire de la tournée, *When in Rome*. Chez John Giddings et Tony Smith, l'homme d'affaires ne dort jamais tout à fait. Mais si les agents, managers et autres promoteurs avaient eu gain de cause, j'y serais encore. Si je ne m'étais pas montré inflexible, je sais où ça m'aurait mené. J'aurais rempilé pour trois, quatre, cinq mois de plus, avec un album en prime. C'est pourquoi la caméra du documentaire me surprend fermement campé sur mes positions : « Ne joue pas au con avec moi, John ! »

Je m'appelle Philip Collins et on ne joue pas au con avec moi. Les autres, en tout cas. Mon corps, lui, fait ce qu'il veut. Hélas.

* * *

À un moment donné de la tournée, mon bras gauche me fait souffrir. Au point que je peux à peine tenir les baguettes sur « Los Endos », le dernier titre du set où je joue de la batterie. Je teste des baguettes plus lourdes, des cymbales plus grandes. Pendant la tournée américaine, je consulte divers spécialistes. Je vais même voir un guérisseur. À Montréal, notre promoteur habituel, Donald K. Donald, me suggère un massothérapeute qui l'a soulagé après une opération du dos. Je suis prêt à tout pour combattre l'engourdissement de mes doigts et redonner de la force à mes mains.

Mais rien n'y fait, je n'ai plus la même vigueur qu'avant.

Après la tournée, je demeure fidèle à la tradition Collins : je ne fais rien pour remédier à ce problème de santé. Il finira bien par disparaître.

Sauf que non. Ça empire.

De retour en Suisse, je me rends à la clinique pour une IRM. Le radiologue constate immédiatement que les vertèbres du haut de la colonne sont en piteux état. Plus de cinquante ans de batterie ont provoqué une décalcification et un effritement osseux. Si le diagnostic est inquiétant, le pronostic est effrayant : soit je suis opéré sur-le-champ, soit j'ai toutes les chances de finir en fauteuil roulant, paralysé.

Je passe sur le billard à la clinique de Genolier. Les chirurgiens m'incisent sous l'oreille gauche, atteignent les vertèbres abîmées et les soudent avec du calcium synthétique.

Je mets un an à me rétablir. Mais les doigts de ma main gauche sont toujours engourdis. Je ne parviens déjà pas à tenir un couteau à pain, alors il ne faut pas songer à tenir une baguette de batterie. Comme je suis gaucher, je m'aperçois vite à quel point je suis tributaire de ma « bonne » main.

Je retourne à la clinique voir mon médecin, le Dr Sylviane Loizeau, une femme charmante qui va énormément m'aider de diverses manières, en me redonnant de l'optimisme – et même goût à la vie. Elle m'adresse à un autre spécialiste à Lausanne. Et là, nouveau diagnostic : le problème ne vient pas du cou, mais de l'intérieur du coude gauche où un nerf est déplacé. Il a bougé à la suite d'un effort. Début 2008, je subis donc deux opérations puisque le chirurgien tente de remettre ce nerf en place. Cette fois, c'est l'intérieur du bras qu'on ouvre, puis ma paume gauche.

Nouvelle convalescence. Jamais, depuis mes douze ans, je ne suis resté aussi longtemps sans jouer de la batterie. Je sais que je dois me remettre en selle, mais je ne suis pas sûr que la monture soit enchantée par cette perspective.

Les années 2008 et 2009 alternent le pire et le meilleur. J'ai acheté une nouvelle maison à Féchy, un village à quinze minutes de notre ancien fief familial de Begnins. C'est une habitation confortable et modeste, mais, comme je vis seul, je n'ai pas besoin de plus. À cause de son travail de nuit, Dana est généralement bloquée à New York. Elle me rend visite dès qu'elle le peut, trop rarement, hélas.

Je vois beaucoup Nic et Matt, et mes relations avec Orianne sont cordiales. Mon rôle de mari est révolu, mais celui de père impliqué ne fait que commencer. C'est vraiment la première fois que ça m'arrive.

Mauvaise nouvelle : le temps de récupération après mes opérations du cou, du bras et de la main est bien supérieur à mes prévisions et à celles des spécialistes. Si j'avais encore un doute sur le bien-fondé d'arrêter mon activité, mon corps l'a brutalement levé. Il agite le drapeau blanc.

J'apprends à ne rien faire.

Mais voilà qu'apparaît un autre signal, de danger cette fois. Tony Smith vient prendre de mes nouvelles. C'est mon manager, mais c'est aussi un ami. Il veut s'assurer qu'à force de ralentir je ne vais pas finir par m'encroûter en Suisse. Dès qu'il a su que je m'y réinstallais, il a dû se mettre en état d'alerte. Il savait que j'étais très heureux avec Orianne, mais il craignait que le pays le plus neutre d'Europe n'anesthésie ma créativité. Il n'avait pas tout à fait tort et, facteur aggravant, maintenant je suis seul. Mais je ne compte pas bouger ; les garçons étant ici, je suis ici.

— Qu'est-ce que tu fais ? me demande Tony au téléphone.

— Rien. Je suis affalé sur le canapé, je regarde du cricket.

Ce repos, j'ai la sensation de le mériter, surtout parce que de toute évidence mon corps le réclame. Et je compte bien le lui offrir.

Tony joue alors son va-tout : « Pourquoi tu ne ferais pas un album de reprises ? »

Ce projet, je l'ai toujours eu en tête et mon manager, la fine mouche, le sait. La musique de ma jeunesse, celle qui m'a permis de trouver ma voie il y a cinquante ans, continue de me transporter et de me hanter. Je lui fais donc, en gros, la proposition suivante : hommage aux standards des sixties qui m'ont éveillé à la soul et au R&B (The Action pimentait son set avec des versions toniques, tendance mods, de ces morceaux et j'adorais ça). Si cet album doit être mon chant du cygne en termes d'enregistrements — et j'ai bien l'impression qu'il le sera —, quoi de mieux que de finir là où j'ai commencé ? Au crépuscule de ma carrière musicale, je reviens à mes premières amours. J'appellerai cet album *Going Back* pour souligner cette idée, mais aussi en hommage à la chanson « Goin' Back » de Carole King et Gerry Goffin qui figure dans la liste de mes favoris.

Oui, c'est de la nostalgie, c'est l'occasion de faire ce que je voulais faire avec le groupe de mon école, mais de le faire — enfin — correctement. Et, grâce à cette nostalgie, je ne me suis jamais senti aussi vivant.

Très vite, je suis plongé dans ce projet jusqu'aux oreilles. J'écoute avec attention des centaines de morceaux de la Motown et je fais une première sélection de titres à enregistrer : « Uptight (Everything's Alright) » de Stevie Wonder, « Jimmy Mack » et « Heatwave » de Martha and the Vandellas, « Papa Was a Rolling Stone », des Temptations. J'ai bien l'intention d'être le plus fidèle possible à ces titres fondateurs de la musique américaine en reproduisant au mieux tous les sons – et en utilisant à cet effet mon home studio.

Je ne tarde pas à comprendre que ce projet me dépasse de très loin. Même en étant batteristiquement et physiquement au top – ce que je ne suis manifestement pas –, je devrais m'entourer de vrais musiciens pour pouvoir honorer ces somptueux enregistrements originaux. À ma grande surprise, Bob Babbitt, Eddie Willis et Ray Monette – trois des Funk Brothers crédités sur tant de 45-tours de la Motown que je collectionnais ado – acceptent de se joindre à moi.

Les séances d'enregistrement sont un pur bonheur. Je travaille avec Yvan Bing, un ingénieur du son remarquable, et nous nous amusons beaucoup à reproduire ces morceaux. Ils nous replongent dans une époque plus simple, plus pure. C'est le son authentique que je cherche. Telle relance particulière de « Dancing in the Street », tel motif précis de « Standing in the Shadows of Love », il me les faut. Il y a eu chez Motown trois grands batteurs et je veux tous les égaler. Benny Benjamin, Uriel Jones et Richard « Pistol » Allen étaient des batteurs de jazz et, quand on est soi-même batteur, on sait bien que chacun a un petit quelque chose qui le différencie des autres. Je veux être capable de leur rendre hommage à tous. Je constate qu'avec « You Can't Hurry Love », je n'avais fais qu'effleurer la surface. Je veux montrer comment Phil Collins interprète la Motown. Parce qu'il la connaît et qu'il l'aime.

L'ironie, bien sûr, c'est que dès qu'il s'agit de passer à l'acte, je ne peux même pas tenir une baguette de la main gauche, tellement celle-ci est faible. J'en fixe donc une contre ma paume avec du ruban adhésif. Évidemment, ce n'est pas idéal ; mais, par bonheur, en dehors des relances propres à chaque musicien, les parties de batterie sont assez simples, ce qui est une des raisons de leur charme intemporel.

Après avoir travaillé avec méthode tout au long de 2009, nous nous retrouvons à la tête de vingt-neuf chansons enregistrées. Début 2010, l'album est presque terminé et, en mars, je suis de retour auprès de Genesis. Au moment même où je pensais en être parti, voilà qu'ils me rappellent.

Le groupe est intronisé au Rock and Roll Hall of Fame à New York. Mike, Tony, Steve et moi sommes tous au rendez-vous, mais Peter n'est pas là, retenu au Royaume-Uni par des répétitions pour une tournée. Quand je dis à mes petits camarades que cette absence ne me surprend pas plus que ça, aucun ne me contredit vraiment. On sait depuis longtemps que l'emploi du temps de Peter est ce qu'il est.

D'une certaine façon, celui-ci me rend service. Le fait qu'il soit (forcément) occupé ailleurs coupe court à toute rumeur selon laquelle le Genesis « reformé » pourrait jouer lors de la cérémonie. Comme ma guérison complète tarde, je me verrais mal m'exhiber avec une baguette collée à la main.

Trois mois plus tard, je suis de retour à New York pour recevoir une autre récompense : le prix annuel Johnny Mercer, lors du gala 2010 du Songwriters Hall of Fame. Il me comble au-delà de tout, car l'écriture est un exercice auquel je me suis mis assez tard. Il me surprend aussi ; je ne blague pas en racontant à la BBC sur le tapis rouge que, quand j'ai reçu le coup de fil m'invitant à la cérémonie, j'ai pensé qu'on m'appelait pour remettre le prix, pas pour le recevoir. Je ne suis toujours pas certain de l'avoir mérité – d'autant qu'il y a peu de confréries dont j'aimerais faire partie qui voudraient de moi –, mais je me réjouis d'être admis au sein de la corporation des auteurs-compositeurs.

Ces deux marques de reconnaissance tombent à pic car, quelques jours après la soirée du Songwriters Hall of Fame, je suis à Philadelphie pour entamer une série de concerts de promotion du tout prochain *Going Back*. La tournée a beau être courte (sept dates seulement, à Philadelphie, New York, Londres, et au Montreux Jazz Festival), elle est encore trop longue. Ces concerts devraient être merveilleux, mais j'ai la tête ailleurs. Pire encore, dès que je suis sur scène, inexplicablement, j'ai du mal à me souvenir des paroles de ces chansons avec lesquelles j'ai pourtant grandi.

J'essaie de ne pas laisser cette mésaventure ternir le plaisir que me procure cet album. *Going Back* est le portrait intime et honnête d'un artiste de cinquante-neuf ans en tout jeune homme. La pochette ne dit pas autre chose : c'est une photo de moi à l'âge de douze ou treize ans, portant une belle chemise et une cravate, assis dans le salon du 453 Hanworth Road, derrière ma batterie Stratford.

L'album sort deux mois après ces concerts, en septembre 2010. Mon huitième opus solo devient numéro un au Royaume-Uni ; c'est mon premier album d'inédits à s'installer en tête des charts depuis *Both Sides*, dix-sept ans plus tôt. Collins est de retour ! Mais il ne compte pas s'éterniser.

Going Back, l'album-hommage qui me tenait à cœur depuis toujours, sera le dernier. Mon contrat avec Atlantic aux États-Unis a pris fin. De toute façon, je n'ai plus guère d'affinités avec cette maison. Depuis le décès d'Ahmet, l'ambiance a complètement changé. Les liens entre eux et moi, en solo comme avec Genesis, se sont effilochés à mesure que les dirigeants se sont succédé. C'est ainsi, je m'en rends compte, que fonctionne désormais le marché du disque. Je n'ai plus rien à voir avec ce monde-là.

Malheureusement, l'autre monde dont je pensais pouvoir faire partie ne me manifeste pas un amour délirant. La comédie musicale *Tarzan* n'a pas suscité l'afflux de commandes théâtrales escompté.

Tout bien considéré, à la fin de l'année 2010, je commence à me dire que j'ai fait mon temps. Ma carrière scénique s'est finie en queue de poisson avec les décevants concerts de *Going Back*. Ça ne m'empêche pas de vivre, mais un peu quand même.

J'accepte de répondre une dernière fois à l'appel de la scène. Mon bras et ma main gauches ne sont toujours pas complètement opérationnels, mais je vais remonter provisoirement sur le ring. Je suis invité à jouer avec Eric pour un concert de gala du Prince's Trust programmé à Londres le 17 novembre 2010. Je ne suis pas sûr d'être prêt. Mais je connais Eric depuis longtemps, et le Prince's Trust depuis plus longtemps encore. Je ne peux pas leur dire non.

Pourtant, à peine assis derrière la batterie, je prends conscience de mon erreur. Nous ne jouons qu'un seul morceau ensemble, « Crossroads », mais c'est le morceau de trop. Je n'ai aucune sensation. Je me dis : *Je ne jouerai plus jamais de batterie.*

Donc voilà. J'ai quitté mon groupe. La batterie m'a quitté. Mon avenir radieux à Broadway s'annonce moins radieux que prévu. Pour la troisième fois, mon mariage est à l'eau. Ma petite amie est coincée à New York. Ma vie est vide.

Avec quoi vais-je la remplir ?

J'ai une idée : je vais prendre un verre.

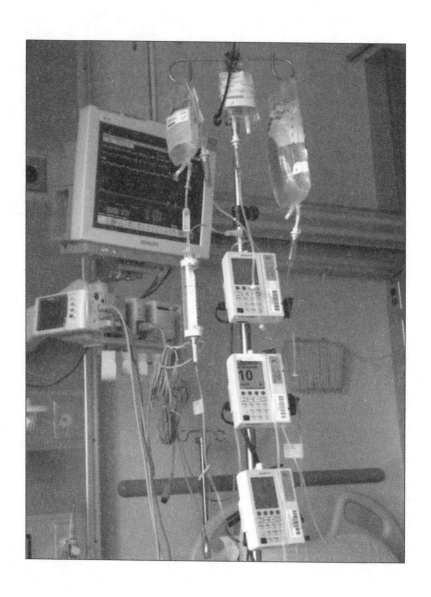

21

Camisole de rigueur

Ou : comment j'ai failli me noyer dans l'alcool

Il y a dans ma vie un trou, une béance : au lieu d'avoir du travail, j'ai maintenant du temps. Beaucoup de temps. L'idée de cesser de travailler pour être avec les garçons va se révéler totalement absurde et néfaste. Elle ne réussira qu'à désorganiser ma vie. Presque jusqu'à la détruire.

Mais n'anticipons pas.

Début 2006, je suis seul au Peninsula Hotel de New York où je travaille sur la comédie musicale *Tarzan*. J'y passerai près de six mois en solitaire. Orianne et les garçons sont repartis en Suisse. Je rentre de temps en temps, mais pas assez souvent.

Si je ne parle pas aux garçons tous les jours, je suis à cran. Je m'inquiète ; *Oh ! là là ! qu'est-ce qu'ils doivent se dire ?* Et naturellement, quand je les ai au téléphone, j'ai du mal à leur tirer deux mots :

— Comment ça va, l'école ?

— Bien.

Les plus grands ont aussi besoin que je leur parle. « Je sais que je suis presque une adulte, papa, m'a dit un jour Lily, mais j'ai encore besoin que tu me dises que tu m'aimes. »

Pourquoi est-ce que je ne rentre pas chez moi ? Bonne question. Je dois me sentir tellement pris par ce travail que je perds des yeux l'essentiel. Ce n'est pas pour rien que je me dispute sans cesse au téléphone avec Orianne.

Quand je retourne en Suisse la fois suivante, c'est pour ressortir célibataire du tribunal de Nyon. La première pensée qui me vient est celle-ci : *Mon Dieu. À l'heure qu'il est, Nicholas et Mathew sont à l'école et à la crèche. Et ils ne se doutent pas un seul instant que leur vie a changé.* Cette idée ne me quitte pas. Nic a quatre ans ; il sait que sa maman et son papa se sont un peu disputés. Mais c'est tout.

Je m'en veux beaucoup. Que faire ? Divorcé, égaré, désespéré, orphelin de mes enfants pour la troisième fois, j'évite de me disperser. Je m'immerge dans le projet Disney, et je m'immerge dans le Bar Centrale sur la 46ᵉ Rue, à deux pas du Richard Rodgers Theatre. C'est un repaire de gens de théâtre. Il faut réserver, mais notre producteur, Tom Schumacher, également président de Disney Theatrical, y a sa table. Un rituel quotidien se met donc en place : le matin, je vais du Peninsula au Richard Rodgers et, le soir, je vais au Bar Centrale.

Je commence à dévaliser le minibar – trois verres plutôt qu'un au retour du Centrale. De temps en temps, je croise le type qui l'approvisionne. « Vous alors, vous aimez la vodka ! » Pas plus qu'autre chose, en fait ; à l'époque, j'aime tous les alcools dès l'instant où ils endorment ma douleur. Je fais un sort aux mignonnettes, puis aux demi-bouteilles, puis je vide le reste. Bon, je laisse le scotch. Je ne bois pas tout. J'ai soif, mais pas tant que ça. Pas encore.

Mais quand on siffle les mignonnettes au goulot, debout à côté du frigo, c'est mauvais signe. Pourquoi salir un verre, puisque je n'ai pas besoin d'ajouter d'eau gazeuse ? Au moins, je ne rapporte pas de boissons de l'extérieur. Ça viendra, quand j'aurai mon appartement à New York.

En fin de semaine, quand je ne travaille pas, je m'offre ce que j'appelle un « week-end perdu », en hommage au personnage que joue Ray Milland dans le formidable film de Billy Wilder de 1945. Je bois, je dors, j'attends qu'on refasse le plein du minibar. Même quand je travaille, je prends parfois un verre avant d'aller aux répétitions. Œufs pochés et vodka, à même la bouteille, à 10 heures du matin.

Que ce soit clair : je ne picole jamais pendant le travail. Je suis professionnel, donc boire en travaillant, pas question. Du coup, j'éprouve le besoin de me rattraper en dehors.

Ce qui m'inquiète, c'est que ma tolérance a grimpé en flèche. La vodka ne me fait plus d'effet. Combien dois-je en boire avant de ressentir quoi que ce soit ? Nul ne le sait, pas même Danny Gillen, toujours à mes côtés, toujours à ramasser les morceaux, toujours là pour moi.

« Tu es sûr que tu en veux encore un ? », me demande timidement Danny. Mais il ne peut intervenir que quand il me voit boire. Le problème pour les autres, c'est que j'opère en cachette. C'est ce que Robin Williams racontait quand il parlait de sa période cocaïne. Pour lui, ce n'était pas une drogue sociale, puisqu'il rentrait chez lui pour en prendre tout seul. Je fais pareil avec l'alcool.

Certaines personnes deviennent mauvaises en buvant, tristes, agressives ou survoltées. Pas moi. Moi, je suis juste heureux. En fait, *je pleure à l'intérieur*. Le cliché dit vrai : je noie, au sens propre, mon chagrin dans l'alcool. Je ne me sens pas spécialement mieux quand je bois. En revanche, je dors. Et quand je dors, je ne pense à rien. C'est ça, le but des « week-ends perdus ». Je m'assomme pendant quarante-huit heures jusqu'au moment où il faut regagner le sanctuaire du travail. La béance que j'ai dans ma tête, le trou que j'ai dans ma vie, je les remplis d'alcool.

Après six mois passés au Peninsula – à ce moment-là, j'aurais pu acheter l'établissement uniquement avec ma note de bar – et après avoir mis *Tarzan* sur les rails, je repars pour la Suisse.

Comme je n'ai pas de toit, je m'installe dans un hôtel de Genève ou dans plusieurs autres de Nyon. Jour après jour, j'essaie d'être présent auprès des garçons, mais bien souvent, ça se résume à des allers et retours à l'école. Et, soir après soir, je me retrouve allongé sur mon lit, à contempler par une lucarne le ciel gris de Suisse en maudissant ma vie. Je n'ai personne, hormis mes bons copains Johnny Walker et Grey Goose. *Tu as tout, me dis-je, mais, en fait, tu n'as que dalle.*

Mon esprit chavire, obsédé par une vieille interrogation familière : *À quoi pensent mes mômes quand les lumières s'éteignent le soir ?*

Finalement, en novembre 2007, j'achète la maison de Féchy, à un quart d'heure en voiture de celle des garçons. Pour la première fois en quarante-cinq ans, mes journées sont longues et vides. J'écoute d'une oreille distraite un Tony Smith inquiet, qui voudrait bien savoir ce que je fais en dehors d'être vautré sur le canapé, de regarder le sport à la télé et de descendre des bouteilles de vin. Ce n'est pas tout à fait la retraite que j'imaginais, mais il faudra faire avec.

N'allez pourtant pas croire que je sois tout le temps bourré. Ma vie s'organise je dois aller chercher les enfants à la sortie de l'école et ils passent chez moi de longs week-ends ou des vacances. J'ai donc encore cette responsabilité : je dois conduire. Et si je dépasse la dose, c'est Lindsey Evans qui prend le relais. C'est notre infatigable et fidèle nounou, mais je pense qu'elle ne s'attendait pas à materner trois petits garçons.

Et voilà ce que va être pendant quelques années mon quotidien, un vol éthylique à basse altitude, entrecoupé de quelques escales professionnelles et de détours occasionnels par New York pour voir Dana. En prévision d'autres commandes de Broadway, j'avais acheté un appartement sur Central Park West. Nous y passons beaucoup de temps, sortons voir de nouveaux spectacles ou dîner au restaurant. Je n'ai jamais caché qu'Orianne et moi n'aurions pas dû divorcer, et Dana semble le comprendre.

C'est alors que, sans crier gare, Orianne m'annonce en mai 2012 qu'elle part s'installer aux États-Unis. Elle et son nouveau mari veulent refaire leur vie là-bas. Ils pensent à Los Angeles. *Pas si vite, bordel !* me dis-je. J'interviens :

– Los Angeles, pas question ! Dix heures de vol pour voir mes enfants, je ne veux pas revivre ça.

Orianne sait comme tout le monde que j'ai déjà souffert à deux reprises d'un tel éloignement (Joely et Simon étaient à Vancouver, Lily à Los Angeles).

— Je ne vais pas me laisser faire, lui dis-je.

— D'après les avocats, tu ne peux pas t'y opposer, me répond Orianne après avoir consulté le dossier de divorce.

Ils décident donc de partir et, « heureusement », choisissent Miami. C'est tout en bas des États-Unis, mais au moins du « bon » côté (celui de l'Europe). On se console comme on peut.

C'est l'été 2012 et les enfants sont toujours en Suisse, mais plus pour très longtemps. À la suite de violents maux d'estomac, je suis conduit à la clinique de Genolier. Le verdict du Dr Loizeau est immédiat et sans appel : pancréatite aiguë due à la boisson. Je dois me faire traiter d'urgence à l'hôpital universitaire de Lausanne, mieux équipé pour prendre en charge quelqu'un dans mon état.

Cet « état » préoccupe visiblement les médecins : je dois rejoindre au plus vite l'unité de soins intensifs de Lausanne et c'est donc un hélicoptère médicalisé qui m'y amène. Mon séjour là-bas – probablement de deux ou trois semaines – va me paraître une éternité. Le temps ne passe pas vite quand on n'a rien à boire.

Il ne s'agit pas d'une désintoxication au sens propre du terme (et quand on est un gros buveur, on apprend à faire ce genre de nuance – « Oh, moi, j'ai bu qu'un petit verre… »). Sur l'insistance de Lindsey, Dana et Tony, je me mets pourtant en quête de centres de désintoxication, mais sans grand enthousiasme. Je n'en ai pas besoin. Je peux m'arrêter quand je veux. D'ailleurs, je m'arrête – plusieurs fois. Je suis devenu très fort pour m'arrêter. Mais encore plus fort pour recommencer.

À l'hôpital, je suis relié à un arsenal de machines qui clignotent et font bip-bip. Mais même la meilleure technologie du monde risque de ne pas être suffisante : mon pancréas est sur le point de rendre l'âme et, semble-t-il, moi aussi.

Les soins intensifs, c'est vraiment l'horreur. Comme mon traitement est très lourd, je fais des rêves atroces. Je ne peux pas bouger à cause des fils et des tuyaux qui me sortent du nez, du cou et du pénis (on m'a posé une sonde). Dieu merci, je n'ai pas de poche de colostomie et je dois, disons, me débrouiller tout seul. Aller aux toilettes est un cauchemar car à la honte de l'humiliation publique – je suis en soins intensifs, mais pas en chambre individuelle – s'ajoutent la douleur et l'épouvantable difficulté à traîner derrière moi un enchevêtrement de tubes reliés à presque tous mes orifices.

Mais ce n'est pas le pire. Le pire, c'est d'être bloqué et ligoté dans cet hôpital au moment où Nic et Matt quittent la Suisse pour commencer une nouvelle vie à Miami. Je ne pourrai même pas leur dire au revoir. D'une part, parce qu'à cause des correspondances entre les vols ils doivent partir à 4 heures du matin. D'autre part, parce qu'Orianne me dit à juste titre :

– Je ne veux pas que les enfants te voient dans cet état.

Mes petits quittent le pays – émigrent – et leur papa ne peut même pas les embrasser.

Mon cœur et mon âme sont écrasés de douleur et de culpabilité, encore que, côté douleur physique, ce soit devenu supportable : je suis sous morphine jusqu'aux yeux.

– Mademoiselle, je pourrais en avoir un peu plus, s'il vous plaît ?

– Vous avez mal ?

– Oh, un petit peu…

– Alors, d'accord.

Une nuit, gorgé d'opiacés, intubé (et entubé) de partout, je tente de tout arracher. Les alarmes retentissent et les infirmières accourent. Je me fais copieusement engueuler. Normal, car mon sort est suspendu à ces fils et ces tuyaux-là ; je suis littéralement branché sur le générateur de secours de la vie.

Après m'être abruti de boisson, me voilà abruti de médicaments et, sans que j'en aie conscience, je suis tellement faible que plusieurs médecins entraînent Lindsey doucement mais fermement à part pour lui demander : « Le testament de M. Collins est-il en ordre ? »

Deux semaines passent.

— Je peux retourner à Genolier aujourd'hui, s'il vous plaît ? demandé-je à la chef de service, le professeur Berger.

— Non, demain peut-être.

Je n'en peux plus d'être ici. Un samedi soir, des motards accidentés arrivent dans mon service. À travers le mince rideau qui sert de cloison, j'entends gémir et râler, et je comprends qu'à deux mètres de moi il y a un type salement amoché. Je n'ai pas besoin de ça pour faire de mauvais rêves.

Heureusement, durant toute cette période, Dana est constamment présente à mon chevet. Grâce un patron compréhensif, elle a pu obtenir un congé exceptionnel. Elle est là quand je me réveille et encore là quand je m'endors. Ça m'aide un peu.

Finalement, on me libère et je reprends une vie à peu près normale. Je dois suivre toutes sortes de traitements – pour soigner l'hypertension, le pancréas, le cœur… Et contre l'avis des médecins, l'avis des non-médecins et le simple bon sens, je recommence à boire – à petites doses. À petites doses, *au début*. Que faire d'autre ? Ma famille m'a quitté et, seul ou presque à Féchy, je tourne en rond. Dana vient passer quelques jours, Lindsey me rend de courtes visites alors que, les enfants n'étant plus là, elle n'a aucune raison de le faire. Mais je sais pourquoi, elle veut s'assurer que je ne suis pas mort.

Comme mes fils sont maintenant à Miami, c'est à moi d'aller les voir. Ce qui va être l'occasion d'un vol particulièrement agité. Après avoir touché le fond, je vais atteindre les sommets.

* * *

Lindsey, Danny et moi avons prévu de voyager jusqu'à New York avec Swiss International Air Lines, puis de rallier Miami en jet privé. Lindsey arrive à Féchy pour m'emmener à l'aéroport de Genève.

— Vous allez bien ? me demande-t-elle.

— Évidemment !

Je vais parfaitement bien car, en me levant, j'ai fini un fond de bouteille de la veille. Je n'ai aucun état d'âme à commencer ma journée en ouvrant le congélateur pour m'envoyer quelques gorgées de vodka – *ouh, ça pique !* – avant de passer à autre chose.

Comme le vol est à midi, nous sommes dans le salon de Swiss vers 10 heures. Depuis quelque temps, Lindsey et Danny jouent les gendarmes, mais j'ai tout repéré – « tout », c'est-à-dire l'alcool gratuit – et je sais comment faire, et comment faire vite. Pendant qu'ils sont partis chercher des cafés, je m'éclipse. Une petite rasade vite fait. Puis une autre. Debout à côté du frigo, je siffle la vodka au goulot. Ils ne peuvent pas me voir, il n'y aura pas de preuves.

C'est alors que ça se gâte un peu, si ce n'était déjà fait. Le nouveau patron de Swiss entre pour me saluer. *Il semblerait* que je sois assis en travers de mon fauteuil. En tout cas, je ne me lève pas pour lui dire « Enchanté » et discuter deux minutes, ce que j'aurais fait en temps normal. Je fais juste preuve d'une grossièreté inhabituelle qui met tout le monde mal à l'aise.

Le patron de Swiss repart. On embarque.

– Un verre de champagne, M. Collins ?

– Avec plaisir !

Cela dit, je ne suis pas soûl. *Je jure que je ne suis pas soûl.* Mais d'après le compte rendu que Lindsey me fera ensuite, je ne veux pas relever mon dossier pour le décollage. Je m'y refuse catégoriquement. Avant même que nous ayons quitté la porte d'embarquement, je vois le commandant de bord penché au-dessus de moi. Je n'y avais pas pensé, mais mon état visiblement anormal a dû l'alerter. Avons-nous besoin d'une assistance médicale ? Lindsey et Danny, fidèles à eux-mêmes, incriminent, pour me couvrir, un genou récalcitrant. Ce sont les médicaments, je vous assure, commandant.

Ils sont obligés de boucler la ceinture à ma place, soulagés à l'idée que, dans quelques minutes, tout le monde inclinera son dossier. Ce duo de choc passe ensuite les huit heures de ce vol transatlantique à me surveiller du coin de l'œil.

Je n'ai aucun souvenir de ce vol, pas plus du décollage que de l'atterrissage ou des huit heures écoulées entre les deux.

Mais le pire est à venir.

Quand nous nous posons à New York, on m'évacue en fauteuil roulant. Car bizarrement, sans que je comprenne pourquoi, je ne parviens pas à me réveiller et, en tout cas, je suis incapable de marcher. Nicoletta, la charmante Roumaine qui accueille les passagers de première classe, me conduit à un salon pour prendre la correspondance avec Miami. Autre voyage dont je n'ai aucun souvenir.

À ce moment-là, *il semblerait* que je sois grognon, voire plus… (en réalité, je l'apprendrai après, je suis infect). Arrivés à Miami, direction le W Hotel. Des coups de fil ont dû être passés car Orianne est au courant. Elle arrive, morte d'inquiétude, avec Nic et Matt. Elle veut me déposer les garçons pour le week-end sympa que nous avons prévu. Dana, prévenue elle aussi, met aussitôt le cap au sud depuis New York pour se joindre à la fête.

Et moi dans tout ça ? Gai comme un pinson. « C'est quoi le problème ? »

Me voici donc dans ma chambre. Une chambre de W Hotel comporte une cuisine et, dans cette cuisine, il y a du whiskey. Je le débouche et m'en sers deux-trois verres. Ce qui montre bien la résistance que j'ai acquise : j'ai ouvert les hostilités – enfin, les bouteilles – avant même de quitter la Suisse, il y a environ dix-huit heures.

Le mari d'Orianne vient chercher les enfants. Ils sont désorientés. « Mais qu'est-ce qu'on fait ? Qu'est-ce qu'on fait ? Papa est là ! »

Entre le moment où ils repartent avec leur beau-père et celui où Francesca, une amie médecin d'Orianne, arrive, j'entre dans la salle de bains, je retire mes chaussures, je glisse sur mes chaussettes et sur le tapis de douche, et me fracasse par terre dans un bruit assourdissant.

Je sors de la salle de bains en titubant et Francesca m'ordonne de m'asseoir. Je vais m'allonger sur le lit, mais j'ai trop mal.

— On va t'emmener à l'hôpital, me dit-elle.

Plus tard, j'apprendrai que j'ai une côte fracturée. Et que la côte fracturée a perforé un poumon.

Je proteste encore.

– Je n'ai rien fait de mal ! Je suis venu voir mes enfants !

Mais le médecin ne veut rien savoir. J'ai des étourdissements, ce qui, même pour un buveur de ma trempe, est inhabituel. Je commence à m'interroger sur les effets conjugués de mes médicaments (dont le Klonopin, un puissant tranquillisant) et de l'alcool.

Soudain, deux costauds entrent dans la chambre.

– Je ne veux pas aller à l'hôpital !

– Si, vous allez y aller. Ces messieurs vont vous aider.

Je pense à Mlle Ratched, l'infirmière de *Vol au-dessus d'un nid de coucou*.

Ils m'« aident » donc, sans ménagement et en m'invectivant, à m'asseoir dans le fauteuil roulant et me conduisent au rez-de-chaussée. Lindsey est sur nos talons. Elle vit son pire cauchemar.

Dans le hall du W, la directrice, si gentille et attentionnée à mon arrivée, a maintenant l'air plutôt tendue :

– Tout va bien, M. Collins ?

Comprendre :

– De grâce, ne mourez pas ici !

Entre-temps, Dana est arrivée de New York pour m'entendre dire :

– Je voudrais ma maman.

Ma mère est morte en novembre de l'année précédente.

On me transporte au Mount Sinai Hospital et on m'abandonne dans une chambre. Un autre costaud y est déjà assis.

– Vous pouvez y aller, lui dis-je. Ça va mieux.

– Eh non, je suis là pour la nuit.

– Quoi ? Mais si je vais aux toilettes, si je pète, vous êtes là aussi ? J'ai pas besoin de vous.

Mais en regardant mon poignet, je vois un bracelet : « Dangereux ». Dangereux, catégorie « susceptible-de-sauter-par-la-fenêtre ». Lui est là, avec sa lampe torche et son livre, pour éviter que je ne me fasse du mal ou que j'en fasse à d'autres.

Le lendemain, je suis prêt à sortir. J'ai une conversation avec le médecin.

— Je ne peux vous laisser sortir que si vous partez en cure de désintoxication.

— Je pense que ça ne va pas être possible.

Je regagne le W Hotel où, assez curieusement, on veut bien encore de moi. Dana et Lindsey sont là toutes les deux, et toutes les deux en larmes. Elles ne peuvent plus continuer comme ça. Elles me disent que c'est *moi* qui ne peux plus continuer comme ça. Les garçons aussi sont inquiets.

En Suisse, ils m'ont vu boire. Un jour, Nicholas avait donné à Lindsey un sage conseil : « Je crois qu'on devrait arrêter d'acheter des boissons à papa. »

Une phrase terrible à entendre pour Lindsey de la part d'un enfant de dix ans, et une image tout aussi terrible à garder d'un père.

Ils m'ont aussi vu tomber à Féchy. Pas tomber ivre mort : là encore, c'était l'association funeste du Klonopin et de l'alcool qui perturbait mon équilibre. Je me levais pour les prendre dans mes bras et là, *paf,* mes dents se sont plantées dans le carrelage du séjour. Il y a toujours la marque par terre, et mes dents sont toujours ébréchées. Ma lèvre ensanglantée a mis longtemps à cicatriser, mais ce qui n'a pas cicatrisé, c'est le souvenir de Mathew s'écriant : « Lindsey ! Oh ! là, là ! Oh ! là, là ! Papa, il est tombé ! »

Ce qui explique que, à ce moment-là à Miami, tout le monde m'incite à faire une cure de désintoxication. Mais je reste ferme. Je veux m'en sortir tout seul. Et je *peux* m'en sortir tout seul.

Ils insistent, Tony Smith s'y met aussi. Il me dit qu'il connaît une certaine Claire Clarke qui tient une clinique, Clouds House, dans le Dorset. Vais-je l'appeler ?

Je lui dis que oui, mais sans rien lui promettre.

— Bonjour, Phil, me dit-elle.

C'est une femme charmante et une professionnelle expérimentée, habituée aux personnes dépendantes et aux dépendants en rémission. Eric a fait un séjour à Clouds, Robbie Williams aussi. Ce n'est pas pour autant un centre réservé aux célébrités. Claire m'explique que les gens le voient plutôt comme une pension.

— Je pourrai partir quand je veux ?

— Bien sûr que oui.

Lindsey me répète qu'elle n'en peut plus :

— Je ne tiens pas à vous trouver un beau jour allongé là, mort.

— Tu vas y laisser ta peau ! ajoute Dana.

L'argument fait mouche. Le lendemain, je rappelle Claire :

— C'est d'accord.

Un jet privé me conduit de Miami à Bournemouth – ce n'est pas la liaison la mieux desservie de la planète. Dans l'avion, je m'accorde une sieste. Mais d'abord je demande à Dana :

— Tu m'autorises un dernier verre ?

— Oui.

Je savoure mon verre de vin avec cérémonie. Je pense qu'on le fait tous, puisqu'on a toujours quelque chose à arroser. Enfin, c'est ce qu'on se dit.

À la descente de l'avion, une voiture nous conduit à Clouds. Notre chauffeur, David Lane, qui me connaît depuis des lustres, n'en revient pas. Il ne m'a jamais vu boire.

« Eh, mais où est-ce que j'emmène Phil, là ? » semble-t-il se dire.

Encore une personne de ma galaxie à qui la nouvelle fait l'effet d'un tremblement de terre.

Quand vous arrivez à Clouds, vos accompagnateurs patientent à l'écart pendant qu'on vous fait visiter les lieux. Là encore, en croisant les pensionnaires, je pense à *Vol au-dessus d'un nid de coucou*.

— Et ça, Phil, ce sera votre chambre.

— Je ne peux pas avoir une chambre pour moi tout seul ?

— Bon, on va arranger ça.

— Je veux ma chambre à moi, insisté-je. Je n'ai pas envie de me retrouver avec un autre cinglé.

Quand je reviens vers Lindsey et Dana, je leur annonce en haussant les épaules que je vais rester. Elles poussent toutes les deux un soupir de soulagement. Tout le monde pleure.

— Tu es sûr que tu ça va aller, Phil ?

— Je pense...

Mais je n'en suis pas sûr.

L'infirmière prend mes bagages et commence à les inspecter.

— Peu importe qui vous êtes. On fouille tout le monde.

— Quoi ? Vous me soupçonnez d'avoir planqué de l'alcool ? Je n'ai rien apporté avec moi.

Elle me confisque tous mes médicaments. Elle va les remettre aux médecins de la maison, qui me prescriront « quelque chose de médicalement mieux adapté ». Le reste disparaît dans un placard fermé à clé. Mon impression d'être incarcéré grandit.

On me conduit à ma nouvelle chambre, où je découvre un second lit.

— Je ne veux personne dans celui-là ! ordonné-je d'un ton sec.

— Entendu, vous serez tranquille pendant quelques semaines.

— Parce que vous comptez me garder combien de temps ?

— Quatre semaines. Ou six.

Je ne sais pas si je tiendrai.

Comme j'ai des problèmes médicaux – la pancréatite, la côte – et des problèmes d'alcoolisme, on me met juste à côté de l'infirmerie. Malheureusement, dans cette vieille institution (on n'est effectivement pas loin de la pension), l'infirmerie est le lieu où tout le monde fait la queue à 6 heures pour les médicaments du matin et à 23 heures pour les médicaments du soir. Du coup, je ne peux jamais m'endormir avant 23 heures et je suis toujours réveillé à 6 heures. En plus, quand les gens sortent fumer après dîner, ils se réunissent juste sous ma fenêtre.

Les raisons de maudire cet endroit – et de me maudire moi-même d'y avoir atterri – s'accumulent. Enfin, heureusement que j'ai ma trousse de survie secrète. J'ai apporté des somnifères – légers, sous forme homéopathique – et un téléphone. On m'a retiré mon iPhone, mais mon vieux Sony Ericsson a échappé à la fouille. Je dois le recharger avec beaucoup de discrétion pour pouvoir appeler les enfants tous les jours. Je m'efforce de rester un bon père, même derrière les barreaux.

J'assiste à la « prière du matin », moment de confession collective entre déballage intime et autoflagellation. Ce genre de thérapie de groupe ne me pose aucun problème, mais c'est incroyable les gens qu'on y rencontre, de l'authentique désaxé à la femme au foyer.

Au petit déjeuner, au déjeuner et au dîner, chacun s'assied plus ou moins à la même table avec le même groupe. Il y a là une femme charmante, Louise, la quarantaine bien tassée et bien fatiguée. C'est son mari qui l'a placée ici en lui disant que si elle n'arrêtait pas de boire, elle ne verrait plus sa fille. Très triste. Et très inquiétant : ça pourrait bientôt m'arriver.

Il y a même un journaliste du *Sun*. Je suis convaincu de me retrouver à la une de son canard, mais je m'aperçois qu'il est très gentil. Le fait d'être ici met tout le monde au même niveau.

J'invite Pud et Danny à me rendre visite.

« C'est pas toi, ça ! s'exclament-ils tous les deux. Toi, t'as pas ce genre de problème. Tu peux t'arrêter. T'as pas besoin de ça. »

On me donne des devoirs à faire. Je dois raconter une histoire personnelle et rendre ma copie dans un mois. Par où commencer ? « Je m'appelle Phil Collins, j'ai vendu des millions d'albums… » Mouais, celle-là, tout le monde la connaît. C'est une super histoire. Mais j'ai beau être Phil Collins, avoir vendu des disques à la pelle et gagné un Oscar, je suis ici pour me désintoxiquer, pour tenter de résoudre un problème d'alcoolisme. Comme tous les autres.

Tony Smith m'appelle :

– Eric va venir te voir.

– Dis-lui non, s'il te plaît. Je n'ai envie de voir personne.

Mais au bout d'une semaine, je n'en peux plus. J'appelle Danny sur mon portable de contrebande :

– Prends la voiture et viens me chercher.

Béni soit Danny : il est logé dans un bed and breakfast à quelques kilomètres de là.

— Et tâche de me réserver un avion parce que je me barre d'ici et je rentre en Suisse.

C'est *La Grande Évasion*.

— Vous m'avez bien dit que je pourrai partir quand je voudrai, dis-je à Claire.

— Vous êtes sûr ?

— Parfaitement sûr.

— Bon… Je ne suis pas certaine que ce soit si simple. Mais quand voudriez-vous partir ?

— Maintenant ? Demain ?

Il se trouve que mon départ coïncide avec celui, parfaitement licite, de deux autres codétenus. Ils ont purgé leur peine. Moi, je suis libéré à titre provisoire parce que je n'en peux plus, et parce que je pense, à tort, savoir comment m'en sortir.

Après le petit déjeuner a lieu une cérémonie de départ en l'honneur de ceux qui s'apprêtent à réintégrer le monde libre. On se prend dans les bras, on s'embrasse, on chante. Je suis le mouvement, mais comme je n'ai pas joué le jeu, je suis mal à l'aise. Eux ont tiré six semaines. Moi, une seule. Mais, à ma grande surprise (et à mon grand réconfort), tout le monde m'assure que le plus important était de faire le premier pas en venant ici, que je dois en être fier. Je fais de mon mieux pour l'être.

Les papiers remplis, j'attends devant la porte avec mes bagages et Danny arrive. Je salue tout le monde avec toute la courtoisie dont je suis capable et monte dans la voiture.

— Danny, roule le plus vite possible.

J'ai l'impression d'être Patrick McGoohan dans *Le Prisonnier*. Le gros ballon blanc va nous rattraper et me ramener là-bas.

On roule pendant un temps interminable, on arrive à l'aéroport et je monte à bord. Je n'ai jamais été aussi heureux de ma vie de prendre un avion. De partir.

* * *

Nous sommes en novembre 2012 et je reste une semaine sans boire une goutte d'alcool. Plus de tics. Plus de *delirium tremens.* Mais je commets sûrement un petit écart car, le 15, je me retrouve en bas des dix-huit marches de l'escalier en béton de Féchy. J'ai l'arrière de la tête ouvert, je baigne dans une mare de sang et, en moins de temps qu'il n'en faut pour fredonner « Smoke on the Water », je suis de retour à la Clinique de Genolier.

Peter Gabriel m'appelle pour prendre de mes nouvelles. Tony Smith, Tony Banks et Mike Rutherford viennent me voir. Je suis très touché. Je suis aussi très gêné. Du sang échappé de mes plaies tache l'oreiller et tout le monde profite du spectacle.

Après avoir pris de sérieuses résolutions, je décide d'emmener Nic et Matt en vacances et je réserve pour nous quatre (l'indispensable Lindsey nous accompagne) sur les îles Turques-et-Caïques. Jamais je ne me suis senti aussi loin de mes garçons – un séjour avorté dans un centre de désintoxication aux allures de prison peut provoquer cette impression – et j'ai à cœur de me rapprocher d'eux le plus possible.

Hélas, pendant ces vacances, malgré tout ce que j'ai enduré – malgré tout ce que je leur ai fait endurer –, je me lâche carrément.

Même s'il me faut raconter cet épisode, je ne tiens pas à m'en souvenir. Mes fils non plus. Si j'évoque les îles Turques-et-Caïques devant Nic ou Matt, ils m'arrêtent :

« Ne nous parle plus de cet endroit, on n'ira plus jamais. »

On y était déjà allés en vacances l'année précédente pour l'anniversaire de Nic et on avait passé un très bon séjour. Mais cette fois-ci, au moment de notre départ, ma consommation d'alcool est repartie à la hausse. En plus du Klonopin, je prends aussi des médicaments contre l'hypertension.

Nous louons une adorable maison en front de mer sur Parrot Cay. Keith Richards, qui occupe la propriété voisine avec sa famille, est encore à fond dans son rôle de père de Jack Sparrow. Quand on habite à côté de chez Keith Richards, il faut le vouloir pour être considéré comme le plus déréglé des deux. Non, je n'en tire aucune fierté.

Il n'y a pas de bar sur la plage où nous louons notre petite villa, mais, pas de problème, la cuisine est bien fournie : tequila, vodka, whiskey, rhum…

Le whiskey ne fait pas long feu. Quand je peux, je l'absorbe à l'abri des regards, mais pas toujours.

— C'est quoi, ça, papa ?

— C'est la boisson de papa.

Je me rends compte que s'ouvre devant moi un boulevard – ou, plutôt, une impasse – quand je me lance dans un « week-end perdu » aux proportions dantesques. La femme de ménage de la maison voit passer toutes les bouteilles vides (« Vous, alors, vous aimez le whiskey ! »), mais, imperturbable, je continue sans honte ni mesure. Le whiskey épuisé, je m'endors. Lindsey me réveille pour me dire qu'elle emmène les enfants à la plage.

— Vous voulez venir ?

— Non, je vais rester ici.

Je retombe dans un sommeil catatonique et finis par me réveiller à 4 heures. Merde, c'est aujourd'hui qu'on part ! Je me lève, fais mes bagages à toute vitesse et sors de ma chambre. Je hurle, « Vous êtes là ? Lindsey, Nic, Matt, vous êtes là ? Il faut qu'on y aille ! ». Mais je ne vois personne. J'ai un déclic : c'est le matin. Il n'est pas 4 heures de l'après-midi, mais 4 heures du matin. Et on n'est là que depuis la veille.

Si Lindsey était inquiète avant, elle est à présent folle d'angoisse. Elle s'attend depuis longtemps à tomber sur mon corps sans vie, mais, ce week-end-là, elle voit les garçons découvrir un papa qui n'est pas leur papa. Elle a peur pour moi, et elle est terrifiée pour eux. En fin de matinée, elle m'adresse un ultimatum :

— Trop, c'est trop, Phil. Je vais devoir appeler un médecin. Parce que je crois que vous avez vraiment des problèmes.

— Si vous y tenez… Mais, pour moi, tout va bien.

Lindsey appelle aussi Dana à New York.

— Il est dans une très mauvaise passe, lui dit-elle. C'est peut-être encore pire qu'avant.

Elle appelle ensuite le Dr Timothy Dutta, lui aussi à New York, qui l'a déjà conseillée, ainsi que Dana, sur la conduite à tenir envers moi et mon comportement manifestement suicidaire.

Le médecin de la station touristique est le Dr Nurzanahwati. Elle vient m'examiner et je ne lui fais pas bonne impression. Je suis un danger pour moi-même et, semble-t-il, un fardeau pour la station : si les choses tournent mal, ils se retrouveront tous sur le banc des accusés. Et moi, aux urgences. Voire pire.

— M. Collins, votre rythme cardiaque est très élevé. Comment aviez-vous prévu de rentrer ?

— On a un avion privé pour nous ramener à Miami.

Danny est capable d'organiser n'importe quoi au pied levé. Je me fous de l'argent. Je vais lui dire de tout faire pour que cette toubib me lâche.

— Avant que je vous laisse quitter l'île, vous allez m'accompagner pour voir un autre médecin, m'ordonne le Dr Nurzanahwati.

— Mais pourquoi ? me dis-je. Si j'ai mon propre avion ! Mais je cède.

— OK, je vous suis.

Les vacances n'ont commencé que depuis quarante-huit heures et elles sont déjà à l'eau (contrairement à moi). Selon le Dr Nurzanahwati, mon état réclame une prise en charge urgente – qui dépasse les compétences de l'hôpital de l'île.

Je dis à Lindsey de se rendre à l'aéroport avec les garçons. Je les rejoindrai là-bas – je dois d'abord obtenir un certificat m'autorisant à prendre l'avion. J'accompagne le Dr Nurzanahwati jusqu'à un petit cabinet médical et les tests montrent que j'ai *beaucoup* d'alcool dans le sang ; ou, plus précisément, un peu de sang dans l'alcool.

— Je ne peux pas vous laisser partir, me dit le second médecin.

— Qu'est-ce que vous me racontez ? Je repars avec mon avion ! Je dois ramener mes enfants à leur mère à Miami.

Je me suis mis moi-même dans une situation inextricable : je suis tellement mal en point que je dois me faire soigner sur le continent, mais trop mal en point pour quitter l'île.

Quand je mets les garçons et Lindsey dans le taxi, je suis incapable de retenir mes larmes. Ils vont reprendre un vol pour Miami. Je reste en rade, seul une nouvelle fois, avec une sensation de grande fragilité et un incommensurable dégoût de moi-même. Je n'aurai même pas la possibilité de voir les garçons avant leur départ, une situation qui m'est familière jusqu'à la nausée.

Inconsolable, le trio atterrit à Miami et se dirige vers les guichets des douanes et de l'immigration. Lindsey tente d'expliquer à M. Rogers, agent d'immigration d'une exquise gentillesse, pourquoi elle voyage avec deux mineurs portant un nom différent du sien, et avec les effets personnels de son employeur – plus Bobby, le hamster de la famille, qui les accompagnait pour les vacances.

Incroyable mais vrai, M. Rogers croit à l'histoire de Lindsey – notamment au fait que Bobby ne nous sert pas à convoyer de la drogue – et, bientôt, nounou, enfants et rongeur franchissent la douane et rejoignent la voiture venue les attendre.

Quand Orianne les voit arriver sans moi, elle entre très logiquement dans une colère noire.

« Tu t'es montré dans cet état devant les enfants ? » tempêtera-t-elle plus tard au téléphone, et elle aura raison.

Dans la voiture qui revient de l'aéroport, les garçons, encore sous le choc, ont bien sûr beaucoup de questions à poser, mais elles peuvent toutes se résumer ainsi : « Pourquoi il pleurait, papa, et pourquoi il est pas là ? »

Pendant ce temps, sur l'île merveilleuse, on n'accepte de me laisser repartir qu'en avion ou en hélicoptère médicalisé. Je rejoins donc New York dans un hélico sanitaire. À la demande du Dr Dutta, l'appareil me dépose à la porte du New York Presbyterian Hospital sur la 68e Rue.

Là, on me scrute au microscope pendant plusieurs semaines. Et là, je rencontre le Dr Dutta en chair et en os. C'est un homme charmant, l'un des vingt meilleurs médecins du pays. Je lui demande la révision complète des cinquante mille. Il n'y va pas par quatre chemins : « Phil, il ne fait aucun doute que si vous ne faites rien, vous allez mourir. »

Je consulte une thérapeute, le Dr Laurie Stevens, et un spécialiste des addictions, le Dr Herbert Kleeber – tous deux des experts reconnus dans leur domaine. Ils me plaisent, m'inspirent confiance. Finalement, ils pourront peut-être m'aider à retrouver estime et foi en moi-même.

Nous sommes en janvier 2013. Nouvelle année et, je l'espère, nouvel homme.

Le protocole de sevrage imposé par mes médecins comporte un traitement lourd. Ils veulent me faire comprendre que je joue avec ma vie.

Après ma sortie de l'hôpital, je continue à voir régulièrement le Dr Kleeber.

– Je pourrais vous proposer quelque chose, Phil, mais pas tout de suite. Voulez-vous cesser de boire ?

– Ah oui, là, j'en ai vraiment envie.

Il m'expose le mode d'action de l'Antabuse, un médicament prescrit aux alcooliques chroniques : il inhibe une enzyme nécessaire à l'élimination de l'alcool, ce qui signifie que si on boit pendant le traitement, on s'expose à des effets secondaires *très* déplaisants. En gros, on prend un verre et on souffre immédiatement de puissants maux de tête et de nausées. Il me demande de le tenir au courant de mes analyses et, en l'absence de tout alcool dans mon sang, il pourra me prescrire l'Antabuse – mais je devrai faire appel à une infirmière pour me l'administrer.

– Vous savez, vous pouvez me faire confiance, lui dis-je.

– Vous, je vous fais confiance, me répond-il, sans doute à moitié sincère. Je ne fais pas confiance à la maladie.

Mais, une fois de plus, je m'entête :

– Impossible.

Mon mode de vie ne me permet pas d'être opérationnel tous les jours à 8 heures pour qu'une infirmière passe m'apporter mon comprimé. Je dois pouvoir prendre l'Antabuse tout seul.

On finit par trouver un compromis : même si je juge le procédé infantilisant, c'est Dana qui, pendant environ un mois, me donnera ma dose quotidienne.

Finalement, *in extremis* même, le Dr Dutta va me sauver la vie. Grâce à lui, je prends conscience d'être vraiment, clairement, réellement en danger de mort. Mon pancréas est non seulement abîmé, mais il montre des signes de lésions irréversibles.

En définitive, cette raison me paraît suffisante. J'ai envie de voir mes enfants grandir, se marier, avoir eux-mêmes des enfants. J'ai envie de vivre.

Durant cette période pourrie, il y aura quand même eu des moments lumineux : la tournée *Turn It On Again* de Genesis, mon album *Going Back* et les concerts qui l'ont suivi. Mais trop peu.

Enfin sorti des ténèbres, je tiens à remercier mes enfants, tous mes enfants : Joely, Simon, Lily, Nicholas et Mathew m'ont été d'un immense soutien tout au long de cette épouvantable période de ma vie – de notre vie. Merci à eux de m'avoir sans cesse répété « Bravo, papa ! » alors qu'au fond d'eux ils pleuraient peut-être. Merci aussi à Orianne, Dana, Lindsey, Danny, Pud, à ma sœur Carole, à mon frère Clive et à Tony Smith d'avoir aidé une tête de mule à rester en vie. Merci enfin aux médecins et infirmières suisses, américains et britanniques de la patience desquels j'ai abusé.

Quand je la raconte aujourd'hui, cette histoire me paraît absolument terrifiante. J'ai dû attendre l'âge de cinquante-cinq ans pour devenir alcoolique. J'avais traversé la fièvre des sixties, les hallucinations des seventies, la gloire des eighties, les déchirements des nineties. J'étais à la retraite, comblé, quand j'ai sombré. Car soudain j'ai eu trop de temps pour moi. Ce trou béant laissé par le départ forcé de mes enfants, il a bien fallu le remplir. Et je l'ai rempli avec de l'alcool. Et j'ai failli en mourir.

Je fais partie de ceux qui ont eu de la chance.

22

Pas encore mort

Ou : les retrouvailles d'un groupe de cinq musiciens,
d'une famille de quatre personnes
et d'une vie d'homme (au corps meurtri)

Lendemain de gueule de bois. Mon « week-end perdu »
m'a aussi fait perdre quelques années, et presque la vie.
L'heure est venue de réfléchir sobrement, de se demander : comment ai-je pu finir ainsi, seul et à deux doigts de me
noyer au fond d'une bouteille ?

Quand 2013 laisse place à 2014, l'occasion m'est donnée de
méditer sur cette question. Tony Smith me contacte, ainsi que
Tony Banks, Mike Rutherford, Peter Gabriel et Steve Hackett.
La BBC veut réaliser un documentaire sur l'histoire de Genesis
et sur la musique que nous avons créée. Nous en sommes tous
ravis. Beaucoup de films ont été consacrés au groupe durant
toutes ces années, mais, là, il s'agit de la BBC, une institution
qui confère prestige et autorité, un label de qualité qui en
impose au monde entier.

Ce sera un merveilleux prétexte pour nous pencher sur tout
ce que nous avons fait ensemble et séparément, pour renouer
les uns avec les autres – et avec nous-mêmes. Compte tenu
de mes démêlés récents avec la mort, ce projet revêt peut-
être plus d'importance pour moi que pour mes camarades,

et je propose donc à John Edginton de tenter une expérience inédite : pourquoi ne pas nous interviewer tous les cinq ensemble ?

L'idée semble rencontrer un écho favorable chez Tony, Mike, Peter et Steve puisqu'elle est rapidement adoptée et promptement mise à exécution.

Nous nous retrouvons donc tous les cinq en mars 2014, dans une grande pièce toute blanche d'un studio photo de Notting Hill, dans l'ouest de Londres ; c'est la première fois depuis l'échec de notre sommet de Glasgow en 2005, la première fois aussi que notre conversation sera filmée. Quarante ans se sont écoulés depuis que Steve et moi avons rejoint le groupe, trente-cinq depuis que Peter est parti, et nous avons donc pas mal de choses à nous dire. Pourtant, je suis troublé de voir chacun reprendre son rôle : Steve, l'impénétrable, moi, le pitre, etc.

Comme il n'y a aucune décision à prendre, aucun impératif au-dessus de nos têtes, l'atmosphère dans le studio est détendue et rieuse. Chacun se livre à tour de rôle. À un moment donné, Peter déclare :

— Quand on a commencé à être au point, on tenait un truc qu'aucun d'entre nous n'aurait pu faire tout seul.

Pour ma part, je lui avoue quelque chose que, sincèrement, je n'avais jamais pu lui dire en face :

— On a beaucoup raconté que j'essayais de te chasser pour devenir chanteur. Je veux juste que tu saches que ça n'a jamais été le cas.

Je ne soupçonne pas Peter d'avoir pensé que je complotais contre lui avec une jubilation machiavélique. Mais l'occasion est trop belle, devant des caméras, de faire la lumière sur quatre décennies d'hypothèses et de ragots autour de ma « prise de pouvoir » au sein de Genesis. Étonnamment, ma confession n'a pas mis de point final à cette histoire.

La franchise est réciproque. En témoignent les propos de Tony au sujet de mon succès en solo : « C'était génial pour [Phil]. On était amis. On avait envie qu'il réussisse. Mais pas à ce point-là – pas tout de suite, avoue-t-il en blaguant à moitié. Mais [...] on aurait dit qu'il ne voulait pas partir. Il est resté omniprésent pendant une quinzaine d'années. On ne pouvait plus s'en débarrasser. Un cauchemar ! », reprend-il avec un sourire et un haussement d'épaules. Autre remarque importante, il ajoute que Genesis était unique au sens où, pendant très longtemps, chacun de nous a pu jouer avec le groupe tout en menant tranquillement une carrière de son côté. D'où le titre du documentaire : *Together and Apart*[1].

Sur le tournage, pendant une pause-déjeuner, Tony Smith, Dana, Jo, la femme de Steve, et nous, les musiciens, discutons de nos vies, des enfants qui grandissent, de ce qu'ils deviennent. L'occasion de me souvenir combien il est précieux d'avoir des amis comme ceux-là.

Il était question depuis quelque temps d'une nouvelle compilation. Sa conception sera à l'image de la convivialité éternelle et fraternelle de ces retrouvailles. Pour la toute première fois de notre histoire, le meilleur de notre production collective va être rassemblé avec le meilleur de nos cinq carrières solo. Avec ses trois CD et ses trente-sept titres, ce coffret de presque quatre heures obéit à un ordre chronologique et à un principe rigoureusement démocratique : trois morceaux chacun. J'interviens à peine dans le choix des titres de Genesis – je fais confiance aux autres pour relever ce défi –, mais, parmi les miens, je sélectionne « In The Air Tonight » (ce serait malvenu de ne pas le prendre), « Easy Lover » (en partie parce qu'il ne figure sur aucun de mes albums studio) et « Wake Up Call », tiré de *Testify* (parce que c'est ma chanson préférée d'un album passé inaperçu).

Quand vient le moment de donner un titre et un habillage à ce coffret, tout se passe avec une facilité surprenante. Malgré quelques velléités individualistes, nous nous sommes tous bonifiés avec les années et les discussions se déroulent sans caprices excessifs. Quelqu'un propose *The Big Tree and*

---

1. « Ensemble et séparés ».

411

Its Splinters[1], mais en fin de compte c'est une idée de Peter qui l'emporte, *R-Kive*[2], avec son orthographe en forme de clin d'œil à la « modernité ».

R-Kive sort en septembre et, juste avant la diffusion par la BBC de *Together and Apart* le 4 octobre 2014, nous assistons à la première du documentaire à Haymarket à Londres. C'est une soirée magnifique, décontractée, en compagnie de nombreuses vieilles connaissances dont Hugh Padgham, Richard McPhail et bien d'autres. Lors de la projection, tout le monde rit quand il faut et personne ne fait la tête dans son coin.

Le moment est aussi venu de m'intéresser au patrimoine que je possède dans un autre domaine. Soixante ans après avoir découvert le film de Disney sur Davy Crockett, et presque deux décennies après qu'Orianne m'a offert mon premier objet en rapport avec Alamo, j'ai désormais constitué une vraie collection de reliques et d'objets militaires. Sur la suggestion d'un éditeur texan, j'ai même publié un livre, *The Alamo and Beyond: A Collector's Journey*. Selon certaines estimations, je posséderais la plus grande collection privée au monde sur le sujet, d'une valeur voisine de dix millions de dollars.

Si sa valeur monétaire m'indiffère, sa valeur historique m'importe au plus haut point. Désormais, après ma danse alcoolisée avec la mort, je suis plus que jamais préoccupé par le devenir de cette collection après ma disparition.

Pour éviter de déplorables querelles autour d'un rarissime mousquet de Davy Crockett ou un différend entre frères et sœurs au sujet de mes chers boulets de canon mexicains, je décide de faire don de ma collection de deux cents pièces à un musée ou une institution qualifiés de San Antonio.

Après en avoir discuté avec des amis et des experts locaux, je me dis que le mieux serait que cette collection rejoigne sa terre natale : je vais donc la léguer au site même d'Alamo. Situé

---

1. « Le Grand Arbre et ses échardes ».
2. « Archive » prononcé à l'anglaise.

au centre de San Antonio, ce lieu est la plus grande attraction touristique de l'« État à l'étoile solitaire ».

Nous rendons la décision publique le 26 juin 2014 sur le parvis d'Alamo et, en octobre, je retourne sur place pour assister à l'arrivée de la collection en provenance de Suisse. Celle-ci sera abritée dans un musée, clou d'une vaste opération de réaménagement d'un montant de cent millions de dollars. Je reçois également le titre de citoyen d'honneur du Texas devant la chambre des représentants de l'État. Le gamin de Hounslow qui vit encore au fond de moi n'en revient toujours pas (mais si vous me surprenez à parler avec l'accent texan, n'hésitez pas à me taper sur les doigts).

Pendant ce temps, du côté de mon ancien boulot, toute cette effervescence – sans parler de la bonne entente affichée publiquement entre mes anciens collègues du groupe et moi-même – a relancé le débat autour de la reformation de Genesis. Comme toujours, je ne suis pas certain que tout le monde ait bien réfléchi à la question : si nous repartions sur les routes après quarante ans d'absence, ce serait forcément avec le groupe de l'ère Peter. Autrement dit, on jouerait des morceaux composés du temps où on était tous les cinq, c'est-à-dire, pour parler clairement, un répertoire dont l'audience est plus limitée. Le public entendra « Can-Utility and the Coastliners » ou encore « Fountain of Salmacis », mais pas « I Can't Dance » ni « Invisible Touch ».

Cela dit, il y a un problème plus urgent, plus pratique : je ne suis toujours pas apte à jouer de la batterie. Pire encore, je ne suis même pas prêt mentalement à remonter sur scène.

Je le sais car, en septembre 2014, juste avant la sortie de *R-Kive*, à la demande amicale mais insistante de Tony Smith, je réunis une poignée de très bons musiciens à Miami. Comme je serai de toute façon sur place pour rendre visite à mes deux garçons, il n'y a là, de mon point de vue, aucune promesse ni engagement. Ce sera moins une répétition qu'une occasion de se défouler entre amis. Et c'est aussi une faveur accordée à Nic et Matt, qui voudraient tant voir leur père sortir de sa tanière pour donner quelques concerts. J'accepte donc de répéter des vieilleries pendant trois semaines, en toute quiétude.

Pour apporter un peu d'énergie relativement juvénile, j'ai demandé à Jason Bonham de tenir la batterie et nous commençons à défricher quelques titres. Au début, tout se passe bien, Jason envoyant vraiment du lourd sur les morceaux costauds, mais je constate rapidement que je suis, disons, distrait. *Au point où nous en sommes, est-ce vraiment indispensable de rechanter* « Against All Odds » *?* me demandé-je.

Je suis gêné de le dire, mais, à 63 ans, je commence à me comporter comme un écolier. Je pars avant l'heure, le lendemain je dis que je suis malade, puis je sèche carrément. Je charge Brad Cole, le claviériste, de diriger le groupe et ils jouent sans moi. Je me désintéresse complètement du projet.

Hélas, ces écarts sèment l'inquiétude un peu partout dans le monde. Ils reviennent aux oreilles de Tony à Londres, de Dana à New York. Ceux-ci redoutent logiquement le pire. Avant que je comprenne ce qui m'arrive, Dana fait irruption dans ma chambre d'hôtel à Miami en exigeant des explications. Pourquoi est-ce que je saute les répétitions ? Ai-je recommencé à boire ?

Je la rassure – « Non, sincèrement, je ne bois pas » –, mais je lui en veux aussi. Alertée par Tony, elle a pris une journée de congé, sauté dans un avion, trouvé je ne sais comment une clé de ma chambre et surgi, prête à en découdre. Bien entendu, elle fait tout ça avec les meilleures intentions du monde et, bien entendu, elle a vécu un calvaire à mon côté ces dernières années. Mais je n'apprécie pas d'être traité comme un gamin.

À ce moment-là, notre relation a déjà un peu de plomb dans l'aile. Je passe de plus en plus de temps à Miami pour être avec mes enfants ; et je crois que Dana est tenaillée par la crainte d'un rapprochement entre Orianne et moi, ce qui n'arrange rien.

Nous sommes tous les deux très remontés, ce qui incite chacun à vider son sac. Dana se voyait bientôt mariée, alors que je n'avais aucune intention de convoler une quatrième fois. On s'explique franchement et on verse quelques larmes. Elle passe la nuit dans ma chambre – en gardant ses distances – et quand je me réveille le lendemain, elle est partie. Après huit ans passés ensemble, tout est fini entre nous.

Si mon comportement, dans ma vie personnelle et professionnelle, traduit une sorte de semi-détachement, c'est parce qu'un autre attachement vient changer la donne, mais de façon très positive. Les craintes de Dana ne sont pas injustifiées : Orianne et moi sommes en voie de réconciliation.

Depuis qu'elle s'est installée à Miami avec les garçons en juillet 2012, je m'y rends une semaine sur deux et je prends mes quartiers au Ritz Carlton de South Beach. Notre contrat initial a sans doute pâti de mes abus de boisson. Mais depuis que j'ai retrouvé la sobriété, nos relations et notre complicité n'ont cessé de s'améliorer. Dans le même temps, le mariage d'Orianne bat de l'aile. Nous nous disons souvent que nous n'aurions pas dû divorcer, que nous nous manquons mutuellement, que les moments passés en famille nous manquent aussi.

Vers la fin décembre 2014, Orianne repart pour la Suisse afin de se faire opérer des cervicales pour libérer des nerfs coincés. Par malheur, sur la table d'opération, elle est victime d'un spasme. Résultat, elle se retrouve totalement paralysée du côté droit. Elle ne va pas quitter son lit, et encore moins la Suisse, avant longtemps. Quand elle m'appelle pour me l'annoncer, je crois que c'est une blague.

Après avoir passé le nouvel an avec les garçons à New York comme prévu, je les ramène à Miami. Au terme de multiples discussions avec son mari, nous tombons d'accord pour que je rende visite à Orianne le premier. En arrivant en Suisse, je découvre mon ex-femme rivée à un fauteuil roulant, hagarde, l'ombre d'elle-même. Nous sommes tous les deux effondrés.

Je reste là-bas une semaine avant de reprendre l'avion pour jouer le double rôle de papa et de maman auprès des garçons. Orianne est bloquée en Suisse par sa rééducation jusqu'à début mars 2015, date à laquelle elle est enfin de retour. Elle et les enfants sont soulagés et heureux. Et moi donc !

Cette période est celle des convalescences tous azimuts. Au cours des derniers mois, nous avons été francs l'un avec l'autre, livré le fond de notre pensée et de nos sentiments. Nous avons pris la décision de nous réconcilier, à défaut de « dé-divorcer ». Quand nous l'annonçons à Nicholas et Mathew, ils sautent de joie. D'ailleurs, Matt nous fait une révélation extraordinaire : « Vous savez, à mon dixième anniversaire, j'avais fait un vœu pour que ça arrive. » L'idée que les enfants aient eu aussi ce désir m'émeut beaucoup.

Ensemble, nous commençons à visiter des maisons à Miami. Mes critères : que Matt puisse avoir un peu d'espace pour jouer au foot et que Nic ait un petit studio, une pièce où il puisse répéter avec son groupe et travailler sa batterie.

Nous dénichons l'endroit idéal, qui se trouve être l'ancienne maison de Jennifer Lopez (je l'apprendrai plus tard par Joely). En juin 2015, je signe les papiers et nous installons notre famille à Miami Beach. Nous sommes quatre à présent, comme avant. Ou plutôt cinq : Orianne a un fils, Andrea, né en 2011 de son second mariage et qui vit le plus souvent avec nous. C'est compliqué ? Vu mes antécédents, rien ne l'est trop.

Il faudra attendre début 2016 pour que la nouvelle de mon retour auprès de ma troisième ex-femme s'ébruite. Stupéfaction obligée et ricanements appuyés dans la presse people internationale.

Quoi qu'il en soit, je suis de retour auprès de mon ex-épouse et de mes garçons, et nous sommes tous heureux comme des rois.

✳ ✳ ✳

Le clan Collins est une drôle de tribu. Je sais à quoi il ressemble ; à une famille disloquée, dispersée, présidée – avec une autorité toute relative – par Phil, l'homme aux trois femmes. Mais malgré tout ça, *à cause* de tout ça, nous en rions. L'amour finit toujours par l'emporter.

Je me sens coupable envers chacun de mes enfants. Sincèrement, je me sens coupable de tout. De toutes les fois où j'ai été absent, de tous les moments que j'ai ratés, de toutes ces périodes pendant lesquelles une tournée ou un album a gâché la vie des miens – et même les efforts pour l'améliorer. La musique m'a fait, mais elle m'a aussi défait.

On ne m'y reprendra plus. J'ai retrouvé mon rôle de père auprès de Nic et Matt, et je dis merci chaque fois qu'on me sollicite pour un match de foot, une répétition du groupe du collège ou des devoirs à la maison.

Mais le bonheur accroît la culpabilité : plus je suis heureux avec Nic et Matt, plus je m'en veux de ne pas être présent auprès de mes autres enfants. Je n'ai pas eu ces mêmes conversations, savouré ces mêmes joies avec Joely, Simon et Lily.

Nous sommes un chantier en cours – citez-moi une famille qui n'en soit pas un –, mais, tout bien considéré, je trouve qu'il avance plutôt bien. Joely a fait ses débuts au cinéma et remporté de nombreux prix, et elle est maintenant productrice pour la télévision et sur Internet. Elle vit à Vancouver avec Stefan, son mari néerlandais, et leur magnifique petite Zoe. Née le 26 octobre 2009, celle-ci a fait de moi un grand-père à l'âge (bien peu) respectable de cinquante-huit ans. Ils coulent des jours heureux et sont un exemple pour tous.

Respect absolu pour Simon : il n'a pas choisi la facilité en suivant les traces de son père. Il a vécu des moments pénibles, personnellement et professionnellement, mais il s'est battu. C'est un batteur extraordinaire et, comme chanteur, il a trouvé sa voix. Il a reçu pas mal d'éloges dans l'univers du rock progressif et a parfaitement su trouver son public et se constituer un noyau de fans. Parvenir à enregistrer ses propres disques, et le faire sans se renier, ce n'est pas un mince exploit dans le monde musical actuel. C'est un musicien tenace, qui sait ce qu'il veut. Je me demande bien de qui il tient ça...

Simon et moi avons enfin réussi à jouer ensemble en 2008 sur son album *U Catastrophe*. Il avait composé un titre pour nous deux, « The Big Bang », et je suis parti pour Las Vegas l'enregistrer avec lui. C'est un morceau incroyablement rapide, un peu calqué sur les duos de batterie de Genesis, qui m'a donné du fil à retordre. J'ai cru ne pas m'en sortir. Ce morceau est jubilatoire et cette collaboration avec mon fils aîné a dû correspondre, sans que je le sache, à mon ultime prestation derrière une batterie. Ça tombait bien, finalement.

Lily fait elle aussi honneur à ses parents. Mannequin à l'adolescence, elle a enchaîné avec une formidable carrière d'actrice. En ce moment même, elle tourne pour Amazon une nouvelle série dramatique, inspirée du *Dernier Nabab*, de F. Scott Fitzgerald, où elle tient le rôle principal. Elle a joué dans plusieurs grosses productions hollywoodiennes, dont *The Blind Side* (avec Sandra Bullock) et *Blanche-Neige* (avec Julia Roberts), où elle interprète le rôle-titre, et est apparue récemment au côté de Warren Beatty dans son nouveau film, *Rules Don't Apply*. Socialement concernée et engagée, excellente oratrice, elle est également impliquée dans un projet contre les brimades scolaires à L.A.

Frère Clive gagne toujours sa vie comme illustrateur et a reçu de multiples récompenses internationales. Il a été nommé membre de l'ordre de l'Empire britannique en 2011. Il m'inspire une fierté sans bornes.

Sœur Carole, toujours aussi rigolote, coule le parfait amour avec Bob depuis quarante-deux ans. Après sa longue carrière de patineuse professionnelle, elle a pris la suite de notre mère comme agent artistique. On l'a également vue dans *Buster* où elle était parfaite en voisine bruyante (un rôle de composition, je m'empresse de le préciser).

Ma chère maman, elle, n'est hélas plus des nôtres. Après une première attaque en avril 2009, elle a progressivement décliné avant de s'éteindre le 6 novembre 2001, deux ans seulement avant d'atteindre son centenaire

Juste avant, j'avais pu passer du temps auprès d'elle. J'arrivais de Suisse en avion et je lui rendais visite chez Barbara Speake à Ealing. Assis près du lit, je caressais ses cheveux tandis qu'elle s'endormait, en pensant : *Si seulement j'avais pu en faire autant avec papa.*

Les ennuis de santé de maman ont eu pour seul avantage de beaucoup nous rapprocher, Carole, Clive et moi. Du fait de notre éloignement géographique, nous avions perdu l'habitude d'avoir de longues conversations. Quand maman est tombée malade, nous nous parlions sans arrêt et nous allions la voir ensemble à l'hôpital.

Ma réussite a fait très plaisir à ma mère ; elle a su qu'elle avait bien fait de m'aider et de m'encourager. Mais je regrette encore que mon père soit parti sans avoir assisté à aucun de mes succès. Là où il est, que pense-t-il de tout ça ? J'espère qu'il m'a pardonné d'avoir refusé un emploi de bureau chez London Assurance. J'espère l'avoir rendu fier.

J'ai eu de la chance, il n'y a aucun doute là-dessus. Ma carrière a été longue et, dans l'ensemble, je trouve que ma musique a bien vieilli. D'une part, certains titres de mon fond de catalogue sont liés à une époque et un lieu précis. Si un réalisateur de télé ou de cinéma cherche une référence sonore pour évoquer instantanément l'apogée des années 1980, il ne se trompera pas en choisissant « In The Air Tonight ». D'autre part, je suis ravi d'entendre de jeunes artistes avouer qu'ils font partie de mes fans. J'ai une très grosse cote auprès de la communauté hip-hop. Être repris par Lil' Kim, Brandy et Bone Thugs-N-Harmony me procure un plaisir immense, Kanye West m'a cité parmi ses sources d'inspiration et il existe un album entier – *Urban Renewal* (2001) – de reprises hip-hop et R&B de mes chansons. J'en suis très heureux.

Il semblerait que, depuis peu, le mouvement s'accentue encore. Pharrell Williams, à qui on proposait de remixer *Face Value*, a répondu : « Mais pour quoi faire ? Il est très bien comme ça, ce morceau ! » Lorde dit avoir pour moi de l'admiration, de même que Ryan Tedder, chanteur de OneRepublic et auteur-compositeur d'exception. Et puis, il y a Adele.

Mes années d'éthylisme m'ont fait descendre à de telles profondeurs que j'ai trouvé le moyen de rater son ascension.

Je n'avais jamais entendu parler d'elle. Mais quand elle m'a contacté en octobre 2013 pour qu'on écrive ensemble son troisième album, j'ai été absolument ravi de la rencontrer. Je me suis plongé dans son répertoire et j'en suis ressorti conquis. Adele a un talent phénoménal, un des plus remarquables de notre époque.

En novembre de cette année-là, alors que je suis de passage à Londres, elle vient me voir au Dorchester Hotel. Elle m'appelle depuis la réception, je lui donne le numéro de ma chambre et elle arrive accompagnée d'un agent de sécurité. Une fois qu'il s'est assuré que je ne représente aucun danger, elle lui demande de l'attendre en bas.

Et nous voilà, Adele et moi, en tête-à-tête. Elle est en tous points conforme à l'image qu'on se fait d'elle : une Londonienne des quartiers nord aussi généreuse en sourires qu'en jurons, une fille pragmatique totalement indifférente à son statut de vedette du moment, d'irrésistible figure de proue de l'industrie musicale.

Je lui offre un thé et tente de dissimuler le trac qui m'étreint. J'ai l'impression de passer une audition, mais c'est dû à mon manque de confiance. Adele doit se dire : « Putain, je le voyais pas si vieux que ça, le père Collins. » Pour certaines personnes, je n'ai pas bougé d'un poil depuis tel clip vidéo de telle année (espérons que ce ne soit pas celui de « You Can't Hurry Love »).

Elle sort une clé USB, la branche sur mon ordinateur portable et me fait écouter un morceau en me parlant d'ambiance à la Fleetwood Mac. C'est excellent. Et très long. Comme je ne sais pas trop comment réagir, ni ce qu'elle attend de moi, je lui dis :

– Il faudrait que je la réécoute.

– Je vous l'enverrai, comme ça vous pourrez aller jusqu'au bout, me répond-elle.

De retour à New York, j'apprends le morceau au piano et je le complète dans le petit studio qui se trouve dans ma rue à Manhattan. Peu de temps après, je reprends contact avec Adele par e-mail.

« C'est toi qui m'attends, ou moi qui t'attends ? »

« Désolée, me répond-elle, je suis en plein déménagement, je change d'adresse mail, je m'occupe du bébé, etc. »

Par la suite, elle expliquera dans la presse que je suis arrivé beaucoup trop tôt dans le processus d'écriture et d'enregistrement de l'album qui deviendrait *25* ; qu'elle n'était pas prête ; qu'elle me trouve toujours génial. Ça me fait plaisir. C'était un petit intermède charmant, très gratifiant pour moi en tout cas.

Hélas, avant de pouvoir faire le malin en me revendiquant comme le meilleur pote d'Adele, je vais avoir de nouveaux problèmes de santé à régler.

En octobre 2015, à Miami, je me réveille avec une douleur épouvantable au côté droit et je me rends en boitillant chez le charmant, quoique légendaire Dr Barth Green, sorte d'Adele de la chirurgie rachidienne.

Selon son avis éclairé, mon dos – sans autre précision – « est complètement en vrac ». Mais pas d'inquiétude, le Dr Green a les outils qu'il faut pour me retaper. Il me fait entrer en salle d'opération, me pose huit vis dans la colonne et m'assure qu'à partir de maintenant tout devrait s'arranger.

Je reboitille jusque chez moi pour entamer ma convalescence et, aussitôt après, je me casse la figure dans la chambre et me fracture le pied droit. Retour à l'hôpital et retour au bloc. Pendant la rééducation, nouvelle chute et nouvelle fracture du pied. Tiens, tiens, j'apprends au fil de mes traumatismes podologiques que l'« entorse » que je m'étais faite en retombant lourdement à la fin de « Domino » lors de la tournée australienne de Genesis en 1986 avait, en réalité, provoqué un arrachement osseux. Tiens, tiens, encore, j'apprends que, mises bout à bout, toutes les injections de cortisone destinées à apaiser mes cordes vocales ont très bien pu fragiliser mes os. J'en rirais si je ne souffrais pas autant.

En y réfléchissant, j'ai l'impression de tomber en morceaux. Suis-je en train de payer le prix de toutes ces années de batterie ? Ayant commencé à l'âge de cinq ans, j'en totalise soixante à l'heure où j'écris ces lignes.

Une fois sorti de l'hôpital et remis sur pied, je me vois obligé de troquer mes baguettes contre une canne.

Pas de chance, c'est le moment où on me demande d'être présentable pour affronter la presse internationale : j'attaque le marathon promotionnel des rééditions 2016 de mes albums solo. Étalée sur un an, cette campagne s'intitule « Take A Look At Me Now », pile au moment, justement, où je préférerais qu'on ne regarde pas ce semi-invalide claudiquant et clopinant.

Mais les rencontres avec les médias vont me redonner le moral. Pour la première fois depuis une éternité, les interviewers et leurs articles chantent mes louanges. J'en ai presque le vertige. Et est-ce à cause de mon enthousiasme, de l'enthousiasme du journaliste, ou des deux, mais *Rolling Stone* publie un reportage sous le titre, « Phil Collins prépare son retour : "La retraite, c'est fini" ».

Mes propos y sont abondamment cités : « Je me suis beaucoup impliqué dans ces rééditions. […] Je suis sensible à la flatterie. Si le public redécouvre ces vieux titres et se montre intéressé, ce serait idiot de le priver de musique. […] » Plus loin : « Je n'ai pas envie d'une très longue tournée. Mais j'aimerais jouer dans des stades en Australie et en Extrême-Orient, et c'est la seule façon d'y aller. D'un autre côté, je jouerais bien uniquement dans des théâtres, alors on va voir. »

Ai-je vraiment dit tout ça ? Ce sont peut-être les médicaments qui ont parlé à ma place, mais l'idée est intéressante. Le type qui s'exprime ainsi boite et peut à peine marcher, encore moins jouer du rock. Les rumeurs de mon come-back ont sans doute été exagérées, et j'en suis le premier responsable.

Chez moi, au Royaume-Uni, la très sérieuse émission d'actualités générales *Today* sur BBC Radio 4 juge la nouvelle de mon retour digne d'être diffusée à l'heure du petit déjeuner. Une nation tout entière avale ses corn-flakes de travers avant d'aller ressortir ses tenues de soirée des eighties-nineties.

Remerciements

Ce livre, bien que sous-titré « autobiographie », n'aurait pu voir le jour sans l'aide de nombreuses personnes. En premier lieu, je tiens à remercier Craig McLean qui, après m'avoir écouté pendant des mois, a retranscrit mes divagations en leur donnant un semblant d'ordre, a remis le tout à votre serviteur et l'a laissé massacrer sa belle prose. Merci infiniment, camarade.

Toute ma gratitude va également à mon éditeur, Trevor Dolby, qui, au moment où je pensais mon travail abouti, l'a encore amélioré. Merci à toi, TD.

Merci aussi à Lizzy Gaisford qui, sous la houlette de Trevor, a maintenu le navire à flot et pris en charge toutes les corvées dont personne ne voulait. Merci également à tous ceux de Penguin Random House UK, en particulier Susan Sandon, Jason Smith, Charlotte Bush et Celeste Ward-Best.

Merci de même à Kevin Doughten, mon éditeur aux États-Unis : rien n'a échappé à son regard international. Et merci à tous ceux de Penguin Random House US, notamment David Drake, Molly Stern, Tricia Boczkowski, Christopher Brand et Jesse Aylen. Et à l'adorable Lorenzo Agius pour la photo de couverture.

Naturellement, une vie serait vide sans celles et ceux qui la remplissent. Alors merci, du fond du cœur, à mes enfants. Joely, Simon, Lily, Nicholas et Mathew, j'ai appris de vous tous. Je suis peut-être votre papa, mais j'ai été l'élève de chacun d'entre vous.

À mes compagnes, Andy, Jill, Orianne et Dana, merci de m'avoir supporté. Vous aurez toutes, à jamais, une place dans mon cœur.

À tous les musiciens qui ont risqué leur carrière en jouant avec moi, des tonnes d'amour et de mercis.

Cher Tony Smith, merci pour ta sagesse, ton amour et tes conseils.

Merci aussi à Jo Greenwood, de TSPM, pour sa patience à toute épreuve.

Merci à Danny Gillen et Steve Jones, mes deux bras droits et mes alter ego.

Et merci à tous les fans qui m'ont soutenu contre vents et mariées.

Je vous aime.

PC

Photographies

Sauf indication contraire, toutes les images sont la propriété de l'auteur.

Table des matières

Phil Collins
The Singles

Composition et mise en pages
Nord Compo à Villeneuve-d'Ascq

MARQUIS

Québec, Canada

Imprimé au Canada
Dépôt légal : octobre 2016